Cher abonné, Chère abonnée,

Afin que ce livre puisse aussi répondre aux besoins des lecteurs qui vous suivront, nous vous prions de ne rien découper et de ne rien écrire dans ce document.

Merci pour votre collaboration.

L'AMANT INDIEN

La nuit du couteau, Lattès, 2003.

www.editions-jclattes.fr

Carolyn Slaughter

L'AMANT INDIEN

roman

Traduit de l'anglais par Sylvie Schneiter

JC Lattès
17, rue Jacob 75006 Paris

Titre de l'édition originale :
THE BLACK ENGLISHMAN
publiée par Farrar, Straus and Giroux, New York

À ma grand-mère, Anne Webb.
Il ne faut plus que les histoires se terminent mal.

« L'amour se joue des castes de même que le sommeil d'un lit cassé. Je suis parti à sa recherche et je m'y suis perdu. »
Proverbe hindou

PROLOGUE

Ce livre s'inspire librement de la vie de ma grand-mère maternelle, Anne Webb, qui partit aux Indes à la fin de la Première Guerre mondiale. À l'âge de trente ans, elle fut internée à l'asile Ranchi où elle demeura jusqu'à l'indépendance de l'Inde. On la transféra ensuite dans un hôpital psychiatrique en Angleterre et elle y resta jusqu'à sa mort, en 1984. C'est dans cet établissement que je l'ai rencontrée pour la première fois, l'ayant crue morte avant ce moment-là.

I

1

1920

Aux Indes, il n'y a pas de crépuscule. L'obscurité s'y instaure brutalement. Je ne m'y habitue pas, mais relie cela à la fébrilité de ce pays, à la fulgurance avec laquelle les choses y surviennent. Sans transition. Sans avertissement. Je regrette qu'il n'en aille pas comme en Angleterre, où les couleurs se mêlent lentement cependant que l'ombre s'avance et recule jusqu'au triomphe d'une tonalité unique. Ici le safran flamboie, se mue en or diapré de bleu, puis la nuit tombe. En l'espace d'un instant, tout est terminé. Ce plongeon saisissant dans les ténèbres fait l'effet d'une commotion, qui paraît annoncer un horrible événement. Il s'agit en réalité de l'irruption de mes propres ténèbres ; à l'époque, je ne le comprenais pas. Si j'en avais eu conscience, aurais-je grimpé d'un pas si alerte la passerelle du paquebot P&O en agitant ma main gantée de daim couleur pistache ? Aurais-je pris cette décision si j'avais su que l'on s'assomme dans les ténèbres et que l'on risque de s'y noyer ? Sans aucun doute. À vingt-trois ans, je me croyais capable de tout, j'étais invincible, et je partais aux Indes, aux Indes, aux Indes ! On aurait dit que le continent écarlate en forme de cœur ne palpitait d'excitation et n'éclatait de splendeur que pour moi. Et l'amour était revenu. Alors j'avais relevé mes jupes et m'étais précipitée vers lui, sans me préoccuper des conséquences. Amoureuse de l'amour, je me voyais courir à sa rencontre comme un homme qui attrape dans ses bras une femme descendant du train et la fait tourbillonner en lui murmurant : « Enfin tu es là ma bien-aimée, nous allons pouvoir commencer notre vie délicieuse ensemble. »

Ma mère, elle, n'était pas dupe, mais je refusais de l'écouter. Lorsqu'elle se prépara à quitter le bateau en m'y laissant, elle me lança : « Tu as fait ton lit, Isabel, il va falloir que tu y couches. » N'ayant jamais été obligée à s'habituer, à supporter ou à s'accommoder de quoi que ce soit, elle ne savait rien de ce dont elle parlait. Ma mère, qui venait d'un milieu aisé et qui avait de la fortune, était descendue d'un barreau de l'échelle sociale en raison de son mariage avec mon cher père. Voilà pourquoi elle était exaspérée de me voir commettre la même erreur. Quand je lui avais annoncé que j'allais épouser Neville, elle avait été aussitôt contre : « Ce n'est pas son origine sociale – inutile de me jeter ce regard ! – qui me déplaît, même si elle laisse beaucoup à désirer. Je connais le village pouilleux où demeure sa tante, Dieu sait d'ailleurs combien il y a de Webb dans les villages du Pays de Galles. Ce n'est même pas parce qu'il vit aux Indes depuis trop longtemps : encore qu'il y soit né et son père aussi, ce qui représente beaucoup trop d'années passées loin de la civilisation. Ce n'est pas non plus, quoi que tu en penses, parce qu'il est sous-officier. Non, rien de tout cela n'a vraiment d'importance. C'est simplement une question de personnalité. Il est médiocre. »

Sur ce, elle avait bourré une kyrielle de malles de vêtements d'une grande élégance, taillés sur mesure à Londres ou à Paris, dont un ensemble gris clair, deux robes du soir pour les bals où elle s'imaginait que j'irais, quelques adorables petites robes pour jouer au bridge au club. Elle m'avait même fait faire des culottes de cheval en tissu léger à Bond Street, comme si c'était approprié. Elle avait beau ne pas cacher son opinion au sujet de Neville, elle ne m'avait pas une seule fois dit : « Renonce. » Peut-être ne pensait-elle pas avoir le droit de me conseiller dans le domaine de l'amour, où son intelligence avait failli. C'était l'impression qu'elle donnait. Aussi avait-elle été incapable de me mettre en garde avec des injonctions telles que : « C'est une erreur, je m'y oppose », ou même : « Pour l'amour de Dieu, Isabel, ne sois pas aussi stupide. » Eût-elle essayé que je lui aurais donné du fil à retordre. Je me vautrais dans sa désapprobation qui, je dois l'avouer, me permettait d'écarter avec encore plus de détermination mes interrogations sur Neville, dont je connaissais le caractère. Il avait le regard somnolent d'un prédateur, sans compter la fameuse nuit à Porthcawl, mais à quoi bon revenir sur le passé, exhumer ce que l'on a sciemment refoulé ?

Je voulais aller aux Indes avec Neville, parce que j'avais choisi le mariage plus que le mari et, plus que l'un ou l'autre, la Vie. C'était une fuite, un sursaut, sans aucun rapport avec la sécurité, ni l'argent – nous en avions à revendre. Il me fallait quitter le Pays de Galles. Il me fallait oublier les morts, dont la pluie révélait peu à peu la présence dans les champs de bataille de France. Il me fallait échapper à ceux qui étaient revenus, traînant blessures et amputations dans leur sillage, rendus fous par le souvenir de ce qu'ils avaient vu. Mon frère en avait parlé un jour qu'il était ivre, puis il n'y avait plus jamais fait allusion. Tous ceux qui s'en sortent réagissent ainsi, ne parvenant pas à supporter d'être en vie alors que tant d'autres ont péri. Jack m'avait raconté qu'un officier du régiment de la reine s'était immolé par le feu et que l'on décorait des soldats qui se jetaient sur les canons. C'était difficile à admettre après ce que nous avions cru sur la gloire et l'honneur de la guerre. Jack avait évoqué un certain Ed, de Cardiff, qui s'était retrouvé errant sur un terrain vague en tenant son bras arraché comme un bouquet de roses. Jack avait vu un soldat taillader un visage humain en creusant un pan de tranchée. Jack avait trébuché sur un cadavre avant de se rendre compte que c'était un garçon à côté duquel il était assis à l'école. Je ne comprenais rien tandis que les mots griffonnés par Gareth sur un bout de papier sale m'obsédaient : *Mon amour, les tranchées de la ligne de front sont à quinze kilomètres. Nous avançons à marche forcée vers Arras ; des chevaux morts partout, des hommes jetés dans des fossés, estropiés et décapités. Personne ne se donne plus la peine de ramasser les cadavres. Aucun parmi nous ne sait ce qu'il fait. Tous les vrais soldats sont morts.*

J'ai souvent l'impression d'avoir éprouvé la même précipitation désespérée que Gareth lors de son premier départ en France. Il s'était rué à la guerre, montant dans le train à Waterloo pour vivre une grande aventure : « J'ai hâte d'aller faire mon devoir au front ; j'attends les ordres et ne pense qu'à foncer. » Et j'imaginais mon périple aux Indes de la même façon, habitée par la vision de ce qui m'attendait au terme de la traversée en bateau, là où l'Orient commençait : un monde sauvage et exotique, sans rapport avec ce qu'offrait notre petite île. Gareth avait laissé derrière lui l'enfance, l'innocence et les premiers émois de notre jeunesse ; moi, mes espoirs brisés, les regards éperdus lancés aux lieux où le mort bien-aimé courait autrefois, aux collines bleutées qu'il escaladait, où il parlait d'avenir.

L'imprévu surgit dès notre arrivée aux Indes. La traversée n'avait été qu'une prolongation de ce que je connaissais depuis toujours, un lent glissement à travers les eaux profondes, les variations subtiles de la lumière à mesure que nous progressions vers l'est. Jusqu'au matin où tout étincela comme le gros diamant de la couronne de la reine Victoria. Nous pénétrions dans le mystère, dans la magie, dans la splendeur telle que je me les représentais depuis l'époque où j'en rêvais en lisant *Les Mille et Une Nuits*. Sur le bateau, malgré une traversée plus courte grâce au canal de Suez, on avait eu le temps de s'habituer au changement. J'avais évidemment été malade comme un chien lors de la traversée du golfe de Gascogne, en proie à la sensation que mes entrailles allaient s'échapper par ma bouche. J'étais si mal en point, si verdâtre, que j'aurais préféré qu'on me balance par-dessus bord pour en finir. Lorsque je me traînais sur le pont – uniquement le soir, parce qu'il est impossible de vomir en plein jour – je voyais sans cesse les mêmes passagers arc-boutés à la rambarde, les mêmes visages verts en train de rendre.

Nous avions beau nous reconnaître, nous nous détournions les uns des autres, chacun emmuré dans sa maladie honteuse, incapable de proférer une parole.

À peine fûmes-nous en Méditerranée que je récupérai mon équilibre, à nouveau sensible à la beauté de la mer avec laquelle je retrouvai mes affinités de toujours. Je me souvenais que nous courrions jusqu'à la plage réservée aux enfants à Porthcawl, tôt le matin, alors qu'elle était encore vierge d'empreintes de pas ou de pattes. J'attendais que Jack et Gareth me rejoignent, puis, tous les trois, nous construisions des châteaux de sable. Moi en costume de bain en laine qui me grattait entre les jambes, eux courant et faisant voler le sable à coups de pied. Ils m'y enterraient jusqu'à ce qu'il n'y ait plus que ma figure de visible avant de me fourrer un sandwich au jambon dans la bouche pour voir si j'étais capable de le manger sans faire crisser le sable. Jadis, aller aux Indes en bateau signifiait se traîner jusqu'au Cap. Aujourd'hui, on file par le canal de Suez jusqu'à la mer Rouge où on croise au large de La Mecque et d'Aden. Le voyage était merveilleux. Les journées s'étiraient, rêveuses, tandis que les vagues nous berçaient vers la mer d'Arabie. À Port-Saïd, des garçonnets plongeaient pour rattraper des pennies, et, si l'on faisait descendre un panier avec de l'argent à l'intérieur, ils y mettaient des oranges, des raisins noirs, des bananes, des ananas, des dates ainsi que des petites figues mauves tellement meilleures que les sèches que l'on trouve en Angleterre. Un jour, le panier remonta avec un caméléon : petit phénomène darwinien passionnant comme surgi de l'âge de pierre. Le paquebot était sublime. Il trônait sur l'eau à la manière d'un palace d'une blancheur immaculée sur une colline bleue. En un sens, il était prodigieux. Comme les Indes. Comme l'Empire à une certaine époque. Père affirmait, de sa voix libérale, que c'était terminé depuis la fin du siècle dernier : « L'idéal impérial est mort, expliquait-il avec lassitude, et la race impériale faible, corrompue jusqu'à la moelle. » Autant de propos incompréhensibles à bord du *Viceroy of India* qui traversait majestueusement l'océan en route vers sa chatoyante destination, dominant les vagues, au sommet de sa gloire.

Évidemment, Neville et moi n'avions pas de quoi nous offrir la première classe. Mais nous voyagions à bâbord à l'aller, tribord au retour. Tel était l'usage afin d'échapper à un soleil de plomb. Pour Neville, l'expérience de voyager sur un bateau de P&O était aussi nouvelle que pour moi. Auparavant, il était allé aux Indes à bord d'un de ces abominables transports de troupes qui mettaient des mois à arriver à Bombay. Pourtant, à peine embarqué, tout parut le prendre à rebrousse-poil. Il était tellement hargneux qu'il semblait ne songer qu'à s'esquiver. Même sur le quai, où civils et militaires étaient réunis, il avait l'air contrarié et maussade. Debout près de moi, raide comme un piquet, il refusait de parler tandis que je me désarticulais la tête afin de regarder les bagages de luxe, les porteurs, les passagers – dont certains portaient des topis[1] flambant neufs pour s'amuser – les femmes sur leur trente et un comme si elles se trouvaient à Ascot. Quelques Indiens superbement vêtus se promenaient sur le pont : les femmes, exquises, en saris aux couleurs d'oiseaux exotiques, les hommes vêtus d'impeccables costumes de Savile Row et coiffés de turbans d'un blanc neigeux. Beaux, intelligents, cultivés, ils avaient de magnifiques yeux sombres. N'ayant jamais vu d'Asiatiques – ce qui était le cas de tout le monde au Pays de Galles –, je ne pouvais m'empêcher de les dévisager. Maman m'avait raconté qu'à la suite de l'épouvantable mutinerie de 1800 quelque chose, la reine Victoria ne sortait jamais en public sans deux domestiques indiens. En signe de solidarité et pour exprimer sa honte de nos représailles après la révolte des cipayes. Je mourais d'envie de m'approcher des Indiens du bateau, qui inclinaient la tête avec tant de noblesse, pour m'assurer de la couleur exacte de leur peau.

J'ouvrais des yeux ronds. Dans la cale, je découvris de larges meubles et commodes en acajou, des pianos, des tables et chaises de salles à manger, des chevaux à bascule, des peintures à l'huile, des tapis, des selles, une ou deux horloges de parquet, des caisses de vaisselle en porcelaine et de verres en cristal, d'autres remplies d'ar-

1. Casque colonial. Les notes sont du traducteur.

genterie anglaise, et même une Bentley flambant neuve, destinée sans doute au vice-roi ou à un maharaja. Du moins le crus-je jusqu'au moment où j'aperçus le petit drapeau flottant à l'avant. Quelle extravagance! Et ce pour le menu fretin du Raj, qui partait là où destin ou devoir l'appelait. Peut-être étais-je injuste? Peut-être cette époque était-elle révolue comme l'assurait mon père? Peut-être ces gens n'allaient-ils aux Indes que pour fuir ce qui s'était passé en Angleterre, abandonnant des fils et des amants morts, des visages décomposés aux yeux vides regardant par la fenêtre sans rien voir? Peut-être avaient-ils un soldat dans leur famille qui sautait au plafond au moindre claquement de porte ou feu d'artifice? J'ai lu un article sur les soldats souffrant de psychose traumatique due aux combats, que l'auteur, un médecin, qualifiait de morts ambulants. Ils tremblent au moindre souffle de vent ou crient lorsqu'ils détectent une odeur leur rappelant celle des gaz toxiques. Avons-nous des soldats commotionnés de la sorte aux Indes? Peut-être. Des milliers de soldats indiens ont péri sur le front occidental. Pourquoi ont-ils souhaité mourir pour quelque chose dont ils se fichaient éperdument? Tous ces régiments réduits en charpie, tous ces visages pourrissant au flanc d'une colline glaciale. D'après maman, aux Indes, bien des sacrifices avaient été faits pour contribuer à l'effort de guerre, comme tricoter des chaussettes et des chandails, mais ce n'était pas comme en Angleterre, ça ne se passait pas à la porte d'à côté, tout près.

Parfois, à la maison, quand le vent se levait, il me semblait que l'odeur de la mort flottant au-dessus des cordes à linge ou les cris d'hommes traînant les pieds dans le sentier parvenaient jusqu'à moi. J'avais beau n'en avoir entendu parler que dans des salons, à mi-voix, ou par les rubriques nécrologiques du *Times*, c'était plus réel que la soupe sur le fourneau. Il y avait en permanence une tension dans l'air, la certitude d'un désastre inéluctable. Même au Pays de Galles. Je me rappelle ce que j'éprouvais à la vue des régiments qui défilaient devant la poste en route vers la guerre. Mon regard passait d'un visage à l'autre, et je pensais : « Tu ne reviendras pas, toi non plus, mais peut-être que si, tu vas revenir. » Et ainsi de suite. Je les dénombrais, risquant une prière ou un marchandage avec Dieu pour qu'Il épargne un soldat qui devait absolument rentrer, parce que la vie sans lui était inconcevable.

À bord, je fis pour la première fois réellement connaissance avec le soldat devenu mon mari. Non celui que j'avais eu envie d'épouser, mais celui que j'avais effectivement épousé. Jusque-là, je n'avais jamais considéré Neville comme un soldat. Je ne compris que plus tard à quel point c'était important, car, au début, je n'observais pas assez attentivement cet homme qui m'était presque étranger. Neville peut être aussi charmant que bizarre, et l'on ne sait à quoi s'attendre de sa part d'un jour à l'autre, voire d'un moment à l'autre. Sa vulgarité est compensée par une sorte de propreté méticuleuse, sans doute d'origine militaire, que je remarquai tout d'abord à sa façon de s'habiller et de prendre soin de ses vêtements. Sur le bateau, il passait son temps à les suspendre, à les épousseter, à les faire laver et nettoyer, à astiquer ses souliers avec une peau de chamois, à se coiffer en lissant ses cheveux avec la paume de ses mains comme s'il les repassait. Portant bien l'uniforme, il avait une beauté celtique, le visage allongé, les yeux mélancoliques ; en civil, il était moins bien. Le kaki a quelque chose d'impressionnant. Il paraît que c'est une couleur créée aux Indes, un mélange de poudre de cari et de safran destiné à obtenir une teinte moins visible, se perdant mieux dans la jungle. Dieu que nos soldats devaient être splendides à l'époque où ils étaient vêtus de rouge et or ou d'un blanc immaculé ! Mais le kaki est sans aucun doute la couleur de la conquête.

Quand Neville se promenait sur le pont, il ne m'échappait pas que les femmes le regardaient et qu'il les regardait. Quoi de plus naturel ? Je faisais la même chose. Au moins n'étais-je pas une de ces filles qui se rendaient aux Indes pour tenter de pêcher un mari, et dont Neville se moquait sans que je comprenne pourquoi car elles n'étaient pas laides, loin de là. Élégantes, jeunes, elles portaient des jupes légères, des talons hauts, des petits chapeaux penchés d'un côté sur leurs cheveux lustrés ; le visage légèrement maquillé, elles avaient les lèvres couleur prune – la dernière mode à Londres. L'une d'elles, coiffé d'un feutre mou dont le large bord lui dissimulait presque toute la figure, était vêtue d'une tenue de voyage aux lignes simples mais élégantes épousant ses formes. Ces filles composaient ce qu'on intitulait la « Flottille de pêche » ; celles qui rentraient seules au pays étaient baptisées « Retour à l'envoyeur ». Il est étrange qu'on les ait qualifiées de la sorte alors qu'elles venaient de familles anglo-indiennes distinguées. Avait-on oublié le manque d'hommes ou la mort de tant d'officiers ?

Tandis que ces pensées me traversaient l'esprit, Neville, comme s'il les avait devinées, lança une de ses épouvantables remarques :

– Quelle bande de putes aux abois ! Ça leur fait une belle jambe leur dégaine et leur oseille alors que tous les bons partis pourrissent en Flandres et à Ypres, corps bichonnés dont se repaissent les rats et les asticots.

– Et toi, tu as de la chance d'avoir pu te planquer aux Indes et de n'avoir pas dû risquer ta précieuse petite vie en Angleterre, répliquai-je d'un ton cinglant.

Aussitôt écarlate, il serra les poings, et je jure qu'il m'aurait frappée n'étaient les gens qui nous entouraient. À peine l'eus-je pensée que je m'empressai de chasser cette idée : il ne lèverait jamais la main sur une femme. Il n'empêche, sa façon de traiter des femmes de « putes » à haute voix était horrible. Le pire fut qu'il m'attrapa par le bras et m'entraîna dans l'escalier jusqu'à notre cabine. Après avoir claqué la porte, il se planta devant moi et martela :

– Isabel, je suis un soldat, fourre-toi ça dans le crâne. Et ce depuis que je me suis sauvé à seize ans pour m'enrôler en tant que trompette dans l'artillerie royale. Mes ancêtres ont tous été des soldats de métier, des hommes avec du sang sur les mains, des tueurs. Nous n'appartenons pas à l'aristocratie terrienne partie chasser le renard dans les plaines de Belgique et de France, pour descendre quelques boches, pour tirer au jugé du sommet d'une colline. Je me bats depuis l'enfance : j'avais quatorze ans la première fois que j'ai tué un homme. Et j'aime ça. Je suis doué pour ça. Je ne le fais par pour l'Angleterre mais parce que c'est mon gagne-pain. J'ai participé à plus de batailles, livrées chaque jour sans exception, à la frontière du Nord-Ouest, contre des Pathans et des sauvages, que cette bande de pédés dans les champs de Normandie. Alors ne remets jamais mon courage en doute et ne me parle plus jamais de la sorte.

Bouche bée, je le dévisageais tandis que le désir de lui arracher la tête, dussé-je me casser tous les doigts, m'envahissait. Ma colère était tellement soudaine qu'elle m'abasourdit au point que je parcourus la pièce du regard pour voir d'où elle venait. Neville sortit de la cabine comme un ouragan et passa le reste de la soirée à se saouler au bar. Je ne voulais pas que ma fureur se dissipe; il me fallait avoir une explication avec lui, même si je ne savais pas à quel propos. Je ne cessais de me répéter : « Au nom du ciel, qu'est-ce que j'ai à voir avec ce butor? D'abord, qu'est-ce qui m'a pris de l'accompagner? Par quel égarement me suis-je fourvoyée dans cette situation? » La colère m'empêcha de trouver le sommeil. Si forte que fût mon envie de monter sur le pont, j'avais peur des ivrognes qui roulaient par terre toute la nuit jusqu'à ce qu'un steward les raccompagne à leur cabine. Je ne compris la raison de ma fureur qu'à l'aube, et elle se résorba sur-le-champ. M'enfouissant sous les couvertures, je sanglotai au souvenir de ce qui nous était arrivé, à Gareth et à moi – à la façon dont je l'avais perdu, à la façon dont je l'avais quitté. C'était plus que je ne pouvais supporter sur le vaste océan, en route vers l'Orient.

Ensuite, une sorte de trêve s'instaura entre Neville et moi, comme si nous étions devenus des personnes pour la première fois. Nous nous étions mutuellement observés, et la conclusion n'avait rien de plaisant. Sa tirade abominable au sujet de sa famille dans l'armée aux Indes depuis trois générations, surtout le passage sur les hommes qui avaient du sang sur les mains, restait gravée dans mon esprit. Au fil des jours, je m'aperçus à quel point mon mari était un soldat, à quel point cela le définissait. Quand il nous arrivait de nous promener sur le pont

devant un officier, il s'écartait aussitôt, claquant presque
des talons pour laisser passer un de ces « pédés ». La vie
sur le bateau était ainsi : toujours en service, les soldats,
jour et nuit aux ordres des officiers. Malgré la haine qu'il
leur vouait, Neville n'échappait pas à la règle. Le prestige
présidait aux subdivisions de l'Empire en voyage. Au sommet, les fonctionnaires de l'administration impériale, les
hauts gradés de l'armée et les membres du gouvernement ;
puis, les membres de la police des Indes qui restaient
entre eux, de même que les planteurs buvant comme
des trous. Ensuite, il y avait naturellement ceux que l'on
méprisait, qui faisaient fortune dans le commerce du thé,
du coton, des épices ou des pierres précieuses. Quelques
planteurs, qu'on présentait comme « à la retraite du thé »,
rentraient aux Indes faute d'avoir réussi à s'adapter à la
vie en Angleterre. Ils racontaient des histoires sur leurs
domaines fabuleux, leurs merveilleux jardins à flanc de
coteaux dans des lieux tels que l'Assam et Darjeeling. Les
militaires étaient bien entendu séparés en fonction de leur
rang, les officiers bénéficiant de tous les privilèges : un
endroit frais pour fumer, des salons, une grande pièce où
ils jouaient au billard, des salles à manger, des bars, des
cabines spacieuses et la jouissance des ponts. Des stewards
voltigeaient autour d'eux avec gin tonics et cendriers, sans
qu'ils aient besoin de lever le petit doigt. Aux Indes, c'est
pareil, sauf que ce n'est pas réservé aux officiers, et que
tout le monde a des problèmes de domestiques.

Quand je fis une remarque sur le comportement des
officiers à bord, Neville maugréa :

– Ils se prélassent, se tracassent sur la tenue à porter au Pendjab Club. Veste blanche avec pantalon noir
ou l'inverse ? C'était la même chose sur le transport des
troupes. Nos gars avaient à peine la place de se retourner. On entassait les bataillons sur le pont inférieur ou le
pont des embarcations, dans des conditions qu'on n'aurait
infligées à aucun de mes cipayes – latrines débordantes,
vomissures partout, nourriture infecte. Aucun officier
ne venait vérifier si les hommes étaient nourris, ni si les
latrines fonctionnaient, ni s'ils avaient de l'eau. C'était pire
qu'au front.

Voilà qui me cloua le bec. À mesure que nous nous éloignions de l'Angleterre et que nous nous rapprochions des Indes, son pays à ses yeux, Neville devenait plus gentil. Son aigreur disparut lorsque nous fûmes au milieu de l'océan, sans apercevoir aucune terre pendant des jours. À l'apparition d'un bateau, nous nous précipitions tous pour agiter la main dans sa direction comme des fous. Je vis des requins dans les profondeurs du bleu indigo ainsi que des poissons volants qui brisaient la surface lisse de l'eau. Chaque jour, il faisait plus étouffant. Des gens lançaient des avertissements peu réjouissants avec un rire morose : « Oh, ce n'est encore rien, vous verrez la chaleur de Delhi ou de Bombay » ou « Attendez de goûter la période juste avant la mousson, là vous comprendrez ce que sont les Indes ». La canicule était telle que l'on suffoquait dans les cabines la nuit et que les stewards finirent par transporter nos literies sur le pont. Quel spectacle désopilant ! Les femmes en chemise de nuit pressaient des oreillers contre elles par souci de décence. Les hommes en pyjama se traînaient sur le pont supérieur pour trouver de l'air. Serrés les uns à côté des autres, les yeux rivés sur le ciel, nous comptions les étoiles. À camper ainsi, nous retrouvions équilibre et sommeil, l'air frais de la mer aidant. Un soir, voyant une femme lire à la faveur du clair de lune, je filai chercher mon Kipling. Parfois, un homme restait debout toute une nuit, adossé à la rambarde, occupé à descendre une bouteille de gin, et, à l'aube, il n'avait pas changé d'aspect.

Neville aimait dormir sur le pont. D'après lui, c'était comme lorsqu'il campait sur les collines ou à la frontière. Comme il me parlait de sa vie aux Indes pour la première fois, je l'écoutais dans un état d'esprit romantique, sous le clair de lune, bercée par l'océan qui nous rapprochait. Il évoqua ses rencontres avec des indigènes sauvages dans une zone située au-delà des Provinces Unies – qu'on abrégeait en PU – au nord du Pendjab et en Afghanistan, où les tribus ne cessent de se battre, où les seigneurs de la guerre s'égorgent en plein jour. Cette région échappe à la domination de l'Angleterre, les hordes tribales sont indomptables quels que soient les efforts pour les soumettre ou les apprivoiser. Neville me raconta qu'il l'avait échappé belle à plusieurs reprises, mais qu'il était comme son père, le major Webb du cinquième régiment d'infanterie légère des Gurkhas, qui n'avait jamais été effleuré par une lame, ni par une balle de fusil. Il me donnait l'impression d'adorer ses troupes indigènes. Il avait beau les traiter de moricauds ou même de sacrés nègres avec un accent simulé de soldat de base, il n'en affirmait pas moins qu'ils étaient de grands soldats, de valeureux guerriers, les meilleurs, et que l'Empire ne serait rien sans eux. Autant de contradictions chez Neville qui me rendent perplexe, mais à présent que je suis installée ici depuis un certain temps, je réalise qu'elles sont monnaie courante chez les Anglais des Indes, comme si l'affection naturelle qui les lie aux Indiens devait être constamment niée. On le remarque surtout quand on débarque dans le pays, ensuite on en a de moins en moins conscience.

Sur le pont, avec les étoiles qui criblaient le ciel, Neville ne cessait de vouloir me prendre. C'était étrange parce qu'il s'était montré plutôt correct et réservé au cours du mois où nous avions fait connaissance au Pays de Galles, avant notre mariage. Je me souviens d'un jour où il avait été outré par les ébats d'un couple que nous avions surpris derrière un pub. J'avais invoqué un effet de la guerre, ce qui était vraiment le cas. D'ailleurs, la guerre m'habitait comme elle avait habité Gareth, à ceci près qu'elle n'était pas visible en moi. Tout m'impatientait à l'époque, j'étais nerveuse, tendue et, rétrospectivement, je réalise que ma chair l'était aussi, avide d'occulter ses souvenirs, d'oublier. Il me semblait que l'amour m'aiderait. Mais Neville et moi ne l'avions pas fait au Pays de Galles, et nous nous étions mariés la veille de notre départ. En revanche, à peine fûmes-nous à bord que mon mari devint insatiable. Je ne pouvais bouger sans qu'il m'attrape, me tripote, fourre ses mains sur mon buste ou sous ma jupe. Son désir était tel que deux ou trois fois par jour lui suffisaient à peine. Le souvenir est à la fois vivifiant et terrifiant, surtout ici où tout est en retard d'au moins vingt ans, où il n'est pas question de formuler quoi que ce soit sur ce qui se passe entre un homme et une femme dans l'intimité de leur chambre. Parfois, j'ai l'impression que les Anglais ne supportent pas le mot *corps*. Et c'est pire ici parce qu'il est impossible de s'en éloigner – la forme humaine se rappelle à vous en permanence. Corps bruns qui s'accroupissent, qui mangent, crachent, s'accouplent, puent, dorment, pourrissent, meurent aussi bien dans les rues et les caniveaux que dans le sombre linceul du fleuve. Ils sont constamment sous nos pieds et sous nos yeux. Dans des charrettes tirées par des buffles, des *tongas*[1] et des rickshaws. De jour comme de nuit. Dans la jungle ou sur le Gange. Dans nos chambres et dans nos cuisines. Dans nos rêves et dans nos cauchemars. On dirait que ces corps ont poussé les Anglais à se réfugier dans des cantonnements fortifiés où il est possible de feindre qu'il ne se passe rien de charnel. En tout cas parmi eux.

Pour être juste, il me faut reconnaître que Neville commença par me traiter avec tendresse. Après tout, il me croyait vierge. Il fut patient, attentionné, et même ému au début. Il était à l'écoute de mon corps. Enfin, il savait parfaitement ce qu'il faisait. Cela réveillait ma curiosité, et j'avais envie de l'interroger à ce propos, mais comment le faire sans me trahir ? Doucement, en rythme, nous entrions dans notre vie conjugale en oscillant avec les vagues, si ce n'est que le chagrin se mêlait à mon soulagement d'éprouver à nouveau un plaisir intense. Je n'étais pas sûre de réussir à le lui cacher, je crois même qu'il se doutait parfois de ma tristesse parce qu'il se montrait alors particulièrement tendre et m'enlaçait un long moment après nos ébats. Et bien que j'aie fini par comprendre qu'une part de lui était toujours en service, il ne respectait aucune règle en amour. Ses expériences charnelles étaient différentes, ou, pour le formuler autrement, il ne se comportait pas comme un Anglais dans ce domaine.

Pouvant discuter librement avec lui à l'époque, je lui demandai s'il abordait les sujets d'ordre sexuel avec les autres soldats. Il n'instaurerait le couvre-feu à ce propos que plus tard. Il me parlait de ce qui me passionnait : la

---

1. Carriole tirée par des chevaux.

façon dont les hommes évoquaient les femmes – ce qu'en disaient les soldats. En fait, j'étais toujours taraudée par l'envie de savoir si Gareth avait parlé de moi aux hommes dans les tranchées, pendant ces longues nuits de solitude où ne résonnaient que le fracas des obus ou un coup de feu vers un homme qui surgissait dans le clair de lune pour respirer, à la manière de celle d'un nageur. Quand Gareth me décrivait cela dans ses lettres, ses mots avaient une réalité extraordinaire. À présent, je comprends que le fait d'écrire atténue l'obscurité. Neville répondait gentiment à mes questions :

– Dans le mess des officiers, on ne parle pas des femmes, m'expliquait-il, allongé sur l'étroite couchette de notre cabine percée d'un petit hublot sur le côté tandis que les draps gisaient par terre. On ne s'y permet pas de grossièretés, ce serait du plus mauvais goût. Même s'il est exclu d'évoquer les épouses chez les sous-officiers, on parle de certaines choses quand les langues se délient après un ou deux verres. Dans les casernes et chambrées, les conversations sont ordurières. Les hommes discutent des putains, qu'ils appellent « velours noir », « filles de joie », « fleurs de trottoir ». Certains se font avoir par des Eurasiennes, qui veulent à tout prix se taper des Blancs. Ils en discutent, mais jamais de *nos* femmes. Il faut que tu comprennes combien les occasions d'en rencontrer aux Indes sont rares ; il y a les épouses, les missionnaires, les religieuses et, bien entendu, la chair fraîche qui débarque des bateaux. Ceci étant, les officiers s'empressent de les piquer parce que nous avons un système de castes nous aussi, de sorte qu'il est impossible de trouver une jeune fille de la classe moyenne aux Indes.

Voilà la raison de son séjour au Pays de Galles. Il était venu pour trouver et épouser une fille de la classe moyenne afin de la ramener aux Indes. Maman serait effondrée de nous voir traiter de « classe moyenne », mais son mariage avec père avait occulté son appartenance à la haute société. En outre, l'un et l'autre avaient beau s'évertuer à rehausser le passé indien de Père – à force d'allusions aux plantations en Assam et à la fortune que grand-père avait faite dans le thé –, ils passaient sous silence que père n'avait pas fréquenté de collège privé ainsi que son scandaleux départ précipité des Indes, censé cacher quoi ? Je n'ai jamais réussi à le découvrir. Un gigantesque tableau était accroché au mur, représentant un enfant en train de se noyer, aux Indes. C'est à cette époque-là, une fois le gosse enterré, que la famille de père avait ramené celui-ci en Angleterre. Même s'il n'avait que sept ans, il n'en était pas moins né aux Indes. Et cela me réconforte, me donne l'impression que j'ai un lien avec ce pays, que je ne suis pas vraiment une étrangère.

Au fil de la traversée, à mesure que la chaleur s'intensifiait, nos rapports sexuels changèrent. Je rentrai quelquefois dans la cabine après une promenade sur le pont et Neville, allongé sur la couchette, m'attirait à lui pour me pénétrer avec une force qui me laissait meurtrie. Je me mis à inventer des excuses ou à passer des heures à lire dans le salon pour ne pas être seule avec lui. Lors des nuits étouffantes sur le pont, on aurait imaginé qu'il se réfrénerait en raison de la promiscuité. Au contraire. En fait, la présence d'autres passagers renforçait sa détermination à m'arracher des cris – un jeu d'enfants jusquelà –, mais sa brutalité croissante me rendait de plus en plus silencieuse. Puis, je lui battis froid. Son attitude avait quelque chose de bizarre, d'aussi troublant que sa réflexion à propos des hommes avec du sang sur les mains. Quand les stewards transportaient nos literies sur le pont, les hommes dormaient d'un côté, les femmes de l'autre. Nous étions les seuls ensemble. C'était mal vu. Il s'en fichait. Il ne se soucie jamais de l'opinion des gens, enfin des civils, car l'armée c'est une autre histoire. Notre lune de miel me fait un drôle d'effet lorsque j'y repense. J'admirais le corps de Neville. On dirait une sculpture, dont les muscles et les courbes sont comme ciselés. Les corps des hommes m'étonnent tant ils diffèrent du mien, aux formes rondes, creusées de fossettes, somme toute assez grassouillet – mes chairs ont beau ne pas déborder comme celles de maman, il l'est indéniablement. Le terme de gros ne fait pas partie du vocabulaire de ma mère ni du mien. À une époque, ce mot aurait convenu. C'était la mode italienne d'après Mère, qui affirmait que ça passerait parce que j'avais suffisamment de sang gallois pour maigrir.

Plus je vis aux Indes, plus je mincis. Je n'en tire cependant pas la satisfaction escomptée vu que cela accentue ma grande taille et le volume de mes seins. Mais revenons à Neville : il avait les cheveux plus longs alors, donc plus bouclés, d'un brun sombre. De profil, il ressemblait un peu à Gareth. À présent que l'armée l'a récupéré, tous ses poils et follicules sont aussi visibles que ses pectoraux ou ses abdominaux.

Une fois, je lui demandai où il avait appris ce qu'il connaissait du corps féminin. Il m'expliqua que c'était en regardant les fresques des temples, les danseuses, parce que le sexe n'avait rien de honteux aux Indes, c'était un élément de la religion, de la vie. Il me décrivit ce qu'il avait vu à la frontière, où les indigènes étaient d'une insatiable lubricité même s'ils méprisaient les femmes qui leur servaient pourtant de prétexte pour se massacrer les uns les autres. À l'en croire, les pires étaient les maharajas, ils avaient des harems remplis de jeunes filles et couchaient avec toutes, une différente chaque soir. Quand je lui fis remarquer que je ne voyais pas comment d'entendre parler de femmes lui avait donné de l'expérience, il me répondit qu'il avait appris des tas de choses dans le Kama Sutra. Puis il me renversa sur les draps et recommença à me besogner. Neville a exactement la même insatiabilité que celle qu'il attribue aux Pathans. Était-ce comme l'opium, me demandais-je à l'époque, quelque chose dont il ne se rassasiait jamais, dont il était incapable de se passer ? À moins que ce ne soit parce qu'il n'avait pas eu de femmes pendant des lustres vu leur rareté aux Indes ? Autant de questions qui me firent penser aux bordels, mais là, c'était plus difficile de l'interroger. J'imagine que je m'efforçais de comprendre quel genre d'homme il était, et que je le percevais non tant comme un homme que comme un soldat, un être humain transformé par la guerre. Et c'était angoissant de me trouver en face d'une autre version de celui que j'avais laissé derrière moi. L'expérience de la guerre avait détruit Gareth, d'abord psychiquement, puis physiquement. De Neville, elle avait simplement fait un soldat, un homme avec du sang sur les mains, qui aimait tuer.

Neville ne m'apprit rien sur ce qui se passait entre

les Anglais et les femmes indigènes aux Indes, mais mon père avait fait devant moi des allusions voilées à ce sujet. Sous couvert de me donner des informations sur la vie là-bas, il m'avait parlé des *bibis*, et de l'habitude des Anglais d'avoir non pas une maîtresse mais plusieurs. Au début de la colonisation, ils épousaient même des Indiennes ; à l'époque on encourageait les mélanges interraciaux pour enraciner les hommes, les pousser à rester. Cela continue, bien que plus clandestinement. Autrefois les bibis avaient un statut presque officiel, on les considérait comme une alternative appréciable aux épouses indiennes. Elles avaient leur maison dans le jardin de leur protecteur, leurs domestiques et leurs enfants. Tout se passait très bien jusqu'à ce qu'une épouse débarque d'Angleterre, sonnant le glas des bibis et de la descendance café-au-lait. Père affirmait que les Indiennes étaient merveilleuses et savaient plaire. Il m'avait laissé entendre, avec le plus de délicatesse possible, que le scandale autour de grand-père était lié à l'une d'elles et que c'était la raison pour laquelle ses parents l'avaient ramené en Angleterre, mais, comme à l'ordinaire, je n'avais pas eu droit à toute l'histoire. Malgré ses suggestions qu'il s'agissait davantage de soumission et d'aptitudes aux tâches ménagères que d'érotisme, je crois maintenant qu'il essayait de me mettre en garde. Les épouses anglaises étaient intraitables, avait-il ajouté, ce qui bouleversait de fond en comble les relations entre les Anglais et les Indiens. Cette ritournelle à propos des Anglaises, des memsahibs, je l'entendrais souvent aux Indes, formulée sur un ton de désapprobation et d'exaspération, sous-entendant que ce sont des pestes qui gâchent le plaisir des hommes. Lors de mon premier jour dans un cantonnement, un des copains de Neville s'exclamera : « Tu t'es fait mettre le grappin dessus, Webb ? Pas de bol. Ta vie est foutue, mon vieux. Dommage ! »

À mon départ, maman m'avait donné une bouture de son lilas préféré, le seul à avoir survécu au pire hiver qu'on ait connu de mémoire d'homme, alors que les choses sur le front allaient au plus mal. Il y avait tant de neige qu'on s'y enfonçait jusqu'aux genoux et le froid était d'une telle férocité que l'on pensait : « Est-ce comme ça pour eux en France, meurent-ils autant de froid que d'horreur ? » Et je commençais à m'interroger sur la survie. Pourquoi cet arbuste avait-il résisté à l'hiver ? Quand il a refleuri, ce fut si spectaculaire que maman en avait pleuré : « Regarde, il fleurit pour tous les morts qui ne le feront plus. » Puis elle s'était rapidement éloignée, la tête basse. Qui pleurait-elle ? Je ne le saurai jamais. Jack, le garçon de la famille, était rentré sain et sauf, renvoyé au bercail avec une blessure à la tête après la bataille de Loos. Il n'empêche qu'elle pleurait quelqu'un. Il régnait une atmosphère un peu délétère à la maison, nous étions très tendus : c'était quelque chose d'autre que la guerre, lié à Mère. Mon père avait beau garder lui aussi ses distances, il avait beau avoir lui aussi du mal à surnager, sa réserve était très différente de celle de maman. Elle a ses secrets, tout le monde le sait, mais elle réussit si bien à nous empêcher de nous en approcher que je me garde d'essayer de lui arracher quoi que ce soit. Bien qu'elle soit ouverte et directe de mille façons – à l'en croire, ce serait dû à son origine italienne –, il lui arrive d'être insaisissable. Aussi avais-je passé tout cet hiver à lire Pound et Yeats, à dévorer d'affilée *Amants et Fils* de D.H. Lawrence, *Gens de Dublin* de James Joyce et *La Mort à Venise* de Thomas Mann, essayant de trouver la vie dans les pages, la nôtre étant trop affreuse pour qu'on ait envie de s'y attarder.

À peine eus-je annoncé à mère que je partais aux Indes qu'elle fila au jardin couper une branche de lilas et la mettre en pot. Lorsque je lui objectai qu'il ne résisterait pas à la chaleur, elle affirma : « Bien sûr que si, il lui faudra endurer un autre genre d'extrême, mais il y réussira parce qu'il l'a appris. De toute façon, tu seras au nord des Indes, au Pendjab, pas à Calcutta ni à Bombay. Il s'adaptera si tu prends soin de lui. Il risque d'avoir des hivers rigoureux à supporter si tu vas à Djalalabad ou Peshawar, mais le souvenir est gravé en lui. » Elle mit la bouture dans une petite caisse, y ajoutant des cailloux, de la terre et un peu de fumier de l'écurie, tassant le tout. « Tu vas voir, il se portera comme un charme », conclut-elle.

Même s'il n'y avait pas une fleur dans le jardin

lorsque je partis, ni la moindre trace de neige, chaque
fois que je pense au jardin de ma mère, il m'apparaît
croulant sous les lilas, les lavandes et les glycines et je
vois ses élégantes plantes vivaces – bleues, blanches,
roses – admirablement regroupées dans de longues
plates-bandes. Ma mère s'en occupait personnellement,
ajoutant de nouvelles variétés tous les ans, veillant toujours
à ce que les fleurs de chaque parterre soient de la même
couleur. Elle tolérait parfois que la blancheur d'un lis ou
d'une pivoine soit frangée de rose, ou qu'un hortensia bleu
ait une tache de blanc, rien de plus. Lorsqu'on regardait
le jardin à l'aube, ces flaques de bleu, d'un blanc argenté
ou de rose dégageaient une sérénité presque surnaturelle.
Debout à ma fenêtre, je le contemplais en essayant d'y
découvrir ma mère. En vain. Sur la pente, la roseraie était
un lac rose pâle, jaune et blanc. Aucune rose rouge. Ma
mère prenait un accent populaire pour les qualifier de
créatures vulgaires sorties du ruisseau. Elle déteste tout
ce qui est criard. L'orange ou le jaune vif des soucis d'ici
et leur puanteur la rendraient folle, en revanche elle ado-
rerait les lis, les orchidées et les petites fleurs des champs
qui surgissent dès qu'il pleut.

Je vois ma mère parmi ses fleurs, coiffée de son chapeau de paille, son panier rempli de roses tandis qu'elle
marche lentement sur le long sentier qui longe le terrain
de croquet et les grands peupliers lui rappelant la Toscane.
Je la vois se pencher pour détacher des plantes grimpantes
entrelacées ou couper une fleur fanée, et monter l'escalier
de pierre menant aux cuisines où Lucy arrange les roses
dans des vases qu'elle disposera dans toute la maison.
Maman mettra un petit bouquet près de mon oreiller pour
que j'en sente le parfum en rêvant. Elle en placera aussi
un dans sa chambre, près de la photo de sa mère, morte
quand elle avait onze ans. Parfois, j'éprouve le besoin de
me rappeler la beauté des lieux. Notre maison en pierre
grise entourée de grands arbres, nichée dans la vallée
qui s'ouvrait sur des prairies. Le pont enjambant le cours
d'eau cristalline, plein de truites mouchetées, se faufilant
entre le cresson et les mauvaises herbes. Derrière le parc,
le renflement verdoyant des vergers dévalant jusqu'à la

rivière qui coule dans la vallée. J'entends les bruits fami-
liers de la mine de charbon ainsi que la cloche de l'église
carillonnant toutes les heures. Quelle tristesse pourtant
dans ce souvenir : « Est-ce qu'il est trois heures moins
dix à l'horloge de l'église ? Et est-ce qu'il y a toujours du
miel avec le thé ? »

Il y a une ligne de chemin de fer ici, mais quand
j'entends le fracas des trains indiens, je revois la voie
ferrée qui serpentait autour des rangées des maisons de
mineur à flanc de coteau ainsi que les terrils et les montagnes bleutées se dressant à l'horizon. Les godillots de
mineurs martelaient le pavé lorsqu'ils rentraient chez eux
en groupe ; ils avaient des figures aussi noires que celle
des cipayes, des voix mélodieuses malgré le rythme artifi-
ciel que je retrouve dans celles de métisses d'ici. Je croyais
connaître la pauvreté étant donné celle qui régnait dans la
vallée, mais ce n'est rien en comparaison du dénuement et
de la misère d'ici. Cela me fend le cœur au point que j'ai
toujours envie de fuir quand des mères se traînent derrière moi : « Memsahib, c'est l'enfant d'un officier anglais,
regardez comme il est blond, regardez ses yeux bleus,
aidez-nous, memsahib, ne partez pas. » Dès l'instant où je
franchis nos lignes et m'aventure dans la campagne, c'est
effroyable. Je refuse de m'y habituer, de toute façon je n'y
parviens pas, me sentant impuissante avec mon petit sac
de pièces de monnaie. Et j'ai envie de les gifler quand elles
s'écrient : « Memsahib, vous êtes un ange de Dieu, grâce
à vous l'enfant va vivre une journée de plus... »

Maman rendait visite aux femmes de mineurs lorsqu'elles étaient malades ou pour leur donner de la nourriture et des vêtements quand un mur de la mine s'était
effondré ou quand les étais avaient cédé, écrasant les
hommes ou les enterrant vivants sous les gravats. Elle y
allait tous les jours et m'obligeait à l'accompagner : « Que
ça te plaise ou non, il faut que tu viennes. Ton grand-
père a acheté cette mine et remis les galeries en état à
une époque où la vallée était plongée dans la misère,
alors ne t'imagine pas que tu vas échapper à ton devoir. »
Lorsqu'elle s'occupait des malades, ce n'était plus la
même femme et cela me donnait envie de m'inscrire à

l'université, de devenir médecin. Parfois, je devais aller la chercher tard le soir pour la ramener à la maison ; je la trouvais assise dans l'obscurité en train de caresser une nuque, d'approcher un tissu d'une bouche qui crachait du sang. Elle parlait doucement sans se laisser perturber par la toux, la fièvre, la pneumonie, la lente agonie. Le peu que j'ai appris en l'observant m'est utile ici, pour des tas de petites choses qui ne sont en rien négligeables ainsi que je commence à le comprendre. Quand maman était une petite fille, sa mère rendait visite aux malades et aux pauvres même si sa famille était assez prestigieuse pour se contenter de faire des donations aux bonnes œuvres. Maman qui avait repris la tradition voulait que je fasse la même chose. Ce n'est pas pareil ici. En effet, malgré l'horreur et la pauvreté des taudis en Angleterre, malgré l'omniprésence de la maladie et de la mort, on pouvait s'y soustraire grâce aux champs, prairies, haies, collines et vallées verdoyantes. Le soir, les mineurs chantaient en remontant des entrailles de la terre. Ils passaient se rincer le gosier, enlever la poussière au bistro. Puis ils rentraient chez eux où les attendait un ragoût accompagné de purée et, les jours fastes, un bon feu de cheminée. Autant d'images qui ne m'ont pas quittée même si ce que je vois aux Indes s'y mélange un peu. Ici, il est impossible de venir à bout de l'extrême misère, le pays ne peut pas nourrir son peuple. Ici, les gens meurent sous nos yeux et, parfois, on s'imagine voir flotter un rondin marron sur le fleuve alors qu'il s'agit d'un cadavre ou d'un membre.

Mes souvenirs les plus heureux sont ceux où Ellen et moi, à cheval, grimpions la colline au galop, les cheveux en cascade sur le dos. À l'époque, je pouvais hurler tant la liberté de notre jeunesse, notre bonheur, me comblaient. C'était avant que la guerre ne nous tombe dessus, avant même que nous n'en prenions conscience, et que tout ce que nous connaissions et aimions ne s'évanouisse. Notre univers merveilleux s'était fracassé avec une brutalité qui perdurait. Cela nous avait brisés et empêchés de le retrouver ou de redevenir qui nous étions avant la guerre, parce que le départ ou la disparition de tous les jeunes gens avaient sonné le glas de

notre jeunesse. En l'espace d'une nuit, nous étions devenues des femmes – veuves ou en deuil, mères d'orphelins, sœur ou filles des morts, nos bien-aimés perdus en
terre étrangère et nos enfances aspirées par les tranchées,
englouties à jamais.

2

Quel bonheur d'être assise sur la véranda dont le sol rouge encaustiqué est éclaboussé de soleil et de lire *Howards End* de E.M Forster, où tous les personnages se conduisent avec élégance, où les passions sont contenues et raisonnables tandis que les miennes sont comme un volcan. Neville est en service actif à la frontière du Nord-Ouest, une terre d'enlisement paraît-il. Pour reprendre les propos de Neville, il s'agit d'une nouvelle guerre afghane impossible à gagner parce que c'est un territoire infranchissable et que l'ennemi est animé d'une telle férocité qu'il est imbattable : dix-sept mille soldats anglais ont été massacrés sur la frontière à l'époque du règne de la reine Victoria. Quand l'armée s'infiltre dans les villages, les habitants empoisonnent la nourriture et les médicaments, coupent les bras et les jambes de tous ceux qu'ils soupçonnent d'avoir donné des renseignements. C'est une pratique qui remonte au temps des croisades, où nous avons sûrement eu notre part dans le domaine des atrocités. Il n'empêche que nos hommes ne sont pas à la hauteur de ce genre d'ennemis, les pauvres diables sont simplement sortis faire un tour et ils ne savent même pas se battre. De vrais béjaunes, insiste Neville. Ils viennent de Manchester ou de Durham, ignorent tout d'Allah jusqu'à ce qu'un croyant dévale la colline pour couper leurs gorges d'infidèles avec le même entrain que celui avec lequel ils tartinent leur pain de beurre. Ces croyants vivent d'une poignée de riz par jour et attendent le moment favorable, tapis dans des caves glaciales. Puis un cri à vous figer le sang déchire l'aube tandis qu'ils surgissent par milliers, voués à la mort, gagnant une place au paradis chaque fois qu'ils mutilent un visage anglais ou qu'ils plongent leur sabre dans un corps, de la gorge à l'entrejambe. Leurs discordes sont aussi vieilles que les montagnes et dureront jusqu'à la fin du monde. Chaque fois que nous pénétrons dans leur territoire, nous sommes persuadés de gagner puisque nous avons une armée moderne et nous perdons systématiquement, d'une façon ou d'une autre.

Je m'en veux de me sentir impliquée. De la même manière que lorsque nous attentions des nouvelles de la Somme ou de Gallipoli, collés à la radio, épluchant les journaux. Je croyais avoir laissé tout cela derrière moi, même si c'est différent et tient davantage d'une opération de nettoyage vu que la guerre anglo-afghane est soi-disant terminée. En fait, je m'en sers pour me distraire de ce qui est plus proche, de petites atrocités humaines qui brisent le cœur aussi sûrement qu'une dépêche gâche une matinée ensoleillée. Me voilà donc à Ferozepore avec un étrange mari. Le souvenir d'une scène abominable sur-venue le jour de notre arrivée me hante ; elle a été suivie par une autre si tragique qu'il m'est impossible d'y penser. Un autre mois commence, nous rapprochant de la saison chaude. J'essaie de faire le tri entre ce que j'avais imaginé à propos des Indes et la réalité. Enfant, je me les représen-tais sous forme d'un visage au menton pointu, étalé sur un océan bleu, immobile, ourlant une terre magnifique, foisonnante d'aventures. Je passais des heures à fixer les noms de l'atlas, à apprendre par cœur les sons mélodieux de lieux disséminés le long de l'océan indien : Zanzibar, Dar es-Salaam, Comores, Mombasa, Mogadiscio, Lamu, Bombay, Mangalore, ces ports lointains fascinants où tran-sitaient esclaves, or, ivoire et palétuviers d'Afrique, dattes, tapis, et huile de baleine d'Arabie. Je voyais les matelots suivre les anciennes voies commerciales sur des boutres à voiles blanches, poussés par le vent de la mousson pour entrer et sortir des ports. Ainsi, lors de mon départ aux Indes, je les avais déjà imaginées, rêvées ; il ne leur restait plus qu'à prendre vie.

De loin, c'était éblouissant. Du paquebot, on eût dit que Bombay ne consistait qu'en palais d'une blancheur éclatante, qu'en anciennes forteresses de pierre, qu'en mosquées aux coupoles d'or incrustées de saphirs. Des montagnes de mille cinq cents mètres de haut se profilaient derrière la ville, tandis que les bâtiments majestueux du rivage rayonnaient en face de la surface lisse de l'océan bleu. À mesure que nous approchions, je m'aperçus que la splendeur victorienne s'estompait rapidement, que tout était plutôt en mauvais état et délabré. Cela n'avait aucune importance. J'avais vu ce que j'avais vu, une chimère peut-être, mais qui pouvait durer une vie, et je comprenais pourquoi nous venions ici, pourquoi la grandeur voluptueuse de ce pays nous exaltait. À peine fûmes-nous sur le quai que les bruits de la vie éclatèrent : hurlements des vendeurs, brouhaha des porteurs se bousculant les uns les autres pour s'emparer de nos bagages et les balancer sur des charrettes ou des rickshaws. Les docks ressemblaient à un bazar en feu. La frénésie régnait. La foule courait dans tous les sens, comme si une catastrophe était imminente. Après quoi, les choses ralentirent. Une grue monta la Bentley de la cale, qui resta suspendue en l'air comme un jouet étincelant. Le souffle coupé, tout le monde leva les yeux en la montrant du doigt. On aligna les bagages. Malles en crocodile et en cuir. Cartons à chapeaux. Selles brillantes. Trace de craie. Porteurs en gants blancs au garde-à-vous. Dignitaires venus accueillir les aristocrates dans des équipages. Une débauche de plongeons, de courbettes. De la musique jouée par des fanfares. Soldats au teint rose en uniforme. Guirlandes autour des cous, salamalecs, salutations. Tongas, chars à bœufs, attelages somptueux doublés de satin écarlate et ornés de pompons. Files d'automobiles qui paraissaient ternes en comparaison. Une telle opulence donnait l'impression que l'on allait au bal. Le vent et la chaleur mettaient en transes. En fait, un véritable serpent ondulait et dansait au rythme de la musique. Les senteurs d'épices et d'encens où se mêlaient des odeurs intenses, musquées, terreuses, de sueur humaine, d'ail et de crottin, me sidéraient. J'étais dans un état d'extrême excitation alors que

mon mari ne regardait même pas autour de lui. Fermé
comme une huître. Il me prit par le bras pour m'obliger
à bouger :

— Pour l'amour de Dieu, cesse d'écarquiller les yeux.
Fichons le camp de ce trou infect et filons à la gare.

Je sus immédiatement que les Indes étaient un pays
pour moi. En vérité, j'eus le sentiment d'y être née. Nul
doute que ma première bouffée d'air avait été indienne et
mon premier miroir le sourire dans les yeux marron de
mon *ayah*[1]. J'ignore pourquoi. Je ne cesse de me poser la
question de crainte que ce ne soit une impression factice.
Était-ce un souvenir ancestral ? Ou un coup de foudre ?
Depuis, l'on m'a assuré que c'était peut-être parce que
les premiers missionnaires étaient originaires du Pays de
Galles. On les appelait les êtres crépusculaires à cause de
cette sensibilité au surnaturel qui nous caractérise, nous
les Gallois. Bien sûr, il existe d'autres êtres crépusculaires
ici, les Eurasiens, les moitié-moitié, les entre les deux, les
mélanges d'une telle variété de couleurs qu'on est sans
arrêt étonné par des yeux verts dans un visage brun ou
un teint rose pâle encadré par une masse de cheveux d'un
noir lustré. Ils parlent exactement comme les mineurs de
la vallée de Rhondda, avec le même rythme, le même
infléchissement à la fin de la phrase. Les memsahibs ont
une telle aversion pour cet accent chantonnant qu'elles
mettent très vite leurs enfants à l'hindi pour éviter qu'ils
le prennent. Le conseil de mon père ne cesse de me revenir en mémoire : « Apprends la langue, Isabel, sinon tu
passeras à côté de tout. »

À Bombay, j'eus la sensation de brûler vive. Des
visions s'emparèrent de moi, visions d'insectes risso-
lant en plein vol, puis tombant, réduits en cendres, et
de choses qui partaient en fumée sans que personne ne
le remarque : une mangue ou un abricot dont la peau,
la chair, les noyaux explosaient et s'évanouissaient dans
la brume de chaleur. Autant de petites morts dues à la
combustion. Et les mouches, des millions de mouches ;
aussi insupportables que le soleil, elles s'incrustent dans
les yeux des enfants, entre les lèvres des bébés, forment

---

1. Nourrice ou gouvernante.

des croûtes noires rampantes sur les plaies. Les Indiens ne se donnent même pas la peine de les chasser. Ils ne transpirent pas. Moi, je ruisselle en permanence. Nous franchîmes la Grande Porte en marbre des Indes, sur le front de mer, et prîmes la direction de la gare pour commencer le long périple vers Delhi, puis celui vers le nord par le train de la frontière – des jours de voyage en perspective. Pendant le trajet, la multitude qui grouillait dans les rues de la ville était effrayante : ils étaient si nombreux et nous si peu, alors que nous étions censés les commander. On vous passait autour du cou des guirlandes d'un orange criard tandis que la tonga fendait les hordes qui se bousculaient. Les musiques, celle de la fanfare et l'indienne, stridente et plaintive, rivalisaient en un vacarme qui vous donnait l'impression de ne plus tourner tout à fait rond. Incapable de respirer, j'eus – l'espace de ce moment où tout tranchait d'une manière abominable avec la fraîcheur et le paysage vallonné de mon pays natal – des doutes, me demandant si je parviendrais à survivre ici, sans parler de mon pauvre lilas.

Dieu merci, nous arrivâmes bientôt à la gare. L'instant d'après, on monta dans le Train des Tropiques, un monstre gris, grondant, fumant, long comme un fleuve. Une fois dans notre voiture, j'essayai de dissimuler mon agitation. Puant aussi fort qu'un putois, en nage, je mourais d'envie de boire de l'Évian glacé. Bien entendu, Neville était d'un calme olympien dans son impeccable treillis kaki. Jamais il ne sent mauvais, ni ne transpire ni ne s'énerve. Seigneur, quel drôle de type ! Il tenait sous le bras une canne à pommeau d'argent que je n'avais jamais vue auparavant, et semblait défiler plutôt que marcher depuis notre arrivée. J'étais une fois de plus clouée sur place. Ici, les quais ressemblent à des hôtels. Les autochtones y dorment jour et nuit, piquant un somme dès qu'ils ne savent quoi faire. La tête couverte, les pieds à l'air, ils ont l'air de cadavres enveloppés de mousseline blanche. À peine un train entre-t-il en gare qu'ils se lèvent, attrapent leurs ballots et leurs bébés avant de se précipiter bruyamment vers les voitures bondées de seconde et troisième classes. Et lorsque le convoi s'ébranle, ils s'agrippent aux fenêtres, se couchent sur le toit des wagons ou tiennent en équilibre sur de minuscules marchepieds. Aussitôt, un chef de gare furibond tire sur les pieds nus, frappe les gens en hurlant, lesquels tombent comme des mouches. Les marchands font un raffut de tous les diables, s'égosillant dans une incroyable cacophonie d'idiomes différents. Tout le monde a quelque chose à vendre : des chapatis, ces galettes faites de farine grossière, du thé chaud et sucré, de l'eau – ce ne sont pas les mêmes récipients pour les hindous que pour les musulmans –, des cigarettes, des noix de bétel. Autant de transactions qui s'accompagnent d'énormément de crachats. Lorsque le train part, des mendiants aux jambes grêles et cassées se suspendent aux fenêtres des wagons. Les passagers les repoussent d'une chiquenaude ou baissent brutalement les vitres sur leurs doigts. Les voitures de première classe ressemblent à des forteresses imprenables, on ne peut même pas voir à l'intérieur à cause de stores vénitiens tirés jusqu'en bas et verrouillés à double tour. Ce jour-là, le chef de gare attendit que le collecteur[1] ou un autre grand manitou autorise le départ, puis on démarra, la vapeur ronfla, les roues cliquetèrent agréablement tandis qu'une masse d'êtres humains courait derrière nous, ralentissait avant de disparaître.

– Pour l'amour du ciel, ferme cette satanée fenêtre, fulmina Neville.

Notre compartiment était équipé de casiers en acajou comme une bibliothèque, de stores en tulle vert pour empêcher la lumière d'entrer. Un gros bloc de glace destiné à diffuser de la fraîcheur trônait dans un tub posé par terre ; il fondait rapidement vu que les ventilateurs ne marchaient pas. Il fallait attendre la prochaine gare pour qu'on vous apporte un nouveau bloc et cela continuait tout au long du trajet, durant d'interminables heures poisseuses pendant lesquelles la glace n'était plus qu'une flaque tiède. Chaque fois que je me sentais prête à mourir de chaleur, je posais mes pieds sur le bloc de glace jusqu'à ce qu'ils se recroquevillent. Neville le remarquait à peine, ne s'intéressant pas à grand-chose sauf quand l'envie de boire s'emparait de lui. Il avait une flasque qu'il

---

1. Fonctionnaire chargé de l'administration d'un district.

collait contre la glace. Il détournait le visage de la fenêtre, derrière laquelle défilait ce monde qui me mettait dans tous mes états. Si je proposais une partie de cartes, il secouait la tête ou se replongeait dans la lecture du *Civil and Military Gazette*. Il roulait de minces cigarettes dans une jolie petite boîte en argent, dont il était très fier. En revanche, il refusait de parler. Il m'arrivait souvent d'avoir envie d'être son amie, pas davantage, et de discuter avec lui comme nous l'avions fait sur le bateau, très tard dans la nuit. Son côté militaire m'intéressait beaucoup. Mais depuis notre arrivée aux Indes où il n'était plus civil, il s'efforçait d'être quelqu'un qu'il n'était pas. Il n'avait que « mon régiment » à la bouche – le cinquième d'infanterie royale des Gurkhas – dont il me montrait l'insigne, les épaulettes, la gamelle, en râlant, même si son serviteur les astiquerait à nouveau dès notre arrivée. J'avais envie d'en savoir davantage à son sujet, non parce que j'étais amoureuse de lui, je ne l'avais jamais été, mais parce qu'il ne ressemblait à personne que je ne connaissais. Né aux Indes, il y avait grandi et fréquenté le prytanée de Sanawar, près de Simla. Il l'avait détesté. Pourquoi? Il refusait de l'expliquer. Pendant ce trajet en train, il parut entrer dans un lieu où l'armée se l'appropriait et n'attendre que le moment où il serait libéré de moi. On l'aurait dit déjà en garnison, n'aspirant qu'à donner des ordres et à planifier la prochaine incursion sur la frontière. Il sortait de notre compartiment pour se rendre dans les voitures réservées aux autres militaires rentrant de permission. Il en revenait arborant l'attitude de celui qui s'efforce d'acquérir les qualités qu'il estime aux Indes convenir à un homme : sûr de lui, autoritaire, dominateur. Un *pukka*[1] sahib. Il tentait de se construire une identité à partir de son statut de soldat de l'armée britannique et de ce que cela représentait dans ce pays. Je savais parfaitement qu'il n'aurait pas été le même à Aldershot. Aux Indes, c'était d'être un soldat lié à des soldats de couleur qui le définissait. Malgré le pouvoir et le prestige que cela lui conférait, il n'était pas en mesure de s'en servir, étant, aux yeux de ses compa-

---

1. Un sahib digne de ce nom ou important.

triotes, membre d'une caste inférieure. Peut-être en avait-il conscience lorsqu'il était entré, à l'âge de sept ans, dans ce havre d'enfants de soldats britanniques, situé dans les collines de Sanawar ?

Lui imposer une conversation n'était possible qu'à l'heure du dîner. Il se détendait un peu le soir, cessait de faire craquer ses phalanges à tout bout de champ. Ici, si l'on a envie de dîner dans un train, on attend un arrêt, on en profite pour descendre de son compartiment en prenant soin de le fermer à clé avant de longer la voie jusqu'au wagon-restaurant européen. Là un type superbe, vêtu d'une tenue d'un blanc immaculé, la taille ceinte d'écarlate, ouvre la porte et vous aide à monter. Puis l'on s'attarde dans la splendeur de ce lieu, où le vin et la nourriture sont aussi exquis qu'au Ritz, jusqu'au prochain arrêt, souvent à des heures de distance. Tout ceci était décontracté et extraordinairement agréable, une façon de m'accoutumer qui m'allait parfaitement. Aussi étais-je capable de comprendre l'exaspération de Neville lorsque des officiers allant rejoindre leur poste à Quetta le snobaient. Il était si distant et préoccupé que je ne tentai pas de le faire parler de la vie que nous allions mener. Il évoqua l'absurde histoire de la graisse de porc sur les cartouches à l'origine de la révolte des Cipayes à Meerut, les chasses au tigre, et d'autres choses encore, alors que ce qui m'importait, c'était ce que serait notre vie. Il me prévint que je n'aurais pas une grande liberté de mouvement.

– Je me demande d'ailleurs, ajouta-t-il, si tu t'adapteras à la vie militaire. Ferozepore est une ville de garnison exceptionnelle, dotée d'un bon club, d'un ou deux cours de tennis et d'une piscine située près d'une source, mais les femmes ne te ressemblent pas : elles jouent aux tennis, au bridge, bavardent et se soucient beaucoup de faire ce qu'il faut. Vu qu'aucune n'a jamais songé à aller à l'université, il serait préférable que tu évites la moindre allusion à Édimbourg.

Chaque fois que je suggérais quelque chose, il me coupait la parole :

– Non, ce n'est pas comme ça. Tu ne peux pas faire ce que bon te semble ; le protocole est extrêmement strict et il y a des règles pour tout. Je ne crois pas que tu comprennes, on s'y sent facilement très malheureux et exclu. Si l'une des épouses te prend en grippe, tu seras vite rejetée. Il faut faire attention à ce qu'on dit. Non, Isabel, absolument pas, c'est de la foutaise. Ce n'est pas l'Angleterre, encore moins le Pays de Galles : tu seras enfermée dans une ville de garnison, il ne sera pas question de vadrouiller dans le pays, que ce soit par le train ou un autre moyen de transport. Quelle idée ! Au cas où tu l'ignorerais, les Indes sont extrêmement dangereuses. Oui, bien sûr, mais ce que je fais n'a rien à voir avec toi. Évidemment, tu m'accompagneras si je suis muté, sauf si c'est dans une région de tribus. Sinon tu n'iras nulle part sans moi. Non, même si des gens t'accompagnent. On ne voyage pas aux Indes, on y travaille, un point c'est tout. Bien entendu tu iras l'été dans les collines avec les autres femmes, jamais plus loin que Simla au demeurant. On ne fait pas l'ascension de l'Himalaya, on se contente de le contempler.

À ce moment-là, j'étais tordue de rire. Me fusillant du regard, il croisa ses jambes en veillant à ne pas froisser le beau pli de son pantalon et reprit :

– Je passerai beaucoup de temps sur la frontière. Dès notre arrivée, on va sans doute me mettre en service actif. Tu resteras toute seule, j'en suis désolé, mais c'est comme ça. Les régiments sont souvent partis aussi longtemps que dix mois par an. Dans une situation pareille, on n'a pas envie d'avoir d'ennemis. Je sais que tu aimes la solitude, tu as rendu ça très clair pendant le voyage, il n'empêche que tu ne peux pas continuer à vivre comme en Angleterre. Nous sommes aux Indes.

Là-dessus, je le traitai de vieux ronchon collet monté et me reservai du vin. Plus tard dans la soirée, il fut moins grotesque, devenant même, contrairement à son habitude, un peu tendre. Il me brossa les cheveux avant de les natter, assez bien, dans mon dos – une tresse de petite fille. Je m'abstins de lui révéler mon intention de la couper dès que l'occasion s'en présenterait.

C'est inconcevable à quel point un voyage en train aux Indes est différent d'un trajet en Angleterre. On a l'impression de traverser le monde et de le voir changer toutes les heures : les Indes défilent sous nos yeux. Fleuves aussi vastes que la mer où circulent des bateaux à vapeur, des boutres, des embarcations bondées, dont la poupe semble sur le point de sombrer. Femmes en train de battre du linge au bord de l'eau. Buffles qui pataugent dans le courant et errent dans les rizières. Sentiers blancs où de minuscules silhouettes retournent d'un pas traînant vers des taudis accrochés à flanc de colline. Orangeraies, bouquets de manguiers, champs de moutardes et d'indigotiers, derrière lesquels j'imaginais de sombres jungles remplies de tigres, d'ours, de gorilles, de serpents. Plaines sans arbres s'étirant à l'infini. Éléphants, la trompe des uns accrochée à la queue des autres. Chameaux sur des pistes poussiéreuses. Gazelles paissant sereinement à l'orée de forêts. Et l'on passe des jours à regarder par la fenêtre, il n'y a rien d'autre à faire. Malgré la curiosité et l'excitation que l'on ressent tandis que le train poursuit sa route, il est impossible de garder les yeux longtemps ouverts parce que la lumière est aveuglante. Alors on dort tout le temps, et même les ardeurs amoureuses de Neville sont au point mort. Quand on sort de son hébétude, on a l'impression que le ciel est devenu gigantesque. L'œil ne parvient pas à embrasser l'horizon : devant ou derrière soi, il n'y a que les Indes. Une vaste étendue spectaculaire et insaisissable.

En dépit de cela, quelque chose de familier me poussait à aimer ce pays. Je m'imaginais presque au sommet d'une colline, contemplant une vallée du Pays de Galles. C'est la même immensité. La beauté est omniprésente. Les oiseaux noirs tournoient puis plongent. Les nuages entraînent la lune dans un ciel d'argent. Ensuite, l'on s'endort. Mais quand on ouvre les yeux, quelqu'un a fait surgir un paysage décoloré et nu, émaillé de temps à autre d'un buisson, de l'écarlate d'un flamboyant ou d'un banyan dont on voit, en s'en approchant, les vrilles tomber des branches et s'entrelacer aux racines et aux vieillards accroupis à ses pieds. La seconde suivante, on passe devant une prairie de soucis jaunes ou des hectares de graines de lin, et le paysage n'en finit pas de déployer sa munificence si ancienne sous le regard des montagnes couronnées de neige tandis que les cannes à sucre vertes oscillent dans un lointain bleuté.

À la fin du voyage, j'étais épuisée et réduite à une sorte de silence, comme si celui-ci était entré par la fenêtre pour tourner en dérision l'insignifiance de mes connaissances. Un vaste continent existait à l'extérieur, indifférent à ma vie comme à ma mort. J'étais une étrangère, une intouchable, au cœur d'un pays incompréhensible. Qu'étais-je venue faire aux Indes? Quelle lubie m'avait poussée à y aller? Ici, la fumée des feux des villages ne s'échappe pas en ligne droite, ni ne dessine des volutes comme lorsqu'elle sort des cheminées en Angleterre. Et si l'on voit un voile gris souiller le ciel au-dessus des fleuves, on comprend que des corps brûlent sur un *ghat*[1]. Les vaches blanches qui foulent la poussière d'or pâle sont sacrées tandis que moi, rose et propre, je suis souillée. Mais c'est vraiment trop fatiguant de penser tant on est assailli de sensations et de beauté. La nuit tombe d'un coup; la température baisse de treize degrés; la fenêtre devient d'un noir d'encre et il n'y a plus rien à admirer. On se rendort jusqu'à ce que le chaos d'un nouveau matin vous réveille, et, au premier arrêt en gare, d'ordinaire à quatre heures, on vous sert l'inévitable thé que l'on boit avec un extrême plaisir.

Notre destination était l'une des quatorze provinces du Raj. Chacune était subdivisée en districts, qui constituaient la vaste région des villes de garnisons du nord du pays – dite mofussil – sur laquelle planent l'ombre de Kipling et les images dont il a empli nos esprits. Au contraire l'Inde des plaines, nauséabonde et inférieure paraît-il, est un endroit où l'on gagne de l'argent au lieu de faire son devoir. Nous nous dirigions vers notre cantonnement – qu'on prononce cantooonement –, le terrain militaire où le régiment de Neville était en garnison. Nous arrivâmes à Lahore en pleine nuit. Ici, les trains entrent en gare à deux ou trois heures du matin. Personne ne comprend pourquoi, peut-être parce que la notion du

---

1. Larges marches ou gradins menant à un fleuve.

temps n'est pas la même : il semble infini, sans aucun rapport avec nos dérisoires calendriers et horloges. À Lahore, nous attendîmes des heures notre chauffeur et notre tonga. Devant la gare on apercevait, dans les lueurs de l'aube, des caravanes de Boukhara en train de décharger sacs, ballots et tapis. Les chameaux s'agenouillaient devant les puits. Des gens allumaient des petits feux, prenaient une seconde pour préparer leur petit déjeuner avant de s'installer sous les arbres, parlant et mangeant comme s'ils avaient tout le temps. Neville me poussa à l'intérieur. Impatient, il faisait les cent pas, les yeux rivés sur l'horloge. Quand le chauffeur finit par arriver, tout en courbettes et salamalecs, nous partîmes avec l'espoir d'atteindre notre destination pour le petit déjeuner.

À proximité de Ferozepore, un homme était étendu sur le bas-côté de la route, presque phosphorescent dans ces dernières heures d'obscurité où la lumière est douce et bleutée. Neville sauta de la tonga. Quand il toucha l'homme, sans doute pour voir s'il était mort, celui-ci se releva comme s'il avait envie de nous égorger. L'expression de haine peinte sur son visage m'effraya. J'ignore pourquoi cela m'ébranla si ce n'est que cela contredisait mon idée que l'on nous aimait ici, que les Indiens étaient contents de notre présence, qu'ils nous respectaient et nous admiraient. Le fardeau de l'homme blanc. Cette haine me hanta, je ne cesserai de la voir jaillir des yeux noirs de cet homme de la même manière que, plus tard, je ne cesserai d'entendre les hurlements. La brise matinale nous poussa vers la ville, soufflant à ras de terre et agitant les branches où les oiseaux se réveillèrent en sursaut. Une fraîcheur qui serait dissipée dans quinze minutes, aussi exquise pour l'heure que de la glace sur le cou. Une noria de colombes et de perruches nichait dans les arbres tandis que des camélias roses, du jasmin, des bougainvillées foisonnaient et que des petits animaux filaient dans l'herbe claire. Un spectacle merveilleux, grâce au vent.

Ayant franchi la rivière qui sépare la ville de Ferozepore des établissements civils et militaires, on emprunta des petites routes menant au cantonnement. Comme on est assis en sens inverse de la marche dans une tonga, on regarde ce que l'on laisse derrière soi; c'est assez agréable. Passé quelques villages et petits sanctuaires, on arriva dans un bout d'Angleterre établi de longue date. Neville m'indiqua dans le quartier civil le club où pouvaient se retrouver les fonctionnaires pour boire un verre, nager, jouer au tennis ou pour des thés dansants. Bien entendu, les militaires avaient le leur, mais ce n'était la même chose. Tout ce cirque ne me concernait pas, du moins pas autant que Neville; rétrospectivement je m'aperçois que je n'avais aucune idée de ce que cela allait signifier pour moi, ni pour lui.

L'étrangeté de ce premier matin à Ferozepore le para d'irréalité, d'autant que le soleil était brûlant et que des singes efflanqués au faciès noir faisaient un terrible vacarme à la cime des arbres, en volant d'une branche à l'autre, s'y suspendant par un doigt. Des éléphants qui retournaient à l'écurie après avoir pris un bain dans le lac se dandinaient à l'ombre d'arbres d'une taille incroyable. Des fleurs bleues tombaient comme une averse entre des feuilles d'un vert clair serti d'émeraude, une teinte sombre illuminée par les rayons d'un soleil intense, puis un canna rouge jaillissait soudain comme une gerbe de sang. Un parfum de jasmin se mêlait aux fragrances des tamariniers et des frangipaniers. Le cantonnement était constitué de rangées de bungalows impeccablement alignés, chaulés ou revêtus d'ocre. On eût dit que quelqu'un avait tracé un plan au cordeau : rues, avenues, terrain de manœuvres, *maidan*[1] pour le polo et les gymkhanas, casernes et bungalows. Un ordre simple. Des jardins devant et derrière les bungalows au toit plat, ceinturés de spacieuses vérandas peintes en rouge, ombragées de bougainvillées et de fougères. Des pots de chrysanthèmes partout, à cause des mutations. En arrivant, j'avais remarqué des bungalows beaucoup plus anciens, orientés au nord-est, entourés de larges vérandas, encadrés par de grands arbres en fleurs, dotés de charmants petits vergers d'abricotiers, de pêchers et de poiriers grimpant en espaliers sur les murs de brique

---

1. Mot persan désignant une place, lieu de toutes sortes de manifestations aux Indes anglaises.

rouge, dont l'aspect edwardien m'avait rappelé Cardiff. Dans un environnement pareil, familier et accueillant, je me sentis évidemment chez moi.

Neville devint soudain bizarre. Assis à côté de moi dans la tonga, il avait l'air mal à l'aise et à cran. Nous étions arrivés au cantonnement où j'avais aussitôt perçu quelque chose dans l'atmosphère. La revue matinale venait de s'achever; quelques femmes de soldats, agglutinées devant l'entrée des quartiers réservés aux gens mariés, parlaient avec agitation. Les soldats, qui s'étaient rassemblés un peu plus loin, regardaient en silence un bungalow de l'autre côté de la place dont la porte était ouverte. On les aurait dits tous aux aguets. Les balayeurs étaient les seuls à continuer d'enlever la poussière tandis qu'un petit nombre de soldats indigènes, portant des culottes de cheval et des molletières, se tenaient en formation impeccable près de l'église blanche, comme s'ils attendaient des ordres. Les portes des autres bungalows étaient fermées, et on avait le sentiment qu'il s'était passé quelque chose. Lorsque je donnai un coup de coude à Neville, livide, aussi à l'affût que les autres, il ne réagit pas. Le visage détourné, il avait les yeux rivés sur cette porte ouverte, d'où, l'instant d'après, une femme commença à hurler comme si on l'écorchait. Tout le monde se figea. Les cris continuèrent jusqu'à ce qu'un coup de feu éclate, suivi d'un autre. Après quoi, un silence épouvantable tomba.

Neville sauta de la tonga, avec une telle violente que le cheval se cabra et que le chauffeur protesta. La place reprit vie. Chacun se remit à bouger, soit pour rentrer à la maison, soit pour s'en éloigner. Les soldats discutaient avec animation. Neville se précipita vers la porte ouverte, d'où un grand homme, très digne, coiffé d'un turban bleu, sortit lentement et lui barra le passage. Neville le bouscula, mais il refusa de s'écarter. Pâle, il avait un beau visage impassible; son immobilité était inquiétante. Revenant sur ses pas, Neville adressa la parole à l'un des soldats. Puis la scène se figea à nouveau. Quelqu'un avait ordonné que personne ne quitte les lieux, aussi nous restâmes tous là, dans la chaleur accablante. Au bout d'une vingtaine de minutes, un homme, le commandant apprendrais-je plus tard, traversa la place à grandes enjambées tout en boutonnant sa veste. Lorsqu'il arriva à la porte, le grand type le laissa entrer en s'inclinant brièvement. Le commandant pénétra à l'intérieur du bungalow. Neville lui emboîta le pas. Quant à l'homme au turban bleu, il s'éloigna, rapidement certes, mais sans manifester aucune émotion. La manche de sa tunique blanche semblait avoir été trempée dans de la peinture rouge. L'espace d'une seconde fugace, dans les profondeurs de mon cerveau, j'eus l'impression qu'une femme tombait et qu'il tendait le bras pour la rattraper. Lorsqu'il disparut derrière les groupes de soldats, on aurait dit qu'il ne s'était jamais trouvé là, qu'il n'avait jamais existé, tant et si bien que je crus que tout était le fruit de mon imagination.

Seuls quelques soldats et un nombre encore plus restreint de femmes s'étaient attardés sur la place. Si certaines me lançaient le genre de coups d'œil qu'on lance à une étrangère, le centre de l'attention était la porte à présent fermée. Je descendis de la tonga, énervée, mal à l'aise, ne sachant que faire de moi. Tout à coup, une femme poussa des gémissements avant d'éclater en sanglots et de courir vers la porte, mais un soldat lui saisit le bras et la repoussa. Oppressée par la tension qui régnait sur la place au sol dur et sec, où se tenaient des groupes de gens au visage de marbre, je ne m'écartai pas beaucoup de la tonga et de nos affaires, attendant que Neville réapparaisse. À ce moment précis, une femme d'un certain âge, l'air assez autoritaire, s'approcha de moi. Se présentant comme l'épouse du colonel, elle s'excusa pour ce qu'elle qualifia d'une abominable introduction à la vie indienne et tendit une longue main osseuse :

– Vous êtes sûrement la femme du sergent Webb.

Sur ce, elle insista pour que je vienne prendre le thé chez elle jusqu'à ce que le problème soit réglé.

– Nous vous attendions, ajouta-t-elle. Il est vrai que les trains marchent très mal ici, sans compter que la ligne de Ferozepore est en dérangement. Enfin, vous êtes là; tout va rentrer dans l'ordre.

Malgré sa gentillesse, je ne bougeai pas. Je voulais

savoir ce qui se passait derrière cette porte où Neville s'était engouffré.

– Je vais rester un peu ici, et m'assurer que tout va bien, répondis-je.

– Il faut plutôt laisser les hommes s'en occuper.

– Est-ce que vous savez ce qu'il se passe ?

Elle tressaillit :

– Je ne me mêle pas de la vie des soldats. En revanche, j'ai des devoirs envers leurs épouses, surtout lorsqu'elles arrivent et ne connaissent pas la marche à suivre.

Elle me regardait, le corps légèrement de côté, se détournant de la porte fermée.

– Qu'est-ce que c'était que ces coups de feu ? demandai-je.

– Un accident simplement, affirma-t-elle avec un sourire. Il s'en produit toujours aux Indes.

Son manque de curiosité me surprenait, puis je compris qu'elle jouait un rôle, celui de la femme de l'officier le plus gradé du régiment de la garnison. Elle me toisait. Moi qui jusque-là m'imaginais que mon tailleur crème était élégant, je n'en fus plus aussi certaine.

– Vous ne portez pas votre topi ? lança-t-elle d'un ton brusque. Venez, il ne faut pas rester au soleil.

Comme je jetais un coup d'œil à la place, je vis un homme s'avancer vers le bungalow, une sacoche de médecin à la main. Nous nous interrompîmes pour l'observer.

– C'est le docteur Singh, dit-elle. Il est d'astreinte à l'hôpital en ce moment. Ce doit être compliqué pour lui. – Je la regardai. – Eh bien, il y a manifestement eu une fusillade, expliqua-t-elle en rentrant le menton. Mme Davies pourrait être blessée, voire morte. Son mari vient de rentrer de Birmanie où il a passé un long séjour.

Elle fixa le médecin, qui s'apprêtait à entrer dans le bungalow. Je remarquai qu'il ne se dépêchait pas, qu'il était vêtu d'un costume très élégant et qu'il avait des cheveux plutôt châtains que noirs.

– Comment savez-vous qu'on a tiré sur Mme Davies ? demandai-je sans quitter des yeux Mme Pendleton qui, elle, ne quittait pas le docteur Singh des siens.

– Ma foi, répliqua-t-elle comme si je l'avais prise par

surprise. Elle ne s'est pas adaptée. Elle a été pénible. Elle a manqué de discrétion. Les femmes ont souvent du mal à s'en sortir ici. Pas seulement à cause de la chaleur et des indigènes, mais aussi parce que leur mari passe tant de temps en campagne. Elles restent seules des mois durant. Cela peut poser des problèmes. Mme Davies est une de ces femmes qui ne supportent pas la solitude. Aux Indes, ça ne va pas.

– Quel genre de problèmes?

– Eh bien! s'exclama-t-elle en riant, vous pourriez tout à fait vous enrôler dans la cavalerie, vue la façon dont vous donnez l'assaut. – Elle me prit par le bras. – Bon, on va vous installer. Ce n'est pas la peine d'attendre le sergent Webb, il ne va pas revenir de sitôt, assura-t-elle en me regardant avec compassion, me sembla-t-il, comme si elle savait quelque chose sur Neville que j'ignorais.

– Ne vous inquiétez pas, je vous en prie. Je vais retourner à la tonga, mettre mon casque colonial et l'attendre, protestai-je.

– Dans ce cas, je vous accompagne. La tonga nous emmènera à mon bungalow, qui se trouve par là, à droite, près du mess des officiers. Allez, venez maintenant, ne nous attardons pas plus longtemps sous cet épouvantable soleil.

Pour une raison quelconque, je la suivis comme un mouton.

Son bungalow était assez imposant. Colonnades blanches, vastes vérandas, roses jaunes grimpant aux murs. À l'écart, il dégageait une impression de fraîcheur et d'élégance dans la chaleur qui montait. Une balançoire d'enfant était accrochée à un des arbres du jardin, à gauche de la maison. Une petite pagode se dressait à côté d'une piscine située à l'ombre de saules pleureurs. Une fois à l'intérieur, je fus réconfortée par l'impression de me trouver dans une maison de campagne anglaise douillette.

– Nous ne sommes pas encore vraiment installés, expliqua-t-elle, en repoussant une pile de magazines pour que je puisse m'asseoir sur une chaise d'un pur style Belle Époque. Les bungalows sont tellement plus agréables à

Lahore. Les affaires s'abîment au cours du voyage : ainsi, j'ai perdu toute ma vaisselle en porcelaine de Limoges. J'espère que vous avez fait venir des effets personnels, mais ne vous étonnez pas s'il y a de la casse. Vous allez sans doute vous contentez de louer des meubles ; c'est impossible pour moi car nous avons un rang à tenir avec le colonel. La vie ici est toutefois si provisoire qu'on est parfois obligé de louer, et on déniche des trucs ravissants. Bien sûr, insista-t-elle en enlevant des gants blancs, c'est très chic d'avoir son mobilier, mais les hommes d'affaires et les planteurs sont les seuls à s'enraciner dans un même endroit, voilà pourquoi leurs maisons sont beaucoup plus luxueuses, pleines de beaux meubles anglais.

L'air un peu égaré, elle ne cessait de tapoter ses cheveux gris, courts et frisés. Elle sonna. Aussitôt, un domestique apparut avec un plateau nappé de damas blanc, garni de sandwichs, de tartelettes, de petits gâteaux et même de tranches de cake. C'était plus un goûter qu'une pause café. Je mourais de faim et cela m'était égal de le montrer. Mme Pendleton bombarda de questions son domestique en train de disposer les tasses et les soucoupes. Il ne m'avait pas jeté un seul regard.

– Je vois que vous parlez hindi, fis-je observer.

– Suffisamment pour me débrouiller. Vous glanerez facilement les bribes dont vous aurez besoin, me rassura-t-elle.

– J'ai l'intention d'apprendre cette langue.

– Oh, ce n'est pas la peine !

– C'est pourtant le seul moyen d'approfondir ses connaissances, non ?

– Je crois qu'on vous a trouvé un domestique qui parle anglais, un type bien de Calcutta, chrétien, propre, charmant même si son anglais est un peu excentrique. Les hommes sont les seuls à apprendre la langue, affirma-t-elle, levant un menton pointu. En fait, ils doivent passer des examens d'ourdou ; la vie indienne ne concerne que les hommes.

Fronçant les sourcils, elle s'interrompit tandis qu'un serviteur vêtu de blanc entrait à pas feutrés avec une enveloppe, qu'elle mit de côté avant de poursuivre.

– Vous allez trouver que les choses sont très différentes ici, et il vaut mieux, je l'ai découvert, demander
conseil à ceux qui ont de l'expérience. Nous faisons les
choses d'une certaine manière et nous devons donner le
ton. C'est ce qu'on attend de nous. Les prosternations jusqu'au sol m'ont décontenancée au début, mais c'est une
coutume indienne, comprenez-vous ? Les Indiens ne res-
pectent pas ceux qui ne se conduisent pas comme il faut.
Cela les offense. Ils se définissent en fonction de ceux
au service desquels ils sont, et nous gouvernons ici par
le prestige. C'est quelque chose qu'ils comprennent, tout
est une question de prestige, de protocole, de hiérarchie,
pour eux comme pour nous. On s'en rend compte après
une visite dans un palais de maharaja. Nous nous ressem-
blons sur bien des points, mais beaucoup de choses nous
séparent. Vous comprenez.

Elle me cassa les oreilles, me parla de tout ce que je
devais savoir pour survivre dans les Indes britanniques.
Le respect à montrer envers le système des castes et la
religion. Les moments où porter des gants. La façon de
faire la révérence et de reculer devant une altesse. La
bonne manière de m'adresser aux domestiques et celle à
proscrire.

– Les femmes les brutalisent trop ici, vous savez, rien
ne vaut la courtoisie avec les domestiques. Ce sont des
gens d'une extrême politesse, qu'ils ne tiennent sûrement
pas de nous.

Au moment où elle s'arrêta pour boire une gorgée
de thé, je me dis que les femmes de mineurs devaient
ressentir exactement la même chose que moi après une
visite de maman. Mme Pendleton se lança ensuite dans
le panégyrique de Neville :

– Un bon soldat. Zélé. Excellent cavalier. On ne peut
jamais savoir comment un soldat évoluera même s'il est
défavorisé sur certains points.

Tous ses propos avaient trait à la position sociale, à
l'hégémonie du rang et du statut. En tout cas, je compris
que la responsabilité du prestige d'un soldat retombait
sur sa femme, même si son rang était défini à la fois
par son bataillon et par l'aura de son régiment. Clarissa

Pendleton, qui connaissait exactement sa place dans sa société, ne me cacha de quel côté de la ligne de démarcation je me trouvais au cantonnement.

Manifestement, elle ne savait que penser de moi. Pour ma part, je décidai que la vieille bique n'était pas méchante. Je la flattai en la couvrant de compliments sur son argenterie, en repérant une porcelaine de Saxe, en faisant l'éloge d'une méridienne, en réalité un horrible meuble mélodramatique du siècle dernier. Bien entendu, elle sonda mon pedigree. Elle découvrit la profession de Père. Elle fut enchantée d'apprendre que maman était une cavalière. J'imagine que, dans son jargon, elle nous aurait qualifiés de « Gens des Mines », étant donné que tout le monde doit être rangé dans une catégorie. Je décidai de changer de sujet de conversation :

– Puis-je me permettre, commençai-je, de vous poser une question. J'espère que vous ne me trouverez pas impertinente ni indiscrète si je vous demande ce qui s'est réellement passé ce matin à la caserne. – J'esquissai un sourire innocent. – Est-ce aller trop loin ?

Mme Pendleton me foudroya du regard et répondit :

– La femme est morte. – Sa voix prit une inflexion singulière. – Il va évidemment y avoir une enquête officielle. Enfin, peut-être. Il est possible qu'on étouffe l'affaire. Par les temps qui courent, cela m'étonnerait. Sauf que cela concerne l'armée, qui n'apprécie pas qu'un soldat soit déshonoré, surtout par ce genre de choses. D'autant moins que sa femme est impliquée dans une histoire avec un Bengali.

– Un Bengali ?

– N'avez-vous pas vu un beau Bengali quitter le bungalow des Davies ce matin ?

J'acquiesçai, soulagée que son existence soit confirmée, vu l'impression étrange qu'il m'avait faite. Mme Pendleton ouvrit un étui à cigarettes en argent frappé d'armoiries et en prit une. Moi aussi.

– Voyez-vous, poursuivit-elle. Bon, tant pis pour les détails... Polly a été blessée d'une manière qu'on a mal perçue. – Elle prit une profonde inspiration. – Les Indes ne sont pas un pays pour les femmes. On les déteste ici.

On les brûle sur des bûchers. On les rend responsables de tous les actes de vengeance. On les estropie pour la moindre chose considérée comme impure ou la moindre infidélité. Et on nous considère, nous, les Blanches des Indes, comme des emmerdeuses à qui on ne donne aucun rôle sinon celui de servir de décoration, ce qui est destructeur moralement et intellectuellement. Toute la question est là, j'imagine. Je crains que le mouvement d'émancipation féminine ne soit pas parvenu aux Indes, et n'y parvienne jamais. En réalité, il faut devenir odieuse pour s'en sortir ici.

– Puis-je poser une autre question?

– Je vous en prie.

– Vous avez laissé entendre que ce serait compliqué pour le docteur Singh, qu'avez-vous voulu dire?

– Ah, vous l'avez remarqué? Eh bien, pour être précise, je me demandais s'il ne serait pas délicat pour lui d'être mêlé à cet incident : il ne fait pas partie de l'armée, et, s'il y a un procès, sa présence posera des problèmes pour toutes sortes de raisons.

– Lesquelles?

Après m'avoir jeté un regard scrutateur, elle parut prendre une décision :

– C'est votre première matinée ici, constata-t-elle, songeuse. Je vais être franche parce que, pour l'instant, vous êtes incroyablement directe. À mon sens, ce serait une qualité partout sauf ici. Tant pis, parlons librement. Le docteur Singh est un homme exceptionnel, cultivé, raffiné et brillant, parfois charmant. Dans l'ensemble toutefois, il est assez distant et égocentrique; il a tendance à oublier les noms des gens, ou les gens – ce qui froisse. En outre, ses origines compliquent les choses.

Elle parut avoir envie d'en rester là, mais je lui fis comprendre que je voulais qu'elle continue.

– Je m'explique : aux Indes, nous aimons tout connaître de ceux qui fréquentent notre cercle. Le docteur Singh en fait presque partie, il est des nôtres pour beaucoup de raisons. Nous savons qu'il est né à Londres et a fait ses études à Eton. C'est un homme d'Oxford. Un médecin diplômé de St Thomas à Londres; autant de choses qu'il a plus ou moins abandonnées lorsqu'il est rentré aux Indes. Je dis rentré, alors qu'il n'y a pas passé beaucoup de temps. Et quand il est ici, il ne joue pas le jeu : nos règles et notre protocole, le ciment qui empêche tout l'édifice impérial de voler en éclats ne l'intéressent même pas. Le colonel l'admire beaucoup – c'est un joueur d'échecs hors pair, je crois. Aussi est-ce le seul à qui le colonel ferait appel en cas d'incidents tels que celui-ci, mais c'est là où le bât blesse. Dans notre société, le docteur Singh occupe une position, ma foi délicate comme je l'ai déjà dit, et cet incident va inévitablement virer à la catastrophe. Nous sommes dans une situation difficile depuis les horribles événements d'Amritsar du mois d'avril. L'armée et la police sont sur les dents. Dyer ne va pas s'en tirer, bien sûr, il faut être monomaniaque pour avoir envisagé une pareille entreprise. À notre époque, il est inacceptable de tirer de cheval sur des gens désarmés : c'est précisément ce genre d'anicroches qui risquent de mettre l'empire à genoux. – Elle me dévisagea. – En fait, je l'espère. C'est facile à dire pour moi puisque notre séjour approche de son terme.

– Ai-je raison de supposer que le docteur Singh est dans une situation compliquée parce qu'il est indien ?

Mme Pendleton enleva une miette de tarte collée au coin de sa bouche :

– Voilà une question très intéressante, la seule à poser à son sujet d'une certaine manière, mais il est impossible d'y répondre. Le docteur Singh est un hindou, apparemment un descendant du maharaja Gulab Singh, un homme d'une brutalité inouï qui a réuni la vallée du Cachemire et l'État de Jammu en une principauté. En réalité, on lui a vendu le Cachemire après l'avoir pris aux Sikhs du Pendjab. Ne me demandez pas quand, je suis nulle pour les dates... Cependant, comme tout ce qui concerne le docteur Singh, il ne s'agit que de suppositions et de rumeurs. D'après certains, il serait un seigneur de guerre, trafiquant d'opium, membre de la dynastie des Rajput ; d'autres affirment qu'il a fait fortune dans le commerce avec la Chine par la Route de la soie. Le seul point sur lequel les gens tombent d'accord, c'est que son père est une véritable fripouille. À mon avis, ce ne sont que des foutaises. Le docteur Singh invente des histoires rocambolesques pour semer encore plus le trouble dans les esprits, ce que nous détestons puisque nous tenons à mettre les gens dans des cases et à ne plus les en sortir. Vous comprenez ?

Elle remplit nos tasses de thé.

– Ce qu'il faut savoir à propos du docteur Singh, c'est qu'il ne doute pas de lui. Il se considère comme un Anglais, plutôt comme un Anglo-Indien, ou, si l'on veut voir les choses comme le colonel, il se considère comme un Anglais de couleur. Ce qui en fait un idéologue aux yeux de mon mari pour qui cela n'existe pas.

– Il est bien né à Londres ? lançai-je

– À Eaton Square. Où voulez-vous en venir ?

– Eh bien, simplement que mon grand-père est né ici, qu'il a passé la plus grande partie de sa vie en Assam. Ne pourrait-il pas prétendre la même chose ?

Elle laissa échapper un hennissement dont un cheval aurait été fier.

– Quelle idée, ma chère ! s'exclama-t-elle. Tout à fait intéressante quand on la prend dans l'autre sens, sauf que personne ne s'y risquerait. Votre grand-père s'estimait-il indien par hasard ?

– Il aimait beaucoup les Indes.

– Étant né dans le pays, s'estimait-il autant indien qu'anglais comme le docteur Singh.

– Je ne sais pas.

– Moi, si. Je suggère, ajouta-t-elle d'un ton patient, que vous rencontriez le docteur Singh, ensuite vous me donnerez votre opinion. Je trouve fantastique que l'on éradique ainsi la discrimination raciale, scandaleuse pour certains, sublime pour d'autres, cela a vraiment quelque chose d'aristocratique. Le docteur Singh a les yeux bleu clair de sa mère, qui vient du Cachemire, dont les habitants sont, paraît-il, des descendants d'Alexandre le Grand. Quoi qu'il en soit, ce qui nous séduit surtout chez lui, c'est qu'il nous a rendu des services inestimables. Une insurrection a éclaté il n'y a pas si longtemps, demandez au sergent Webb de vous en parler – un soulèvement sanglant et stupide, religieux mais quelque peu terroriste aussi comme d'habitude, et qui aurait pu être bien plus grave. L'intervention du docteur Singh nous a aidés à nous sortir d'un sale pétrin. – Elle posa sa tasse et me regarda. – N'allez pas vous imaginer que le docteur Singh est de notre côté, ce n'est pas le cas. Il affirme simplement qu'il appartient aux deux mondes : « Je suis à la fois indien et anglais », m'a-t-il dit une fois. Puis il a éclaté de rire avant de citer deux vers de Kipling, afin de prouver qu'il avait le cerveau scindé en deux.

Fascinée, je buvais ses paroles aussi goulûment que le thé. La question ne m'avait jamais effleuré l'esprit. J'avais souvent réfléchi à celle des classes sociales, étant donné le passé de mon père, ses origines, et le petit milieu d'où était issu Neville. En revanche, je n'accordais aucune importance à la race, du moins pas du tout comme le colonel et sa femme. Comment en aurais-je eu conscience ? Étais-je trop jeune, trop égocentrique pour me sentir concernée par le lointain Empire ? Avais-je somnolé pendant que Mme Firth lisait d'un ton monocorde des passages de *Our Empire Story*. À moins que la race des populations sur lesquelles nous exercions notre domination n'ait pas figuré dans nos discussions. Je voulais suivre les conseils que me donnait Père lorsque je devais réfléchir à des sujets sérieux : « Laisse le vent souffler dans ta cervelle, Isabel. Vide-la avant de penser non seulement à ce qui t'intéresse mais aux causes. » En l'occurrence, je m'interrogeais sur les sujets suivants : Mme Pendleton avait-elle suggéré qu'il existait des nuances en matière de race blanche, et que les anglais tenaient le haut du pavé ? Le docteur Singh avait-il le droit d'être indien et anglais, et aussi celui d'être noir et anglais ? Ou est-ce que la race noire annulait tout ?

L'air un peu nerveux, comme si elle avait été trop loin, Mme Pendleton écrasa sa cigarette et se tourna vers moi avec la brusquerie propre à certaines Anglaises :

– Eh bien, le colonel et moi allons bientôt partir pour Peshawar. Des bruits circulent comme quoi sa solde serait augmentée de mille livres, de quoi être fier après nos longues années de service. Bien sûr nous ne resterons pas longtemps à Peshawar : les ordres sont, pour l'instant, d'essayer de stabiliser la situation. Peshawar, qui est située à l'ouest de la Khyber Pass et protège le Pendjab, est une importante garnison.

Je l'interrompis :

– J'ai regardé la carte.

– C'est bien, me félicita-elle. Il faut se tenir informé. Quant à vous, Isabel, ajouta-t-elle gentiment, maintenant que nous avons été droit au but, vous pourriez me confier les raisons de votre venue en Inde, non? On vous aurait imaginée capable de mettre la main sur un fonctionnaire, vous savez, de l'administration de l'Inde, un de ceux que nous qualifions de « né au paradis », un membre du gratin. C'est important ici, et cela protège une femme surtout si elle est intelligente et pas conventionnelle – des qualités susceptibles de la compromettre. Croyez-moi, tous les Anglais qui débarquent ici ne sont pas des lumières, loin de là. Pour certains, ce n'est qu'une opportunité, rien de plus. En revanche, ceux qui intègrent l'administration – eh bien, d'abord ils ont survécu à Rugby ou à Eaton, avant d'être diplômés d'Oxford ou de Cambridge avec mention, puis ils ont obtenu des notes excellentes aux examens de l'administration. J'ai constaté que les gens en haut de l'échelle, ceux qui dirigent l'Inde, sont incorruptibles dans l'ensemble. – Elle joignit les mains. – C'est essentiel quand on ne gouverne que grâce au prestige.

– Absolument.

Sur ce, elle se leva. Moi aussi. Elle sonna le domestique et donna l'ordre d'amener ma tonga devant la maison afin qu'on me conduise à mon bungalow, situé de l'autre côté du cantonnement. Lorsque nous nous serrâmes la main, elle me regarda droit dans les yeux. Ce qui ne m'empêcha pas de me sentir oppressée et mal à l'aise tout au long du trajet. Cette femme savait quelque chose. Faute de découvrir ce dont il s'agissait, je risquais d'être un objet de pitié et de dérision au sein de cette petite tribu anglaise, où la caste représentait tout et qui condamnait à mort ceux qui rompaient les rangs.

3

Mes deux domestiques tout de blanc vêtus, l'un coiffé d'un turban, l'autre tête nue, se tenaient de chaque côté de la porte d'un minuscule bungalow. Dès que je fus parvenue au bout de l'étroit chemin, ils me saluèrent à l'orientale. Extrêmement séduite par la solennité de la formalité, je les imitai. On fit les présentations. Je remarquai qu'on donnait simplement au cuisinier le nom de sa fonction : *Bobajee*. Joseph en revanche m'accueillit en anglais et m'indiqua son prénom. Le bobajee disparut aussitôt, me laissant avec Joseph. Il n'y avait pas un souffle d'air dans la maison, et, comme j'allais ouvrir les fenêtres, celui-ci fut immédiatement près de moi, agitant les mains, visiblement chamboulé :

– Oh, non, memsahib, s'il vous plaît, permettez-moi d'assurer l'arrivée de beaucoup d'air.

Alors, je compris un aspect essentiel de ma nouvelle vie. Je n'avais plus le droit de lever le petit doigt, que ce soit pour ouvrir une porte ou ramasser un mouchoir. On me rendait inutile. Joseph m'escorta dans la maison, marchant vite afin d'anticiper mes désirs. Je le supportai, mais une fois qu'il m'eut fait faire le tour des deux pièces donnant sur la véranda, puis des deux chambres à l'arrière, je lui demandai de me laisser seule. Exaspérée, je m'assis sur le lit à une place, mes valises à mes pieds, ainsi que la petite boîte en carton contenant la bouture de lilas – bien partie après avoir passé tant de temps sous un hublot ensoleillé du *Viceroy*.

– La memsahib prendra-t-elle du thé? murmura
Joseph de la porte.

– La memsahib ne prendra pas de thé, merci. Je t'ap-
pellerai si j'ai besoin de quoi que soit.

Il recula de l'autre côté de la porte :

– Memsahib va se reposer. Assurément. Il fait chaud.
Le voyage est pénible. C'est bien le repos.

Je regardai le lit en pensant qu'une sieste pourrait
m'aider. Évidemment, je fus incapable de trouver le sommeil. Les chants insolites des oiseaux, la lumière crue
entrant par les fenêtres dépourvues de rideaux me donnait
la migraine, sans compter tout ce que j'avais à faire. Oui,
mais comment m'y prendre, de quelle façon procédait-
on ici? En outre, la laideur de l'endroit ne m'inspirait
pas. Le sol était en ciment. Deux fauteuils minables en
osier aux pieds posés dans des soucoupes pleines d'eau
où se noyaient déjà des fourmis, une commode bancale
composaient l'unique mobilier. Des voiles en mousseline
recouvraient le plafond, repaire de serpents et de chauve-
souris. Des lézards et des araignées grosses comme des
crapauds guettaient sans aucun doute le moment propice
pour s'abattre sur une personne endormie. Il faut cependant reconnaître que tout était impeccable. Mon Dieu,
quel contraste avec notre ravissante maison de Rhondda
Valley, où je vivais comme une hirondelle dans son nid,
dans ma chambre sous les toits, avec une vue imprenable
sur les jardins et leur profusion de roses!

Cela me réconforta de déballer enfin mes affaires.
J'ouvris les tiroirs avec une infinie précaution ayant en
tête la terrifiante mise en garde de Maud Diver, dans son
ouvrage intitulé *The Englishwomen in India*[1], à propos
d'affreux germes, de maladies mortelles, d'animaux man-
geurs d'hommes, sans oublier la façon dont les Indes
développaient l'émotivité, l'amour du plaisir chez les Anglo-
Indiennes au détriment d'aspirations plus nobles et d'une
discipline austère. Le terme si déroutant d'anglo-indien
y figurait, bien que l'emploi en fût différent puisqu'il
s'agissait d'un livre écrit à notre intention. Tout compte
fait, j'avais envie d'une tasse de thé. Je me lançai à la

----
1. *Les femmes anglaises aux Indes.*

recherche de la cuisine, empruntant un passage couvert, bordé de plates-bandes bien entretenues et de quelques arbres. D'un côté il donnait sur le mur de séparation avec nos voisins, de l'autre sur une pièce, plus précisément un espace, où trônait un fourneau indien, tandis que deux ou trois casseroles noires et cabossées séchaient sur un plan de travail en bois. Comme je parcourais l'endroit du regard, un cri strident s'éleva dans le quartier des domestiques. L'instant d'après, un bobajee hirsute et très agité fit irruption, suivi par Joseph :

– Memsahib, s'il vous plaît, il ne faut pas entrer, ce n'est pas la coutume. En aucun cas. Le cuisinier, il est malheureux. C'est son domaine. Lui seul travaille ici. Lui seul fait la cuisine.

Puis ils baragouinèrent en hindi. La moutarde me monta au nez. Je sommai Joseph d'expliquer au bobajee que je respectais son art et sa cuisine, mais que celle-ci était aussi la mienne et que j'avais l'intention d'y venir de temps à autre préparer du thé, des scones ou n'importe quoi. Ce n'était pas une inspection, puisque tout rutilait de propreté : je refusais simplement qu'on m'en interdise l'accès. Voilà qui leur cloua le bec. Sauf que Joseph s'efforçait d'éviter de me regarder avec quoi ? pitié ? amusement ? patience ? Bobajee me montra alors comment faire du thé avec une casserole en guise de bouilloire. Il n'y avait pas de passoire et une seule tasse. Du coup, moi qui m'étais moquée de la tirade de Mme P. sur sa jolie vaisselle anglaise, je me sentis remise à ma place. En proie à un mal du pays qui me serrait le cœur, je bus mon thé, assise sur mon matelas bien dur. Aucun drap en vue, pas davantage de serviette. Soudain, ma mère me manqua affreusement et je geignis dix bonnes minutes, mais je ne tardai pas à réaliser que cela ne la ferait pas venir et que je devais me contenter de suivre son exemple. Aussi me levai-je brusquement et appelai-je Joseph à tue-tête ; il apparut, propre comme un sou neuf, prêt à tout. Après lui avoir dressé une liste d'objets de première nécessité, je lui ordonnai d'aller trouver quelqu'un à la caserne, un troisième classe quelconque, qui me les procurerait. Illico. Son visage rayonna de serviabilité :

– Tout sera comme le souhaite memsahib.

Il glissa la liste dans les plis de ses vêtements.
– Il n'y a pas besoin d'argent. On a des comptes partout. Je serai de retour en un rien de temps. – Il tendit la main. – Au bazar, il faut des roupies pour le dîner de madame.
Je lui en donnai une poignée.
– Du poulet ou du poisson?
– Du poulet, marmonnai-je.
S'inclinant, il sortit chercher un rickshaw. Je lui avais donné l'ordre de rentrer en tonga, pour rapporter ce qui manquait dans la maison, des choses auxquelles mon déplorable mari n'avait même pas pensé. Il aurait sûrement pu s'en occuper en télégraphiant au *wallah*[1] responsable des fournitures, ou en demandant au comité chargé des nouvelles arrivées, ou en suivant la procédure instaurée dans l'armée. Mais non, je débarquais dans une maison nue, sans cuisine, où des étrangers qui auraient été mieux placés dans un syndicat d'une vallée du Pays de Galles occupaient le terrain.

Avant de partir pour ses courses, Joseph eut la gentillesse de me préparer un grand et délicieux bain dans une baignoire sabot. Étant donné qu'il apporta l'eau à bout de bras dans des bidons de pétrole débordants, je ne fis pas valoir mon droit au partage des taches. En deux temps trois mouvements, j'ôtai mes vêtements serrés et collants et m'assis dans la baignoire sans quitter des yeux le trou dans le sol, Joseph m'ayant sommairement expliqué : « L'eau coule par-là, les serpents entrent. » Incapable d'attendre qu'en surgisse une petite tête couverte d'écailles, d'où une langue sortirait, je le bouchai avec ma culotte. Je décidai qu'il devait être possible de sécher en restant une à deux minutes devant la fenêtre ouverte – ce fut en effet un jeu d'enfant. Après quoi, je cherchai ma robe rose préférée, tellement usée qu'elle aurait dû servir de chiffon depuis des lustres, mais je l'aimais trop pour ne pas l'emporter avec moi. Au moment où je l'enfilais, alors que j'avais à peine fermé la rangée de boutons de nacre

1. Agent, commis ou personne exerçant une tâche spécifique : fruit wallah, vendeur de fruits.

du plastron, on frappa à la porte. Malgré mon accès de panique, je fus obligée d'aller ouvrir puisque Joseph était parti.

Ses yeux ne sont pas bleus. Ils sont vert clair avec une nuance de gris, et d'une telle profondeur que l'on pourrait s'y noyer. Si son visage n'a pas la même beauté que celui du Bengali, il est bien modelé. Un nez droit, une bouche intéressante, à la fois sereine et frémissante. Des sourcils noirs, des cheveux châtains assez longs, légèrement bouclés au lieu d'être épais et raides. Le costume aperçu plus tôt était en lin crème avec un peu de soie pour l'assouplir. Mère aurait apprécié sa façon de le porter, son sourire moqueur lui aurait en revanche moins plu. Il regarda mes cheveux ébouriffés et ruisselants qui mouillaient ma robe. Il baissa les yeux – moi aussi – sur mes mamelons que le léger tissu moulait. En l'espace de quelques secondes, l'humidité plaqua l'étoffe si bien que mes seins se dressèrent entre nous à la manière de deux pêches sur un plat. Comme je tirais sur le tissu, je sentis craquer la couture et vis le bouton s'arracher puis rouler par terre. Rien à faire. Je me penchai pour tordre mes cheveux. Trop tard. L'un et l'autre, nous regardâmes l'humidité se répandre sur l'étoffe mouillée, qui parut retenir son souffle au niveau de mon nombril, révélant toute la splendeur de mes hanches et de mon ventre. De guerre lasse, je croisai les bras.

– Pardonnez-moi, sourit-il en levant une main, l'air contrit. Je tombe mal.

Il recula. Aussitôt, je me retrouvai sur le seuil, clignant des yeux dans la lumière éblouissante :

– Non, non, protestai-je. Aucun problème. Entrez, je vous en prie. Simplement je viens d'arriver, et il n'y a pas de serviettes... enfin, c'est la pagaille, quant à moi, je suis dans tous mes états.

Il entra et je fermai la porte.

– En fait, je cherchais le sergent Webb, précisa-t-il, très à l'aise dans son superbe costume crème, alors que mes loques détrempées me donnaient envie de rentrer sous terre.

Son expression amusée me démonta. Je remarquai qu'il était assez vieux, environ trente ans ; voilà qui lui procurait un avantage qui ne me plut pas davantage. Il tendit la main et la déplia :

– Votre bouton.

Puis il arpenta la pièce, me regardant par-dessus son épaule.

– Je n'ai pas réussi à trouver le sergent Webb à la caserne, reprit-il. Je ne vous aurais pas dérangée si ce n'était aussi urgent. Bien entendu, je peux revenir plus tard.

– Il va rentrer d'une minute à l'autre, mentis-je entre mes dents.

– À propos, je suis le docteur Singh, ajouta-t-il.

Ses yeux ourlés de cils épais pétillaient. Il s'exprimait avec l'accent d'Oxford, sans inflexion, mais avec un rythme qui n'était pas vraiment anglais, sans que je puisse définir pourquoi.

– Je sais, je vous ai vu à la caserne après les coups de feu, dis-je précipitamment.

Il me lança un coup d'œil :

– Vous étiez là ?

– Je venais de descendre du train.

– Cela a dû vous faire un choc.

Il me dévisageait. Écarlate, je sortis avec lui du vestibule et nous entrâmes dans la première pièce, vide naturellement. J'en fus tellement gênée que j'aurais voulu ramper dans un coin, disparaître.

– Désolée, marmonnai-je. Il n'y a pas grand-chose comme vous voyez, et je ne peux même pas vous offrir un thé. D'une part il n'y a qu'une seule tasse, d'autre part si je m'aventure à nouveau dans la cuisine, le bobajee risque de me tirer dessus.

Il eut un rire merveilleux, comme s'il suffisait d'un instant pour résoudre mes problèmes dérisoires. Puis il se dirigea vers une voiture américaine que je n'avais pas remarquée, d'où il rapporta un petit tapis rouge et deux bouteilles d'Évian. Après avoir déroulé le tapis, il s'y assit avec souplesse tout en tendant les bras pour m'aider.

Hésitante, je finis par prendre sa main et par l'imiter, essayant de croiser les jambes sous ma robe mouillée.

– Je ne bois qu'un thé épicé, très doux, que vous détesteriez sans doute.

Il déboucha l'une des bouteilles qu'il me donna, puis il me regarda droit dans les yeux et me demanda avec une incroyable sincérité :

– Racontez-moi comment vous vous y prenez aux Indes ?

Je ne répondis qu'au bout d'un moment, mais à toute allure :

– Je ne sais pas trop comment je m'y prends aux Indes, ce sont plutôt les Indes qui me prennent. J'ai passé quelques heures chez Mme Pendleton, d'où je suis repartie sens dessus dessous.

– Ah, Clarissa, dit-il, d'un ton calme et mielleux.

Il n'était pas question que je me laisse impressionner par sa maturité

– Je l'ai trouvée sympathique, affirmai-je. – Une provocation de ma part, vu que ce n'était manifestement pas le cas du docteur Singh. – En revanche, elle s'est montrée cachottière en ce qui concerne ce qu'elle qualifie d'incident, et je ne crois pas avoir tout saisi.

– Voulez-vous vraiment savoir ce qui s'est passé ?

Il lissa le tapis, exotique et assez beau. Des fils dorés et violets se mélangeaient à la couleur cramoisie.

– Ma foi, oui. Pourquoi pas ? D'après Mme Pendleton, la femme a été assassinée. Mais j'ignore comment elle peut le savoir puisqu'elle n'était pas dans le bungalow à ce moment-là.

– Les gens n'ont pas souvent envie d'admettre les ramifications de ce genre d'événements, toujours compliqués.

Il avait une expression lointaine à présent, et quelque chose de solennel dans la bouche.

– Je crois que Neville, que mon mari…

– Je connais le sergent Webb, me coupa-t-il, d'une voix neutre en posant les yeux moi.

Je voulais continuer à parler parce qu'il se taisait.

Sauf que pour une raison incompréhensible, je n'avais rien à dire. Au bout d'un moment, il demanda :

– Êtes-vous sûre que je ne vous retiens pas ?

– Moi ? Non. Il n'y a pas le moindre meuble dans la maison et je n'ai rien à faire.

Il tendit la main :

– Désolé, nous avons oublié de nous présenter : je m'appelle Sam.

– Sam ?

– Samresh.

– Isabel, dis-je, en prenant sa main.

Il répéta mon nom comme s'il cherchait à en comprendre le sens. Il semblait avoir tout son temps.

– À propos de la caserne, poursuivit-il. Mme Davies se trouvait apparemment dans la chambre quand son mari est entré et lui a tiré une balle entre les yeux.

Il m'observa, guettant ma réaction. Moi, je n'arrivais pas à éprouver quoi que ce soit. Mes oreilles bourdonnaient. J'avais le vertige. Désorientée, j'étais en proie à un tourbillon de sensations. Nous nous regardâmes fixement ; il paraissait aussi oppressé que moi. Incapable de détourner mon regard de son visage, j'avais l'impression étrange que nous avions tous les deux peur. Nous restâmes ainsi jusqu'à ce que je sente un invisible coup de coude, comme si Mère me frôlait et m'enjoignait de me ressaisir.

– Le Bengali était-il impliqué ? demandai-je, comme s'il n'y avait pas eu d'interruption.

– Vous voulez dire son amant ? Non, je ne le crois pas. Auparavant, on lui aurait attribué l'assassinat, mais c'est devenu trop dangereux depuis que le parti du Congrès surveille tout le monde de près. Nous avons eu quelques incidents récemment, ajouta-t-il sérieusement.

– Vous parlez des événements d'Amritsar ?

Il acquiesça, tout en fixant un point derrière moi cette fois.

– Vous ne pensez pas qu'il y ait un lien entre les deux ?

– Non, simplement que nous sommes tous nerveux.

Il n'y avait aucune trace d'émotion sur son visage, pas davantage que sur celui du Bengali lorsqu'il avait quitté le bungalow où gisait la morte. L'instant d'après, il sourit, l'air de vouloir balayer tout cela. Il concentra son regard redevenu intense sur moi.

– Que va-t-il arriver ? murmurai-je.

Ma question me parut venir de loin lorsque je l'entendis.

– Rien de particulier, j'imagine. Cela regarde l'armée.

On aurait dit que quelque chose d'essentiel s'était passé entre nous, dont les conséquences dépassaient notre entendement. Sa façon de prononcer *son amant*, puis de neutraliser aussitôt le poids du terme avait fait naître une image double comme une ombre dans l'ombre. Le mot m'avait embrasée de désir. Avec une fulgurance si surprenante que j'en frissonnais comme s'il m'avait touché la cuisse. J'étais tellement bouleversée que je ne réussis qu'à chuchoter :

– Je ne peux m'empêcher d'avoir l'impression que tout le monde ici sait quelque chose que j'ignore.

– Les domestiques sont les seuls à tout savoir, assura-t-il. Le mari s'est suicidé après l'avoir tuée. Ils sont morts tous les deux. C'est terminé.

Il se détourna de moi. De profil, son visage était mélancolique. La sensation de sombrer sous l'eau ou d'être écrasée par un poids énorme sans être capable de m'en libérer s'empara à nouveau de moi. Essayant de me vider l'esprit, je me renversai en arrière et fermai les yeux.

– Que voulez-vous ? souffla-t-il, si près de moi que je crus que sa voix était la mienne.

Il s'était éclipsé. J'étais à la dérive. Un camion freina bruyamment sur la route. Je vis par la fenêtre un soldat sauter de la cabine. Il se mit à décharger des meubles vraiment affreux, qui s'entassèrent à l'endroit où le docteur Singh avait garé sa voiture. J'observais le soldat sans bouger tandis que ma robe prenait la consistance du papier. Il y avait un *charpoy*[1], deux chaises, une table banale, deux fauteuils style plantation pour la véranda, une caisse de vaisselle en porcelaine et de verres, une autre de linge et

1. Lit fait de jute tressé sur des montants en bois.

une autre où figurait l'étiquette : « Ustensiles de ménage ».
Parcourue d'un frémissement, je croisai les bras sur ma
poitrine. Ce qui franchissait la porte venait de l'armée et
avait servi. Je jetai des regards hébétés autour de moi.
Mes possessions tenaient dans trois malles. Les souvenirs
de ma vie sereine au Pays de Galles jonchaient le sol, brisés. J'allai m'étendre sur mon lit, accablée par tout ce qui
pouvait arriver entre deux et trois heures de l'après-midi.
Quand je retournai dans le salon, je vis que le tapis rouge
était toujours là : un bouquet de roses.

Vu mon état de déliquescence, je n'avais d'autre
choix que de me cramponner à la réalité. À peine Joseph
fut-il rentré que je l'appelai. Une fois qu'il se retrouva
devant moi, la nature de nos relations se clarifia : si j'étais
assise, il devait être debout; si je marchais, il devait me
suivre à une distance de quelques pas. Il me fournit des
précisions sur ma nouvelle vie : tous les jours, il ferait des
courses pour moi au bazar – sinon on m'escroquerait. Il
ferait les comptes et me les soumettrait. Il assurerait la
liaison avec le cuisinier qui me proposerait les menus et
préparerait les repas sauf si on le prévenait à l'avance
d'autres dispositions. Joseph recruterait un *mali* ou jardinier, un balayeur et une sorte de femme de chambre
qui serait à mon service. Apparemment, le problème était
que certaines tâches ne pouvaient être effectuées que
par certaines personnes, une répartition inamovible. Le
balayeur balayerait à l'intérieur, pas à l'extérieur, et, étant
de très basse caste, il n'aurait pas le droit de toucher à
quoi que ce soit n'était son balai. Le jardinier ou mali
serait un intouchable; il faudrait me souvenir de ne pas
toucher ses outils et même d'éviter de marcher dans son
ombre. Et ainsi de suite.

– Quel invraisemblable mode de vie, soupirai-je avec
lassitude.

– Non, memsahib, protesta Joseph en souriant. Je
vous assure, c'est simple. Respectez les règles et ne vous
tracassez pas. Un sahib est un sahib. Un intouchable est
un intouchable. Un hindou est un hindou. Un brahmane
est un brahmane. Un musulman est un musulman. C'est
simple, non ?

Je parvins à convaincre Joseph qu'un jardinier et un

balayeur suffiraient pour l'instant et que nous penserions à la femme de chambre plus tard. Tous les jours, le *dhobi* ou laveur viendrait chercher le linge et le rapporter. Un tailleur et des vendeurs passeraient de temps à autre. Le matin, des fleurs, des vases et des ciseaux seraient préparés à mon intention – j'avais le droit de faire des bouquets, mais pas celui de cueillir quoi que ce soit. Tous mes désirs pouvaient être satisfaits, tous mes vœux comblés.

Je m'étendis sur mon lit. L'instant d'après, je fis un rêve d'une telle impudeur que je me réveillai en sursaut. Je me mis aussitôt dans la baignoire sabot où je restai longtemps. Puis j'extirpai ma culotte du trou à serpents, que je bourrai de papier d'emballage venant d'une caisse vidée. J'en avais fait un bureau de fortune. Un stylo, de l'encre et du papier y étaient disposés ainsi qu'un cahier que père m'avait donné pour que j'y note mes impressions. Joseph apporta un petit mot de Neville m'annonçant qu'il ne rentrerait pas dîner. Aucun terme d'affection n'y figurait. Ni la moindre phrase du genre : *J'espère que tu débrouilles dans ton nouveau logement sordide ; Puis-je t'aider ? As-tu besoin de quoi que ce soit ?* Rien. Absolument rien. Je me sentis moins coupable.

Je dînai seule. Bien sûr, je me changeai. On se change pour dîner même s'il est servi dans la jungle. En réalité, je le fis surtout parce que j'avais envie de porter une robe longue et soyeuse. Et d'être jolie. S'il y avait eu une glace, j'aurais aimé m'y regarder de la même manière que les yeux verts peu de temps auparavant. Joseph vint m'annoncer que le repas était prêt. Je lui emboîtai le pas avec la grâce nonchalante d'une memsahib, examinant la table pour y déceler des taches ou de la poussière sur les verres. Nappé de blanc à présent, l'affreux meuble avait une certaine élégance grâce à une coupe en métal argenté remplie de jolies roses, roses. Je demandai vainement d'où elles venaient. De toute façon, pendant ma rêverie dans la baignoire, j'avais décidé de ne pas exiger de réponses avec trop d'insistance. Aussi attendis-je, comme il se devait, d'être servie. En premier lieu, il arriva avec des sardines sur toast. Aucune chance, pensai-je, d'adopter le mode de vie indigène. Je les dévorai jusqu'à la dernière arrête. Les autres plats furent complètement indiens. Joseph apporta des petits bols et des petites assiettes, me donnant des explications tandis qu'il en versait le contenu avec une cuillère :

— La volaille est maigre. Pas assez de blanc, mais avec cari c'est meilleur. Memsahib, premier soir à la garnison, puis-je vous convaincre de goûter un peu le cari de légumes avec herbes et épices ? Bobajee a fait un effort pour éviter mauvais départ avec des cris. Un peu de chutney au tamarin, très bon, je vous assure. Celui à la mangue, très doux, vous adorerez. Goûtez, essayez, tout est délicieux.

Il me servit du riz parfumé ainsi qu'un poulet doré où l'on avait mis quelques tortillons verts à l'aspect intéressant.

— Une petite portion peut-être, memsahib ? C'est un peu épicé, mais ça fait pas de mal.

Je pris une crêpe blanche aux bords joliment noircis et une sorte de légumes secs marron. Joseph s'affairait. Je le renvoyai dans les communs, où son dîner l'attendait sûrement. Non seulement je mourais de faim, mais j'avais hâte de me débarrasser du goût de sardine.

Lorsque j'entrai comme un ouragan dans la cuisine, les deux hommes, assis sur une marche de l'escalier de service, mangeaient avec plaisir. J'étais incapable de parler. Ils me fixèrent avec cet air consterné qui les caractérise. Le visage écarlate, je tenais à deux mains ma bouche incendiée. Le cari de poulet, qui avait été exquis juste avant l'explosion du pétard vert, était à présent sur le plastron de ma robe. J'avais déjà avalé une cruche d'eau. Et ces imbéciles ne semblaient pas comprendre que j'allais mourir si je ne buvais pas davantage.

— Memsahib — Joseph tournicotait autour de moi — memsahib, l'eau vous soulagera très peu.

Il déchira un bout de crêpe qu'il me tendit sur une assiette.

— Prenez le chapati, rien ne vaut le chapati.

Puis il s'adressa à Bobajee, l'agonisant d'injures. L'homme s'éclipsa précipitamment et revint avec un plat en émail, que Joseph lui arracha.

– Memsahib, prenez du yaourt, je vous supplie. Ne soyez pas pusillanime. C'est à cause du piment, je vous garantis.

Sitôt qu'il m'eut raccompagnée dans l'autre pièce, il me harcela pour ajouter un autre article à sa liste de courses :

– Memsahib, avec le cari épicé et cet horrible climat, une glacière, c'est primordial. Permettez-moi d'en acheter demain.

J'acquiesçai avec un plaisir sournois, imaginant le réconfort d'un glaçon dans ma bouche en cet instant précis. Je lui assurai que j'allais très bien.

– Memsahib, mangez un peu de riz et de cari de légumes.

Comme je secouais la tête, il parut déçu que je refuse de m'embraser à nouveau la gorge. Il disparut. Il revint presque aussitôt avec un grand verre de *lassi*[1] sucré et s'inclina profondément :

– Avec les condoléances du cuisinier, memsahib.

Je renvoyai Joseph à son dîner. Puis, je procédai délicatement à une enquête avec ma langue pour vérifier si mon palais était toujours là. Sur ces entrefaites, une dispute éclata dans les communs entre les deux cadres de ma maisonnée. Joseph hurlait contre le cuisinier, en anglais pour que j'en profite :

– C'est quoi cette folie? D'enflammer la memsahib. Elle va être indisposée par la colique. Le premier soir, on a déjà une catastrophe sur les bras.

Cette tirade fut suivie par un chapelet d'invectives en hindi, que je regrettai de ne pas comprendre. Bobajee garda le silence. Comme de juste.

Joseph ne tarda à revenir pour m'expliquer que le cuisinier ignorait que je venais de débarquer de ma traversée sur l'eau noire. Vu que le sahib aimait son cari très épicé, il avait supposé que je partageais ses goûts.

– Ce n'est pas grave, Joseph, dis-je sans cesser de reprendre mon souffle. Ce n'est qu'une question d'habitude. J'essaierai à nouveau demain, mais j'aimerais que tu ne m'imposes pas ces petits trucs vers.

---

1. Boisson lactée et fruitée à base de yaourt.

– Certainement, memsahib, recommencez demain. Une attitude héroïque, memsahib. J'applaudis des deux mains. J'implore votre pardon. J'aurais dû prévoir. On n'est jamais trop prudent.

Sur ce, nous bavardâmes un peu, lui et moi. Il était allé dans une école de missionnaires où il avait trouvé Jésus et le christianisme, mais, étant hindou, il avait mélangé les deux religions et ça le rendait très heureux. « Deux valent mieux qu'un, non ? » Il me parla de sa précédente patronne.

– Lady Enid Watson, femme d'un *burra* sahib. Beaucoup, beaucoup de temps aux Indes. Une dame d'une grande distinction. Sévère. Elle dirigeait d'une main de fer, comptait les grains de riz, montait à cheval, inspectait les jardins.

– Oh, elle me paraît très intéressante ! m'exclamai-je avec enthousiasme.

– Memsahib, elle était incorrigible, répondit-il.

À présent, je comprenais la remarque de Mme Pendleton à propos de l'extravagance de l'anglais de Joseph. Moi, je le trouvais subversif. Nul doute que nous allions nous entendre à merveille tous les deux. Il m'apprit qu'il avait plus de quarante ans, un âge canonique aux Indes. Il avait des choses à m'enseigner, d'abord la langue. En revanche, je ne lui parlai pas du lilas. Sachant que le mali arriverait le lendemain, je voulais le prendre de vitesse pour planter mon arbuste avant qu'on ne m'interdise le jardinage. Quoique petit, le jardin était bien tenu. Des bougainvilliers grimpaient sur le mur de la cuisine et les géraniums rouges abondaient. Il faisait frais dehors. La lune, pleine, éclaira mon chemin. J'avais décidé de commencer par mettre le lilas en pot. J'en trouvai un assez gros avec un affreux chrysanthème que j'arrachai avant de le cacher derrière un jasmin qui embaumait. Une fois le lilas blanc planté, je l'arrosai abondamment avec l'arrosoir du mali. À partir de demain, celui-ci serait intouchable pour moi, autant que je le serais pour le mali.

Neville arriva quelques heures plus tard, au moment où je m'endormais. Un barbu impressionnant coiffé d'un turban se tenait près de lui : son ordonnance pathan. J'en avais entendu parler au point que je m'étais même imaginée qu'il vivrait avec nous. Je le regardai. Son visage était comme sculpté dans les montagnes tandis que ses mâchoires saillaient tel un aplomb sous le ravin de sa bouche. Neville déclara que le Pathan retournerait dans ses quartiers, à la caserne. Ils s'entretenaient dans la langue vernaculaire, sans tenir compte de ma présence. Le Pathan aida Neville à ôter son uniforme, le déshabillant presque complètement. La scène avait quelque chose d'extrêmement intime : Neville qui tendait les bras pour qu'il lui ôte sa chemise, comme un enfant ; Neville qui posait les mains sur les épaules de l'ordonnance pour se débarrasser de son pantalon ; Neville qui s'asseyait pour qu'il lui enlève ses chaussures. Je l'observais avec stupéfaction. On les aurait crus en train d'accomplir un genre de rituel, que je trouvais plutôt révoltant. Neville passa nu devant le Pathan pour se rendre dans la salle de bains, où il réclama de l'eau en criant. Il m'avait raconté que cet homme l'avait accompagné dans toutes ses campagnes et s'occupait de tous les détails de sa vie quotidienne – aussi bien lorsqu'il était en service actif qu'à la caserne. Après avoir rempli la baignoire sabot, le Pathan s'éclipsa.

Quoi qu'il en soit, Neville était d'une humeur massacrante. Toutes mes tentatives de rendre la maison agréable lui déplaisaient.

– Il faut absolument que je parle à Haskins, fulmina-t-il. Ça ne va pas du tout. Le lit est crasseux et le mobilier bancal !

Voilà qui était intéressant. Avant le retour de Neville, j'étais plus que résolue à chercher la bagarre tant j'étais furieuse de son manque de considération à mon égard. Mais quelque chose changea en moi lorsqu'il entra avec son domestique. Je perçus les avantages à tirer de sa grossièreté et ne me sentis plus responsable de lui. L'ignominie de son attitude me disculpait de ces moments de bonheur pendant lesquels, debout puis assise dans ma robe luisante, j'avais donné mon cœur à un inconnu. Bien entendu, une partie de mon être savait qu'il aurait mieux valu prendre mes jambes à mon cou et m'enfuir. L'amour n'est rien de

plus que la projection de notre attirance excessive envers
ce sentiment. Sauf que je n'étais pas loin de me persuader
que Neville avait réalisé son objectif. Il m'avait emmenée aux Indes comme il le désirait, comme je le désirais.
Maintenant que nous étions là, il était évident que nous
n'avions plus besoin l'un de l'autre. Il avait retrouvé son
monde, son véritable amour – l'armée – et j'étais libre
d'être qui je voulais. Tout à coup, je fus tout sucre tout
miel parce que j'avais envie qu'il s'en aille. Certes, l'idée
me traversa de dire la vérité : le mariage nous a tirés du
pétrin, alors séparons-nous avant que les choses ne se
dégradent. Au lieu de quoi, je m'entendis lui demander :

– Que s'est-il passé ce matin la caserne ? Qu'est-ce que
c'étaient ces coups de feu, et en quoi ça te concernait ?

Il était assis sur le lit, moi sur le charpoy.

– Un caporal-chef a tué sa femme, répondit-il, en
tenant ses chevilles, la tête penchée en avant.

– Pourquoi ?

– C'était une pute. Elle a fricoté avec un tas de soldats, et Dieu sait qui encore. Quand Davies est rentré de
Birmanie, le commandant lui a remonté les bretelles.

– Mais pourquoi est-ce que ça t'a mis dans tous tes
états ?

– Il était sous ma responsabilité. C'était un jeune garçon pas très intelligent. J'aurais dû m'occuper de cette
affaire avant de partir.

– Alors tu étais au courant ?

Neville hocha la tête

– Toi aussi tu as eu une aventure avec elle ?

Il ne répondit pas. Il ne me regarda pas. Livide, il
semblait accablé. Les yeux toujours baissés, il déclara :

– Lors de mon départ en permission, on m'a conseillé
de me marier. C'était presque un ordre, si tu tiens à le
savoir.

Je n'ouvris pas la bouche. Après un long silence, il
poursuivit :

– J'apprécie ta réaction.

Il parut basculer dans son vide intérieur, mais je
perçus son apathie comme une expression de souffrance.

Je lui effleurai la main. Croyant qu'il était malheureux à cause de la femme qui avait reçu un coup de feu entre les yeux, j'eus l'impudence d'en concevoir un dépit passager.

– Je dois partir après-demain, reprit-il. Pour la frontière. Encore un conflit à propos de chevaux et de terres avec les seigneurs de la guerre. – Il faisait craquer ses doigts, ce bruit m'exaspérait. – Dans l'Hindou Koush, la guerre afghane s'éternise, expliqua-t-il, d'un ton monocorde. Il y a des poches de résistance. Si j'ai du bol, il est possible qu'on m'y envoie.

Il planta ses yeux dans les miens :

– Cette histoire risque de me nuire. L'armée a des règles strictes en matière de moralité, et le colonel ne tolère pas le moindre laisser-aller dans le régiment.

Ah, pensai-je avec un sourire. Il s'apitoie sur lui-même ; ce n'est pas à cause de la femme qu'il est malheureux. Je me souvins de la fois où Neville m'avait confié à quel point il redoutait de perdre le respect du régiment ou d'en être viré ou d'être expédié dans quelque chose d'épouvantable, comme l'intendance ou le corps des Transmissions. Quoi qu'il en soit, Neville était vraiment accablé. Ni l'un ni l'autre ne parvînmes à dormir tandis que nous étions couchés dans nos lits séparés, chacun avec nos pensées. Il savait que j'étais réveillée, et, à la faveur de l'obscurité, il se livra comme il l'avait fait à une ou deux reprises sur le bateau. En l'écoutant, je compris que nous ne reparlerions jamais ainsi.

Il évoqua son père qu'il appelait le Major avec un mélange de respect, d'admiration et de haine intense :

– De tous les soldats que j'ai connus, c'était le plus implacable. Bien sûr, je le voyais à peine parce qu'il passait son temps sur la frontière, à tuer des Pathans. Mais j'entendais les histoires. « Rien n'égale un guerrier *afridi*[1] qui se précipite sur vous en brandissant un sabre d'un mètre de long, racontait-il. Ces gens-là savent se battre et sont courageux. Mais il faut à tout prix éviter d'être abandonné sur le champ de bataille, parce qu'ils vous taillent

---

1. Une des tribus pathanes c'est-à-dire pacshtounes.

en pièces et sans se presser. Ils prennent leur temps pour vous amputer, découpant lentement et profondément la chair et le muscle d'un bras... »

Neville s'interrompit, puis ajouta :

– Mon père adorait la cruauté, qu'il trouvait propre. Efficace. Je ne suis pas de cet avis. Ça laisse un bordel sanglant.

Aussitôt, l'image d'un visage qu'une balle entre les yeux avait fait exploser s'imposa à moi. Neville continua, plus lentement :

– Quand je le voyais enfant, j'avais l'impression qu'il me dominait toujours du haut de son cheval. Les officiers étaient des dieux, à défaut des hommes d'une noblesse qui nous était inaccessible. Des gentlemen toujours au combat – sur la frontière, en Birmanie ou au Soudan. Il connaissait son devoir, et il le faisait. Une fois, il m'a laissé grimper sur son cheval parce que je voulais être là-haut comme lui, juché sur un cheval comme un officier de la cavalerie. « Si tu veux monter, m'avait-il dit, pourquoi ne pas m'accompagner à la chasse au sanglier ? Je vais te montrer un grand sport, un vrai sport de mec. » Il me fit monter sur son canasson et il s'assit derrière moi en tenant son immense lance. Pour la première fois de ma vie, il me sembla être un dieu ou le fils d'un dieu, mais quand le sanglier surgit des herbes hautes et chargea, je fus terrifié. Mon père fut tellement furieux de m'entendre pleurer comme un veau qu'il me jeta à terre. Et je restai là, à regarder le sanglier se ruer vers moi, tête baissée, les défenses prêtes à m'éventrer. J'entendis le Major rugir : « Lève-toi et décampe, espèce d'imbécile, lève-toi ! » Je sentis un coup de vent quand le cheval se cabra pour se tourner vers le sanglier. J'entends encore le martèlement des sabots du cheval, je vois encore le souffle s'exhaler de ses naseaux. Mon père planta sa lance dans le sanglier, mais à la dernière minute : il avait pris son temps, exactement comme les Pathans.

Il y eut un bruit de verre sur le sol en ciment. Je compris que cela faisait des heures que Neville buvait. Il recommença à parler, sans s'arrêter. C'était un monologue. De temps à autre, je lui posais une question dont il ne tenait aucun compte. Il articulait parfaitement bien mais sa voix semblait provenir d'une cave.

– Je ne vois plus mon père depuis des lustres. Je ne me suis pas montré à la hauteur de ses espérances ; il l'a toujours su. J'ai passé mon enfance avec des domestiques dans l'horrible bungalow d'une caserne, dont le jardin n'avait qu'un arbre desséché. On était assiégé par une poussière aveuglante. Je n'ai quitté le cantonnement que pour aller au prytanée, et je me demandais ce qui était pire : l'école, le Major, ou la vie dans cet infect bungalow, minuscule, sombre, empestant la graisse de la cuisine indienne ? Quand le Major revenait pour un ou deux jours, j'arrivais à peine à maîtriser mon excitation, mais la peur ne tardait pas à m'envahir. Parfois, on m'emmenait le voir défiler à cheval, à la tête d'une colonne interminable : cinq cents hommes qui marchaient tous d'un pas martial, en rangs que personne ne rompait. Je ne regardais que l'un d'eux, le premier, sur son beau cheval persan, un soldat. Rien d'autre.

– Et ta mère ? demandai-je.

Il rit et répondit :

– Le Major a enterré trois femmes. Leurs pho-tos étaient alignées sur la commode en acajou avec ses médailles. Un jour, je lui ai demandé laquelle était ma mère. J'aimais celle qui se trouvait au milieu parce qu'elle souriait. Je voulais savoir. Avant de sortir de la pièce, sans même se retourner, il a lancé : « Choisis. »

À l'aube, la compassion que j'avais éprouvée en l'écou-tant parler dans le noir se dissipa. Au fond, il s'était fait remarquer à cause de ses fredaines, et je lui servais de paravent. De notre bungalow, j'entendis la sonnerie du réveil ainsi que le coup de pistolet du matin. Les corbeaux se mirent tous au garde-à-vous. Neville arpenta la pièce exiguë avant de partir pour la cour de la caserne. Il ne tarda pas à en revenir avec le Pathan, qui lui fit couler un bain froid, le rasa pendant qu'il le prenait, l'essuya quand il en sortit. Il s'installa sur la véranda pour son petit déjeu-ner. Le Pathan semblait avoir ramené tout le camp avec lui : le wallah des œufs, le wallah des laitages – l'un avec

ses œufs mouchetés, l'autre avec ses récipients de lait et
de beurre – sans compter les gros morceaux de pain que
Neville mangea sans proférer une parole. Il n'enfila pas
son uniforme. On lui avait donné sa journée pour mettre
sa maisonnée en ordre avant son départ vers le Nord. Sans
sa tenue kaki, il avait quelque chose d'un peu effrayant.
Assis dans l'un des fauteuils en osier de la véranda, il
hurla à Joseph de se magner le train pour lui apporter
sonwhisky soda. Puis il réclama des toasts tartinés de pâte
d'anchois. Puis ce fut à nouveau du whisky soda. Puis
du thé et encore des toasts. Avec sa canne à pommeau
d'argent coincée sous son bras gauche, il semblait chercher
en permanence quelqu'un à taper. Malheureux comme les
pierres, il s'ennuyait à mourir claquemuré dans la maison – peut-être que ça lui rappelait son enfance cloîtrée.
Un petit bout de papier était collé sur sa joue, là où son
ordonnance l'avait un peu coupé en le rasant. On aurait
dit que c'était de ma faute. Tout l'irritait au point que
c'était difficile de le faire parler de quoi que ce soit. Les
questions que je lui posais sur ce que j'étais censée faire
pendant son absence l'exaspérèrent. Sa période de service
était indéterminée, interrompue par quelques permissions
de temps à autre.

– Au nom de ciel, comment vais-je tuer le temps, lui
demandai-je. Je n'ai pas l'habitude qu'on soit aux petits
soins pour moi, je ne peux être complètement oisive. Je vais
devenir cinglée si je ne m'occupe pas dans la journée.

– Tu n'as qu'à faire ce que les femmes de militaires
sont censées faire, me rembarra-t-il. Tu comprendras
vite.

Sur ce, il me fournit des précisions sur sa solde. La
modicité de la somme m'accabla et l'idée de devoir me
traîner chaque semaine jusqu'à un bureau de paiement
pour une poignée de shillings m'humilia profondément.
Dieu merci, Mère avait déposé de l'argent sur un compte
ouvert à mon nom à *l'Imperial Bank of India*. Je n'en avais
pas touché mot à Neville parce qu'elle me l'avait décon-
seillé. Ainsi, à la fin de notre premier jour de vie conjugale,
nous étions déjà réduits au silence. Et je fus extrêmement
soulagée de le voir partir à son mess ce soir-là. Il en revint

ivre mort, exactement comme la veille. Cela faisait partie
du rituel de l'armée. D'après Neville, c'était vital dans un
régiment dont tous les membres buvaient sec, du colonel
au dernier troufion. Il n'en fut pas moins debout avant six
heures le lendemain matin, tiré à quatre épingles, prêt à
l'action. Quand il s'en alla, je feignis de dormir. Plus tard,
j'entendis de mon lit l'armée s'en aller au pas, accompagnée par la fanfare. Nul doute que les drapeaux flottaient,
que les fusils étincelaient sous le soleil du matin. L'espace
d'un instant, les ordres criés d'une voix sonore et appropriée par les officiers, le cliquetis des bottes qui martelaient le sol dur de la route sombre me ramenèrent dans le
passé, au jour où les régiments du Pays de Galles étaient
partis à la guerre. Ils avaient embarqué Gareth, emporté
notre avenir, qu'ils avaient enseveli dans les tranchées
françaises. Mais le souvenir m'attristait moins à présent
parce que quelque chose en moi était ressuscité d'entre
les morts.

4

Et si je disparaissais ? Et si je sautais sur un bon cheval kabouli ou, mieux encore, arabe et me volatilisais dans l'immensité du pays. La vie, libérée de Neville comme de l'armée, s'ouvrait à moi, du moins en avais-je l'impression. C'était la première fois qu'il me prenait l'envie de la mettre à l'essai. Un enthousiasme tout neuf et téméraire m'habitait, m'incitant à m'aventurer au large, à aller aussi loin que possible, sans me soucier des conséquences. Puis je me rappelai la façon dont mon père m'avait chapitrée en me regardant droit dans les yeux au moment des adieux : « Prends garde à toi, ma chérie, méfie-toi de ton imprudence. Tu vas rejoindre une petite communauté dans un pays gigantesque où les Anglais sont une espèce en danger. Ils serrent les rangs. Pour eux, le changement ou la différence sont intolérables. Ils ne les supportent pas. Alors ne fais pas de vagues. » Un avenir sombre se déroula devant moi, mais je refusai de m'y appesantir. Les coups de feu, le superbe Bengali, le soldat et sa femme morts me revinrent en mémoire. J'aurais voulu que mes parents se trompent. J'aurais voulu que Mme Pendleton appartienne au passé et qu'elle n'ait rien à voir avec le nouveau monde enfanté par la guerre.

Assise devant mon plantureux petit déjeuner, je me sentais molle. Joseph m'avait apporté des tranches de papaye et des œufs brouillés. Toute la nuit, les moustiques avaient attaqué la moustiquaire et percé les fortifications. Je me grattais comme un singe. Tout semblait bien morne.

À la lumière du jour, mon exaltation de la nuit me fit l'effet d'un délire. J'étais piégée au cœur des Indes dans une ville de garnison avec un mari qui venait de partir en mission dans les montagnes. L'intendant débarqua pour dresser l'inventaire des biens de l'armée ; la femme du major passa bavarder avec moi ; le pasteur se faufila pour réclamer ma participation à l'office de dimanche. Des épouses de militaires vinrent prendre le thé et me jauger. Bien qu'aucune n'ait plus de vingt-cinq ans, elles avaient le teint jaune, l'air épuisé. La seule qui me plut, Bridget, avait du cran et de l'humour. Évidemment, Mère l'aurait trouvée vulgaire : elle avait des cheveux d'un blond voyant et une bouche d'un rouge étincelant. Non seulement, j'étais sûre que nous nous entendrions bien, mais elle m'indiqua le moyen de mettre la main sur un poney. La femme d'un officier subalterne cherchait quelqu'un avec qui partager les frais et l'entraînement de son cheval.

Avec Joseph, nous eûmes notre première prise de bec. Lorsque je voulus me rendre au bazar, il m'assura que j'étais obligée d'aller à celui contrôlé par l'armée, un lieu terne comparé à l'autre, tentaculaire et extraordinaire, où les Indiens faisaient leurs courses. Joseph fut très ferme :

– Memsahib, les bazars indiens, pleins de voleurs incorrigibles. Absolument à déconseiller. Pour moi, c'est très satisfaisant d'y aller pour memsahib.

– Désolée, Joseph. Pas sans moi. Tu peux m'accompagner pour qu'on ne m'escroque pas, mais nous irons ensemble. Un point, c'est tout.

Les mains en coupe, il était debout en face de moi assise dans l'un des fauteuils en osier de la véranda. Il tint bon. J'essayai de le convaincre. Il ne réagit pas. En fin de compte, j'adoptai le comportement impérial :

– Appelle un rickshaw, nous partons.

J'avais mis ma jolie tenue de voyage pour aller à la banque, où je retirai beaucoup d'argent, puis nous gagnâmes le bazar. On caressa de grands échantillons de mousseline, de damas, de coton et de soie, tirant le tissu pour en sentir le grain. Les odeurs d'encens venues de recoins obscurs, de sueur de corps sales, d'ail de caris de la veille étaient partout présentes. Des bébés pleuraient.

Des vendeurs ne cessaient de brailler des invectives et de vanter leurs articles. Il fallait qu'on nous montre tout, même les rouleaux des arrière-boutiques. Il y avait du tissu de Manchester que le marchand essaya de me vendre. Or je préférais le tissage lâche, la douceur de ceux du cru. Malgré les protestations, j'achetai des mètres de mousseline blanche que nous apportâmes aussitôt au wallah des rideaux. Des lunettes chaussées au bout de son long nez, il était installé devant une vielle Singer un peu plus loin dans le bazar, à l'ombre d'un arbre. Il connaissait la hauteur et la largeur exactes des fenêtres des bungalows du cantonnement.

– *Chota, chota,* insista Joseph, en fermant les mains pour lui indiquer la petitesse des miennes.

Mon choix décevait énormément les deux hommes. Pourquoi se contenter de tissu indien alors qu'il était possible d'acheter de la belle toile anglaise et de se la faire expédier.

– La memsahib devrait peut-être reconsidérer la question, non? protesta Joseph.

Le vendeur essayait de me rouler. J'affirmai que le blanc tout simple me plaisait beaucoup. Puis nous fîmes le tour des échoppes, et, après chaque achat, on nous offrit des bonbons poisseux enveloppés dans du papier d'argent. Joseph marchait à côté de moi tandis que j'empilais d'épais brocarts, des pièces de soie et du satin du Cachemire. Je rêvais de coussins chatoyants, d'un couvre-lit qui miroiterait au clair de lune. Pour m'amuser, je m'offris un sari à liseré d'or ainsi que le bustier qui se porte avec. Joseph me tourna le dos pendant cet achat, en revanche il m'encouragea à me procurer quelques paires de sandales afin que je ne meure pas en marchant sur des scorpions ou des araignées.

Ensuite, nous allâmes dans un grand entrepôt situé dans un autre quartier de la ville. On se serait cru à l'intérieur d'une épave de bateau tant l'écho s'y répercutait. Il était bourré de meubles de l'époque victorienne, figés dans le temps. Le wallah me vendit un merveilleux miroir ovale, ciselé, sans une tache sur sa surface étincelante. Plus tard, je décidai qu'il datait de l'époque de la mutinerie parce qu'une tache sombre oblitérait presque le nom de Meerut à l'arrière. Du sang anglais à l'évidence. Nous demandâmes qu'il soit livré en même temps qu'une petite table ronde, qu'une écritoire délicatement sculptée avec sa chaise. Pour faire bonne mesure, j'ajoutai deux fauteuils tendus de velours, un tapis oriental bleu en guise de descente de lit et deux lampes à pétrole en porcelaine. Nous entassâmes les paquets dans les deux rickshaws que nous prîmes pour rentrer, tout en espérant que personne ne nous surprendrait avec les trésors que nous rapportions du bazar interdit.

Au bout d'un à deux jours, grâce à l'efficacité et la promptitude qui règnent ici, mes rideaux de mousseline blanche ondulèrent au vent et mes meubles furent en place. Sans oublier le petit repose-pieds capitonné, le coussin rouge et or posé à même le sol, la courtepointe bleu foncé jetée sur le lit et la robe de chambre aiguemarine dont le taffetas frémissait sous l'air projeté par le *punkah*[1]. Lorsque Bridget vint prendre un verre, elle s'exclama, jalouse :

– Mince alors, t'en as fait un harem !

Séduite néanmoins, elle s'étendit sur le lit. Bridget aimait boire et fumer. Elle se qualifiait de vilaine fille sans personne avec qui s'encanailler.

– C'est fichtrement trop risqué. On se fait choper si on le fait plus d'une fois. À cause de ces maudits domestiques, les nouvelles se répandent dans la garnison comme une traînée de poudre.

Bridget fut la seule à me parler franchement de l'accident des Davies. Les autres évitaient le sujet, se contentant de marmonner : « Une vilaine histoire », ou « Une très vilaine histoire. » Quiconque évoquait la femme s'exclamait : « Cette femme ! » ou « Cette fichue Davies ! » Bridget me confirma que Polly Davies couchait bien avec le Bengali :

– Un sacré beau mec dans son genre, mais comment pouvait-elle faire ça avec un nègre ?

– Je croyais que ce mot ne désignait que les Africains.

---

1. Éventail en osier ou en toile actionné par une corde.

– Ne sois pas stupide, me rembarra-t-elle. Un Noir est un Noir, il n'y a pas d'entre-deux.

Elle glissa délicatement sa cigarette dans le porte-cigarettes en ivoire avant de poursuivre :

– Même s'il y a sans cesse des coucheries avec les indigènes aux Indes, c'est totalement interdit par les conventions, surtout lorsqu'il s'agit d'une Blanche et d'un Noir. La femme paye les pots cassés, précisa-t-elle, mais on liquide le nègre une nuit ou on lui coupe les couilles qu'on jette aux chiens.

D'après Bridget, Mme Davies souffrait de solitude et les soldats en avaient profité. Par-dessus le marché, elle avait fait une ou deux fausses couches parce que son mari la battait.

– Tu sais, ajouta-t-elle. Cette pauvre idiote était vraiment malheureuse ici. Je la comprends. Moi aussi, je déteste être consignée toute la sainte journée. Il n'y a nulle part où s'amuser et danser. Il n'y a pas de fric. Il n'y a rien à faire. Quand les hommes sont là, ils sont trop bourrés pour être bons à quoi que soit, en tout cas Frank.

Bridget leva son verre à mon intention.

– Quel que soit le mec que tu épouses, ma belle, au bout d'un an, t'as envie de le flanquer à la porte. Mais qui prendra le mari d'une nana qui n'en veut plus ?

Sur ce, elle se servit un cocktail de gin et d'angustura tout en me promettant que ce serait beaucoup plus vivant dans les collines. Là-bas, on mettrait des robes du soir, on irait danser et il était même possible qu'on voie le vice-roi à l'une des réceptions en plein air.

Les explications de Bridget contenaient une mise en garde que je refusais d'entendre. J'étais heureuse aux Indes, je ne voulais pas réfléchir plus avant. Et j'étais amoureuse de ma nouvelle maison. Elle ne ressemblait en rien à ma chambre mansardée aux murs blancs, aux rideaux imprimés de roses et de chèvrefeuilles et aux élégants meubles italiens de Mère. Ce petit bungalow était tout à moi. Joseph était prodigieux. Il savait tout faire. Il réussit même à fixer le miroir ovale sur le mur si mince. Il arrivait à ramasser les objets les plus minuscules avec ses orteils, que ce soit une épingle de sûreté, un bout de ficelle ou de papier.

– Vas-y, lui dis-je un jour pour le provoquer. Essaie avec un grain de riz...

– C'est un péché de gaspiller de la nourriture, memsahib, répondit-il, choqué. Ce qu'un pied a touché, une bouche ne peut pas.

Quand il n'était pas là, je m'exerçais avec des choses accessibles, une serviette ou un crayon, car je comptais devenir aussi bonne que lui. Lorsqu'il eut compris que je souhaitais qu'il soit mon professeur, nous eûmes une conversation à propos de la langue que je voulais qu'il m'apprenne.

– Memsahib, dit-il, les mains jointes. Urdu sans intérêt. Personne ne comprendra un mot. Je vous enseignerai le pendjabi.

Il me précisa qu'il savait un peu de latin, de persan, de sanscrit et qu'il parlait l'hindi, le kashmiri, le pendjabi, sans que je me sente ridicule de ne connaître que l'italien et le français. Il m'expliqua que la plupart des langues indiennes étaient un mélange :

– Memsahib en apprend une, elle en apprend beaucoup. Très bonne méthode. Économique et accélérée.

On décida de consacrer la matinée à mon apprentissage de cette langue et de ne parler de rien d'autre. Il voulait que je corrige ce qu'il appelait son anglais indigent, mais je n'en avais pas envie tant j'aimais sa façon de brutaliser la langue anglaise. Il la privait de verbes et allait ainsi à l'essentiel. D'ailleurs, il s'en servait à merveille pour s'en prendre à nous sous le prétexte qu'il ne comprenait pas vraiment le sens des mots.

Je me plaignis de la femme de chambre qu'il avait recrutée pour moi. Une fille minuscule, aux mains de la taille d'une feuille.

– C'est intolérable que Gita ait tellement peur de moi, Joseph. Qu'est-ce qu'elle a?

Ma stupidité le fit soupirer.

– Elle est habituée aux hurlements des memsahibs, aux coups de pied dans le derrière des sahibs, alors, bien sûr, elle se cache quand elle voit memsahib.

– Eh bien, dis-lui de ne pas le faire, protestai-je. Je ne supporte pas ce genre de servilité.

Un curieux sourire se dessina sur les lèvres de Joseph, qui murmura :

— Memsahib arrivera à ses fins, comme d'habitude.

Je lui lançai un regard sévère et il baissa vivement la tête.

— Ne crois pas que je sois dupe, Joseph.

— Memsahib ?

— Tu comprends parfaitement.

Le bruit circula que je ne résistais pas aux jolies choses. Aussi tous les vendeurs et tailleurs de la province se présentèrent-ils à ma porte. Le tailleur vint s'accroupir dans ma véranda avec sa machine à coudre itinérante, proposant ravaudages, modifications, ajouts de nouveaux cols ou de manchettes. Il m'assura que si je lui montrais une photo de magazine, il était capable de faire tout ce que je désirais.

— N'importe quoi, memsahib. Quelque chose pour jouer au bridge. D'habillé pour Simla. En soie ou en satin. Grand ou petit. Toutes les robes cousues main en trois jours.

Puis les marchands de Srinagar arrivèrent et s'assirent sous l'arbre jusqu'au départ de ceux du coin de la rue. Ils transformèrent ma véranda en bazar, y entreposant une débauche de châles magnifiques, de courtepointes, de draps brodés, de taies d'oreiller et de lingerie trop belle pour être portée. Un wallah de soieries brandissait, sur la toile de fond d'un tapis persan, une culotte en soie ou un soutien-gorge exquis ou une longue combinaison aux bretelles minces comme des allumettes. Tout en sortant ses marchandises, il les vantait avec des murmures cajoleurs :

— Tout fait main, je vous garantis. Touchez s'il vous plaît. Approchez, memsahib. Sentez la qualité. Touchez la beauté. Pas d'obligation d'acheter. Regardez simplement.

J'étais émerveillée par une ravissante chemise de nuit en crêpe de Chine ivoire, dont le décolleté plongeant était bordé de roses pâles en fils de soie noués. De minute en minute, la pile de mes achats s'élevait tandis qu'il roucoulait :

– Touchez s'il vous plaît. Regardez simplement. Pas d'obligation d'acheter...

Moi, j'entassais sur mon fauteuil toutes les merveilles qu'il me fallait posséder.

Joseph ne cessait de faire baisser les prix des vendeurs. Parfois, la discussion s'envenimait au point que je croyais qu'ils en viendraient aux mains. J'avais appris le mot magique : *Kitna pice* – combien – et j'aurais volontiers fermé les yeux sur les sommes vu que tout coûtait une bouchée de pain. C'était compter sans Joseph. À l'annonce d'un prix, il levait immédiatement les bras et s'indignait :

– C'est scandaleux. Memsahib, permettez-moi de chasser ce voleur.

Et les deux hommes de se chamailler jusqu'à ce que je somme Joseph de s'arrêter. Celui-ci obtempérait en lançant d'un ton hargneux un ultime : « *Malum ?* » Cela signifiait sans doute : « Compris ? T'as pigé. Maintenant boucle-la et fiche-le camp. » Joseph voulait toujours avoir le dernier mot. Mais une fois que la vente s'était déroulée selon ses vœux, on lui aurait donné le bon Dieu sans confession. Il avait changé de comportement avec moi et ne se répandait plus en courbettes, servilités et sourires d'imbécile. Il aimait aussi faire entendre son point de vue. Récemment, il rentra furieux après avoir remis un mot de ma part à Bridget. Je lui avais proposé de prendre un pousse pour le porter au club, qui est un peu loin. Il avait refusé au prétexte que memsahib dépensait son argent avec trop de largesse. Au bout d'une heure, il revint, mourant de chaud et perturbé. Une expression de dégoût sur le visage, il me demanda :

– Memsahib, qu'est-ce que je vois au club ? Qu'est-ce que c'est que ces femmes qui courent dans tous les sens déshabillées ?

Intéressée, je levai les yeux. Incapable de dissimuler sa répugnance, il poursuivit :

– Des memsahibs en sous-vêtements blancs, qui tapent sur des balles. C'est révoltant, non ? « Zéro-quinze ». « Zéro-trente ». C'est quoi cette profusion de zéros ? Et les applaudissements. Et les tirs : « Joli coup ». « Bien joué ». « Très joli coup » ?

Mes explications ne servirent à rien. Il les rejeta en maugréant :

– Nu, c'est nu. Des jambes découvertes. Déplorable et impudique.

Un autre problème nous opposa un matin où je me levai tôt pour monter mon nouveau cheval, enfin celui dont j'étais à moitié propriétaire, que je partageais avec une jolie blonde qui résidait dans le quartier réservé aux officiers. Dès ses premiers mots, je compris qu'elle venait du fond du Gloucestershire :

– Quel dommage qu'on n'ait pas de chiens ici. La chasse ne vous manque pas ?

– Si, répondis-je. Mais courage, il y a beaucoup de *shikar*[1] pour compenser.

Elle se dépêcha de filer non sans m'avoir conseillé : « Surtout, emmenez Pearl – le cheval – dans les collines. C'est divin comme balade. » Ensuite, j'entendis Joseph répéter mot pour mot sa phrase en imitant son accent. Mais lorsque je sortis prendre une tasse de thé avant de partir, il ouvrit une bouche immense et sa mâchoire se relâcha. L'espace d'un long moment, il me scruta en silence.

– Memsahib, qu'est-ce que je vois ?

– Joseph, dis-je gentiment en enfonçant mon casque sur ma tête. Tu n'es pas ma mère, c'est simplement ce que porte une femme pour monter à cheval. On appelle ça – je tirai sur ma culotte de cheval – un *jodhpur* – les femmes du monde entier en mettent.

Il croisa les bras :

– Je ne comprends pas ces mots : *jud pur* ? Les femmes du monde entier en mettent ? Memsahib se moque sûrement de moi. La madame d'avant montait sur un côté du cheval, en jupe. Memsahib porte un pantalon comme un sahib et me dit que c'est une tenue internationale ?

– Exactement. Arrête tes récriminations, et va demander au *syce*[2] d'amener le cheval devant la maison.

Joseph renifla :

– Memsahib fait comme elle veut, mais pas sous mes yeux.

---

1. Chasse avec arme à feu.
2. Palefrenier.

Je m'en allai, laissant Joseph se venger sur Bobajee, qui avait reçu l'ordre de préparer pour mon retour un petit déjeuner de mangues et de papayes, suivies par des œufs brouillés accompagnés de chapatis. Le pain est mauvais ici car la levure met du temps à arriver jusqu'à nous. Bien entendu, le bacon et le jambon ne figurent pas au menu sauf le jour de congé du cuisinier, où c'est Joseph qui fait la cuisine. Il utilise une autre poêle et la récure tellement avec du borax après s'en être servi qu'il ne reste plus trace de cette graisse de porc que nous adorons tous les deux. Je partis sagement au pas. Dans l'avenue cependant, je trottai sous les arbres devant l'église anglaise flanquée de son cimetière plein de morts anglais. Une fois la maidan traversée, je fus heureuse comme une reine parce que je quittais l'Angleterre et l'armée.

Là, il y a moins d'arbres tandis que les bungalows disparaissent derrière une colline. On ne voit que des champs dégagés et un village qui s'étire avec son temple hindou où errent de gros bœufs blancs brahmanes. Des femmes minces se déplacent dans des venelles sales, traînant des enfants émaciés et portant des bébés sur leurs hanches saillantes. Des chiens aboient. Des mendiants estropiés prennent leur place dans les rues. Sans même apparaître, le soleil diapre le ciel de rose. Des marchands de fruits et légumes dressent leur étal pour la journée. Une femme en sari vert empile de la bouse de vache pour faire bouillir du riz dans une vieille boîte de lait condensé. Je passe au petit galop, puis au grand devant les rizières, des champs de moutarde et de haricots qui embaument dans le matin frais. La rosée revêt la terre d'une pellicule vernissée. On dirait que la moindre chose pousse un soupir de soulagement. Des perdrix et de paons évoluent dans les hautes herbes, d'où ne surgissent que leurs jolies têtes et leurs cous. Au bout d'une demi-heure, j'arrive à la rivière. Quelques baigneurs descendent les marches de pierre et entrent dans l'eau, où des pêcheurs assis dans leur bateau tiennent des perches. La rivière dégage une odeur sombre et sulfureuse. Les cueilleurs de lys marchent sur des îlots de boue. En aval, des gens défèquent directement dans l'eau ; en amont, des femmes frottent des vêtements sur des pierres et rincent la vaisselle. On tend le linge sur un petit bâtiment en ruine à l'aspect de fort, noyé sous la vigne vierge et des fleurs mauves. Un homme allongé dort derrière un pan de mur, la tête enfouie dans ses bras.

Le retour fut complètement différent parce que j'étais en feu. Mes membres étaient flasques et je tremblais. Bien qu'il fût encore tôt, la chaleur s'abattait brutalement tandis que les ombres s'allongeaient entre les taudis et les arbres. La plaine était devenue un affreux terrain vague sans arbres. Les enfants, les hommes ou les femmes que je croisais semblaient uniquement préoccupés d'avancer. Comme en transes, chacun luttait pour la vie sous un soleil infernal. Il était difficile de distinguer quoi que ce soit, et j'avais l'impression qu'un écho se répercutait à l'intérieur de ma tête. On aurait dit que la chaleur m'enfonçait dans ma selle en m'assenant des coups sourds et impitoyables. Mes os s'entrechoquaient. Je me sentais minuscule sous le poids du ciel. Je ne comprenais pas pourquoi les oiseaux ne tombaient pas. Comment parvenaient-ils à voler alors que l'air était tellement dense qu'on aurait pu le pelleter ? Une fois à la maison, je glissai de mon cheval et m'écroulai par terre comme une souche.

— Ce n'est pas la grippe, affirma une voix cassante.
— Qui a dit ça ? croassai-je. De toute façon, qui êtes-vous ?

Il laissa échapper un petit rire. Tapi dans l'ombre, Joseph garda le silence. Il faisait nuit, ou peut-être pas. La voix anglaise réprimandait Joseph, qui était obséquieux. Cela m'exaspéra davantage encore. Je voulais que tout le monde s'en aille et me laisse tranquille. J'avais envie de dormir. La détestable voix anglaise continua à poser ses questions, lesquelles m'épuisaient. Une main s'empara de ma petite boîte de quinine et la regarda.

— J'en ai pris, maugréai-je. Deux granules par jour.

C'était peut-être la fin de la journée, ou le début ? Un genre de crépuscule. Joseph cessa de parler. Je restai avec la voix, qui suintait la bonne éducation, l'intelligence, l'autorité, et m'interrogeait tantôt en anglais, tantôt en hindi. En revanche, elle ne se taisait pas. Puis, je basculai dans un puits aux murs humides. Saisie de vertige, la tête vide, affolée, je tremblais tout en m'agrippant aux parois avec mes ongles. Ma vue était brouillée. Je n'entendais plus rien. Les murs grouillaient de petits insectes. Le plafond qui ondulait était devenu rouge sombre. Une main se glissa sous ma taille et me redressa avant de me caler sur l'oreiller. J'étais en nage. Ma sueur paraissait solide, comme si j'avais vomi. Une autre main approcha un verre de jus de citron vert glacé à mes lèvres ; le bord fut appuyé sur ma langue ; j'essayai d'avaler le liquide qui coula sur mon buste. Voilà qui me mit en colère parce que je portais la chemise de nuit en crêpe de chine au liseré de roses minuscules. Comme elle était remontée au-dessus de mes genoux, j'avais les jambes libres. J'avais envie de les lever en l'air. J'étais entre rire et larmes.

Au bout d'un instant, mes idées s'éclaircirent et je pus penser à nouveau. On m'allongea avec fermeté. J'entendis la voix affirmer : « Malaria ». Puis, à en juger par la structure des phrases, elle sembla donner des instructions. Joseph répondit :

– Oui, sahib, mais quel bazar ? – Et il ajouta – C'est loin, sahib. Beaucoup de kilomètres.

La voix martela des ordres :

– Prends un rickshaw. Fais-le attendre. Ça va prendre du temps pour préparer les médicaments qui figurent sur l'ordonnance. Montre-lui ma carte. Apporte-moi une autre cuvette d'eau et une serviette propre. Allez, file.

L'intonation de la voix m'exaspérait. Elle rudoyait Joseph, apparemment effrayé, mais je ne pouvais rien faire pour lui. J'eus l'impression que je m'évanouissais. C'était assez agréable, sauf que ma cervelle était en bouillie. Je me mis à chantonner doucement :

– Mah...lar... ia. Mal...air...ia. Mal...lairi...A Mah... lai...reeeaa.

Malgré mon état de déliquescence, une partie de mon cerveau était en alerte et une pensée me traversa : si c'est la malaria, je vais devenir jaune. J'éclatai de rire. Après quoi, je sombrai dans un sommeil d'une seconde.

Lorsque j'en sortis, tout me transperçait. La courte-pointe obstruait l'une des fenêtres blanches, le clair de lune s'encadrait dans l'autre. Je sentis de l'air autour de moi. On avait relevé le bas de ma chemise de nuit. On l'enroula comme une bande avec beaucoup de lenteur et de précaution jusqu'en haut de mes cuisses. Deux mains se glissèrent au creux de mes reins et me soulevèrent. On roulotta à nouveau la soie de ma chemise de nuit. Il y avait de la tendresse dans ces mains fortes, fermes et expérimentées. Je n'avais pas de volonté. Je n'éprouvais aucune curiosité. Rien. Je flottais sur les braises de ma fièvre, l'esprit bloqué, le corps endormi. On continua à remonter la soie. Jusqu'à mon ventre. Jusqu'à ma taille. Jusqu'à mes seins qui furent découverts. Une main m'entoura la nuque et releva ma tête. Mes cheveux emmêlés qui pendouillaient et dégoulinaient d'une sueur aigre se répandirent sur l'oreiller. La soie fluide comme de l'eau m'effleura le visage, passa au-dessus de ma tête, puis disparut. Ma transpiration était rafraîchissante. Silencieuse, je m'imaginais être allongée dans une forêt tropicale. J'étais faible. Je me laissais aller à la manière d'un invalide ou d'un nouveau-né. On massa mes pieds avec un tissu mouillé et rêche. Je ris. J'entendis qu'on le plongeait dans la cuvette pour le rincer et le tordre. Mes jambes furent lavées. À partir des chevilles. Devant. Derrière. Les mains écartèrent mes jambes et passèrent le tissu à l'intérieur de mes cuisses. Je frissonnai tout en serrant les draps. Ma peau était sèche et tendue au point que j'avais parfois la sensation d'être étirée sur un chevalet jusqu'au point de rupture. Le tissu fut rincé et tordu. Puis il dessina des cercles sur mes seins. Des bords au milieu. Après quoi, on me tourna sur le côté, si bien que mon dos et mes hanches furent exposés. Le tissu m'épongea et me rafraîchit partout jusqu'à ce que j'aie la chair de poule tout au long de ma colonne vertébrale. Ni lui ni moi ne prononçâmes une parole. Je levai les yeux au plafond où le *punkah* bougeait rythmiquement d'arrière en avant, soufflant une douce brise sur mon corps. On trempa le linge une dernière fois avant de l'appliquer sur ma gorge et sur mon visage. On rejeta mes cheveux en arrière de sorte qu'ils se plaquèrent au sommet de mon crâne. Le froid me grisait. J'étais en suspension : un insecte. Je tournai les

yeux de tous côtés, mais je ne bougeais pas. J'attendais.
Une main chaude m'effleura un sourcil, une joue et un
côté de la gorge. Alors j'éclatai en sanglots incoercibles.
Lorsque je vis la main s'immobiliser, je me penchai pour
l'embrasser. J'entendis une brusque inspiration. À peine
eus-je à nouveau embrassé la main que le silence régna.
Seules les larmes qui coulaient de mes yeux le troublaient.
Je pleurais parce qu'il m'avait acceptée avec ma rage, ma
fièvre, ma crasse. Il m'avait lavée. Jamais aucun homme
ne s'était occupé de moi aussi tendrement. Je levai les
bras et les pliai sur mes yeux. Il les écarta. Il posa un
baiser sur mes yeux. Il coinça mes poignets sur l'oreiller,
se pencha et m'embrassa doucement sur la bouche. Je
m'éteignis comme une bougie.

Au bruit de ses pas qui se dirigeaient vers la porte,
je fus parcourue de frissons. Je me sentais absurdement
vulnérable. Il y eut le cliquetis de la serrure, puis le soupir
de ses pieds nus qui se rapprochaient de mon lit. Je me
redressai et m'adossai à l'oreiller. Quand il s'assit au bord
du lit, je passai les bras autour de son cou et m'accrochai
à lui comme un enfant dans un naufrage. Lorsque je le
lâchai enfin, il me regarda avec un sourire dans ses beaux
yeux indiens. Il portait une tunique ample en coton blanc,
à col officier. Il ne ressemblait plus du tout à l'homme en
complet de soie crème qui avait traversé la place après les
coups de feu. Ce n'était plus le même homme que celui
qui s'était assis par terre chez moi et m'avait tendu une
bouteille d'Évian. L'envie de voir son corps s'empara de
moi, mais quand je touchai le bouton de son plastron, il
me prit la main droite de sa gauche et l'immobilisa.

– Il n'est pas question que je profite de l'accès de
délire d'une femme, protesta-t-il. Comment pourrais-je
savoir si vous m'aimez ?

Deux jours plus tard, je me sentis assez bien pour
lui offrir le thé.

– J'aime la nouvelle installation, dit-il. Tout a changé
depuis la première fois où je suis venu.

Comme il jetait un coup d'œil à son tapis que j'avais
suspendu au mur, je lui avouai :

– J'ai d'abord pensé vous le rendre : un bon prétexte pour vous revoir. Puis j'ai décidé de le garder.

– Il vous appartient.

Il s'assit dans le fauteuil en face de moi. Joseph apporta le thé. Il le servit laborieusement comme à son habitude, tandis que le docteur et moi parlions du temps. Après avoir versé le thé qu'il aime – celui avec du lait chaud et des épices – je lui tendis la tasse. Il la prit et la tint de telle sorte que je ne pus la lâcher. Il me sourit au-dessus de la vapeur et, exactement comme s'il me parlait des résultats d'un match de cricket, il déclara :

– Je meurs d'envie de vous embrasser.

Et nous bûmes notre thé à petites gorgées.

– Êtes-vous complètement remise ? Vous êtes radieuse cette après-midi.

– Complètement, je n'en sais rien. J'ai dormi jusqu'à quinze heures et je me sens très faible. Vous avez été très gentil avec moi l'autre soir, ajoutai-je timidement.

Il inclina légèrement la tête.

– C'était un honneur.

Il se pencha en avant, laissant ses mains tomber entre ses genoux. Il portait un pantalon de flanelle blanche et une chemise bleue. Une odeur d'hôpital se dégageait de lui. Dès qu'il était entré dans la maison, il s'était lavé les mains au savon au crésol.

– Vous lavez toujours vos patientes ? lui demandai-je, en prenant une cigarette. Il l'alluma et me frôla les doigts.

– C'était la première fois.

Il y avait une table entre nous. Il se leva brusquement et la poussa. Les sourcils froncés, il me scruta.

– Ne bougez pas, lança-il. Vous avez quelque chose sur le front.

Il s'approcha de moi à pas lents. Puis, il m'embrassa très doucement.

– Pour l'amour du ciel, on peut nous voir, murmurai-je

Il retourna vers son fauteuil, de l'autre côté.

– Je vais confier une autre longue mission à Joseph. C'est au-dessus de mes forces de supporter ça plus longtemps.

— Vous n'y songez pas.

Il se mit debout, se dirigea vers la porte et cria à Joseph :

— J'ai besoin d'une cuvette d'eau. Et va chercher les serviettes dans ma voiture pour la memsahib, s'il te plaît. — Il se tourna vers moi. — Je vous ai apporté des serviettes fabriquées à Madras. L'autre soir, c'était plutôt difficile de vous essuyer avec ce chiffon.

— Fourni par l'armée, expliquai-je, sur la défensive. Chaque fois que vous venez ici, je suis dans une situation compromettante : soit dégoulinante et nue, soit folle furieuse et dans le plus simple appareil. Je vous préviens, je suis un être raisonnable et équilibré.

— Je suis ravi de l'entendre.

Il prit les serviettes des mains de Joseph avant de m'adresser un signe de tête autoritaire.

— C'est l'heure de vos soins. Joseph, aurais-tu la gentillesse d'apporter de l'eau bouillie ?

Ramassant une sacoche de médecin cabossée, il s'avança vers ma chambre. Il ouvrit la porte et m'y fit entrer. Debout, je le regardai d'un œil amusé fouiller dans son sac d'où il sortit quelques seringues et des fioles qu'il disposa sur la table. Quand Joseph frappa, ce fut Sam qui lui dit d'entrer. Il s'empara du broc d'eau bouillie :

— Merci, Joseph. Ce sera tout.

Cela ne plut pas à Joseph d'être congédié, il hésita un instant en me regardant d'un air réprobateur.

— Qu'est-ce que vous faites ? lançai-je. Pourquoi êtes-vous si tyrannique ? J'avais l'impression d'être chez moi.

Il me prit la main et me conduisit près du lit où il me fit asseoir :

— J'ai demandé à Joseph d'aller chercher un paquet à l'hôpital, répondit-il. Cela va lui prendre au moins deux heures.

— Joseph n'est pas un imbécile.

— Moi non plus. Écoutez-moi, voici la situation : le cousin de Joseph, qui vient de Delhi, se trouve en ce moment dans un village à quelques kilomètres d'ici. Il a absolument besoin d'onguents pour ses rhumatismes. Joseph va les récupérer au moment même où nous parlons.

– Quand avez-vous mijoté tout ça ?

– Avant de venir vous voir. Et je devrais ajouter que c'est à la demande de Joseph. Ça n'était pas programmé.

– Deux heures ? fis-je en lui lançant un regard.

– Cent vingt minutes. S'il est correct, il nous accordera peut-être un peu plus de temps.

– La moitié des habitants de la rue vous a sûrement vu entrer.

– Qu'ils aillent au diable ! s'exclama-t-il, en m'enlaçant par le creux des reins si bien que je faillis perdre l'équilibre.

Il planta ses yeux dans les miens.

– Toute ma vie, j'ai été prudent et discret, j'en ai assez.

Il m'embrassa à nouveau, les yeux fermés. Lorsqu'il les ouvrit, il me sourit

– Il est temps d'être intrépide.

Non seulement c'était trop téméraire, mais beaucoup trop précipité, je le savais. Je déboutonnai le premier bouton de sa chemise. Mes doigts tremblèrent. Il défit ses manchettes parce que j'en étais incapable. Il fut patient tandis que je m'occupais maladroitement des autres boutons. À la légère moquerie dont son sourire était empreint se mêlait quelque chose d'indéfinissable. Dès que j'eus terminé avec ses boutons, il posa un baiser sur ma paume avant d'enlever rapidement mon alliance en or qu'il jeta dans la cuvette par terre. Il se redressa. Je tirai sa chemise au-dessus de sa tête. Quand je le vis, et quand la fluidité sombre de son corps bougea sur le mien, il me sembla que ma fièvre était revenue. Je l'attirai à moi pour l'embrasser. Mais il s'écarta. Et ses mains commencèrent à explorer mon corps autrement, s'attardant aux endroits où la serviette était passée – c'était insoutenable à en hurler. Il effleura mes mamelons.

– Je me souviens d'eux, dit-il. Ils frémissent facilement, en revanche je ne les imaginais pas aussi roses.

5

Il nous restait à peine une heure. Pendant la première, je m'étais rendu compte que, lors de ma crise de paludisme, j'avais déliré beaucoup plus que je ne le croyais. À présent, cette nuit me donnait l'impression d'être un grillage percé de trous par lesquels passaient des bribes de conversations et de vagues actions concernant quelqu'un d'autre que moi.

– Comment as-tu appris que j'étais malade? lui demandai-je. Tu as surgi de nulle part. Et pourquoi as-tu mis tant de temps à revenir?

– Nous sommes aux Indes, mon amour, pas à Belgrave Square. Tu aurais voulu que je saute dans un bus dès le lendemain, c'est ça? J'attendais un prétexte. Je soupçonne que tu aurais aimé que je fasse quelque chose d'imprudent et d'idiot. – Il sourit. – En réalité, j'y ai pensé et cela m'a effrayé d'en être là. Le jour où tu étais trempée jusqu'aux os, j'ai eu la sensation d'être transpercé et assommé par une pluie de mousson. Je suis parti dans ma voiture, puis j'ai rebroussé chemin. Lorsque je suis arrivé au bout de ta rue, j'ai vu qu'on déchargeait tes meubles et j'ai décidé de renoncer. Je ne tenais pas à te mettre dans une situation difficile le jour de ton arrivée. C'était trop dangereux, surtout pour toi. Et tu as eu l'idée formidable de tomber malade. Je suis venu dès que je l'ai appris.

Il plissa les yeux, haussa un peu les épaules et ajouta :

– Cela ne me ressemble absolument pas, je suis plutôt circonspect à l'ordinaire.

– La prudence n'est pas mon point fort.

– C'est ce qui me plaît chez toi. C'est ce qui t'a poussée à venir aux Indes. J'ai passé ma vie à fuir la passion sous toutes ses formes. L'autre soir, lorsque tu m'as parlé de l'ami que tu avais perdu à la guerre, je me suis aperçu que je n'avais jamais éprouvé un sentiment d'une telle intensité. Je m'en suis bien gardé. Je me suis coupé de mes émotions.

– Attends-toi à des problèmes avec moi!

– Je m'en doute.

– Tu sembles résigné.

– Ce qui est fait est fait.

– Raconte-moi ce qui s'est vraiment passé l'autre soir. Après être tombée de cheval, je me suis retrouvée dans mon lit. Je me souviens vaguement que je délirais, que j'étais très mal en point et qu'on m'a fait une piqûre. Je croyais que la quinine était le remède indiqué pour la malaria.

– En effet, mais ça n'empêche pas de l'attraper. Le palu est endémique ici.

– Est-ce que je vais devenir jaune?

– On va voir si c'est possible de te donner un teint sombre.

– Que vais-je devoir prendre? Qu'est-ce que tu sors de ta sacoche?

– De l'arsenic.

– Quoi?

– C'est un traitement parfait pour le paludisme. – Il me lança un sourire ambigu. – Mais il faudra faire attention aux doses... C'est une mort atroce.

– Parle-moi de l'autre soir. Tu as envoyé Joseph chercher un charlatan indien au fin fond de la cambrousse. Et j'ai le vague souvenir de son retour. Je me rappelle ton refus que je te déshabille. Pas ton départ. En revanche, je me souviens que tu as évoqué ton école en Angleterre et, aussi étrange que cela paraisse, que tu m'as lu *Le Grand Courage du petit Babaji*, le conte de Helen Bannerman. Ou est-ce que j'avais complètement perdu la tête?

– C'était plutôt le cas. Je ne t'ai pas lu le conte, mais

je t'ai dit qu'on m'appelait Babaji autrefois. Et puisque
tu l'as oublié, à titre d'information, je te répète que j'ai
quitté l'Inde pour l'Angleterre à l'âge de six ans – comme
Kipling et tous les autres petits Anglais... Est-ce que ça
te revient maintenant?

– Plus ou moins.

– Tu as insisté pour que je te parle de mon enfance,
et je t'ai donné la version expurgée.

– Pourquoi?

– Ma foi, je n'y pense jamais, répondit-il en haussant
les épaules. Elle a été sans histoires comme celle de tous
les petits Indiens privilégiés.

Il était impénétrable quand il s'exprimait de la sorte,
ce qui m'énervait.

– Pouvons-nous commencer par le début? lui
demandai-je. Peut-être n'aurons-nous pas deux heures de
sitôt. Es-tu vraiment né en Angleterre?

– 9 Eaton Square très exactement. Nous sommes
retournés au Cachemire lorsque j'avais deux ans. Quatre
ans plus tard, ma mère m'a ramené en Angleterre pour
me mettre à l'école primaire.

– Serait-il possible de coller un peu moins à la version officielle?

– Si tu y tiens, rit-il. Que veux-tu savoir?

– J'essaie simplement de comprendre. D'après la description de Mme Pendleton, tu sembles tellement mystérieux et complexe.

– D'accord, acquiesça-t-il à la manière de quelqu'un
qui viendrait de se faire piquer par une ortie. Revenons
à l'école, c'est ainsi que commencent toutes les histoires
anglaises.

J'avais du mal à résister à l'envie de défoncer la bar-
rière que sa distance et sa froideur élevaient entre nous.

– Comme je te l'ai laissé entendre l'autre soir avant
que tu ne t'assoupisses, on m'a surnommé Babaji dès le
début de ma vie en Angleterre. – Il hésita. – Je ne veux pas
te donner l'impression que je n'aime pas les Anglais, en
fait ce serait beaucoup plus facile si c'était le cas. Quant
au surnom, comme tu le sais, on enlève toujours la der-

nière partie des noms dans les écoles anglaises pour y ajouter un *o*, un *y* ou un *er*. C'est une forme de castration dont le but est d'infantiliser un garçon, de l'abaisser et de le ridiculiser. Mais si on est noir – et j'ai appris depuis des lustres qu'un Indien est un Noir –, les choses vont beaucoup plus loin. Il faut que le surnom soit humiliant. C'est une façon de vous remettre à votre place. Même les professeurs s'y associaient. Si nous lisions un texte sur les Indes ou si nous regardions une carte, l'instituteur lançait systématiquement : « Posons la question à Babaji, notre ami des colonies. Voyons s'il connaît la réponse. »

Me voyant tressaillir, Sam fit observer d'une manière typiquement anglaise :

– C'était amusant, pas de quoi fouetter un chat.

L'espace d'un moment, il se renferma. J'essayai de l'aider :

– D'après ce dont je me souviens, le petit garçon du livre *Le Grand courage du petit Babaji*, est plutôt intelligent. N'est-il pas plus malin que les tigres qui se transforment en *ghee*[1] et dont on fait des crêpes ?

– Je suppose. Il était intelligent et vif. Si l'on estime que le tigre est un symbole de l'Empire, l'histoire est vraiment subversive. Les tigres dépouillent l'enfant de tout pour s'en revêtir. Le petit Noir qui perd progressivement son identité en leur donnant un habit après l'autre, c'était moi. L'Angleterre m'arrachait tout ce que j'avais été aux Indes et m'apprenait ce que je pouvais et ce que je ne pouvais pas être. Bien entendu, j'étais trop jeune pour percevoir toutes les nuances, sauf que le surnom m'humiliait. Pleurer était tout simplement hors de question, je me suis arrêté au bout de quelques mois. Une fois le pli pris, il est difficile de ressentir quoi que ce soit avec assez d'intensité pour recommencer à pleurer.

Sam fixa le plafond où le ventilateur soufflait inlassablement une légère brise. Il s'était replié sur lui-même et je restai silencieuse jusqu'à ce qu'il reprenne.

– Je savais que je devais devancer les autres, être beau-

---

1. Beurre clarifié.

coup plus intelligent qu'eux. Alors j'ai sauté une classe. Je croyais que ça me permettrait de sortir de là plus vite. Au contraire, je fus encore plus rabaissé et maltraité.

Lorsque je l'interrogeai sur les mauvais traitements, il répondit laconiquement :

– La cruauté et la perversité sont institutionnelles dans une école anglaise, personne n'y échappe. C'est transmis de génération en génération. À Eton, c'était pareil. Mon père voulait que j'y aille après l'école primaire ; il m'avait inscrit dès ma naissance.

– Lui as-tu jamais confié à quel point c'était dur pour toi ?

– Je suis beaucoup trop anglais pour ça, me répondit-il en riant. D'autant qu'à l'époque, lorsque je suis entré à Eton, on aguerrissait tous les garçons en vue des conquêtes ou de la guerre. Un mode de pensée que j'ai fini par assimiler bien que les miens fussent inéluctablement les dominés. Les élèves d'un collège, qu'ils soient soudanais ou indiens, portent leur école sur leur dos. – Il eut un rire sombre. – Ils ne pleurnichent ni ne geignent. Où qu'ils aillent, ce sont des Anglais. Je n'ai pas échappé à ce lavage de cerveau, même si mon côté indien compliquait tout. J'avais beau être déchiré, je tenais par-dessus tout à être l'un des conquérants, ce qui était impossible à Eton, constata-t-il sèchement. L'humiliation a quelque chose de diabolique, les Anglais y excellent. Les sobriquets, les blagues et les remarques cinglantes font partie du système. Ils se conduisent ainsi les uns avec les autres et ne comprennent pas que ce n'est pas pareil s'ils traitent un étranger de la sorte. Il est vrai que les étrangers ne comptent pas pour eux. Ils ont la phobie de qui n'est pas anglais. Seule la petite île rouge – une minuscule partie d'ailleurs – est au-delà du mépris. Quand l'Empire aura disparu, le mépris existera toujours, conclut-il avec nonchalance.

Il se redressa en riant. Puis il passa la main dans ses cheveux emmêlés :

– Je devrais cesser d'en parler parce que cela me donne envie de me rhabiller.

Je posai ma joue sur son dos dont je sentis la tension :

– Mon frère est allé à Marlborough, dis-je. Mais il n'en a jamais vraiment parlé.

Sam tourna son le visage si bien que je distinguai à peine sa bouche.

– Les garçons se taisent, affirma-t-il.

Le silence se prolongea mais je m'y étais habituée.

– C'est un système abominable, reprit-il de son ton calme. J'étais un petit Noir entouré de fils de Blancs qui avaient assujetti mon pays ; ces gamins ne songeaient qu'à me faire subir le même sort. Ils trouvaient inconvenant que je dorme dans le même dortoir qu'eux ou que je frôle leur serviette dans la salle de bains glaciale, à l'aube. D'abord, j'ai détesté les Indes, responsables de cette apparence qui me valait tant de mépris ; puis je me suis aperçu que d'être un Noir parmi les Blancs me rendait transparent. Aux Indes comme en Angleterre. Où que je sois, j'étais invisible parce que j'étais le colonisé.

– Le plus étrange, l'interrompis-je en l'attirant dans les oreillers tant il semblait s'être écarté de moi, le plus bizarre, c'est que tu sois tellement anglais. Je me sens incroyablement proche de toi.

Il se lova aussitôt dans mes bras.

– Ce qui est stupide, ajouta-t-il, c'est que, pendant un certain temps, j'ai vraiment cru être un Anglais, un membre de l'Empire, l'un des leurs. Vois-tu, je ne connaissais que l'Angleterre, je ne parlais couramment que la langue de leur pays. Au fil des ans, je devenais de plus en plus l'un d'eux. Comme il n'était pas question que je rentre aux Indes pour les vacances, je restais à Londres chez ma tante ou parfois à l'école. Si bien que mon pays perdit de sa réalité et que je m'attachai à l'Angleterre. On n'arrêtait pas de me rebattre les oreilles avec l'amour que les Britanniques éprouvaient pour les Indes – le bijou de la couronne, leur colonie préférée et ainsi de suite. Rien de plus vrai, ce sont les Indiens qu'ils ne supportent pas.

– Est-ce qu'une personne de cette nationalité t'a aimé ?

– Voilà une question intéressante, répliqua-t-il en sou-

riant. Personne ne me vient à l'esprit, mais je ne renonce pas.
  – Puis-je être la première ?
  – Je t'en prie.

Ce fut plus facile après. Il se détendit et me raconta la fin de sa scolarité à Eton. S'exprimant différemment, d'une voix moins sèche, il n'était plus sur la défensive :
  – À mon arrivée à Eton, je m'étais endurci. J'avais élaboré une forme de dérision personnelle. Je crois qu'il y avait une ombre d'affection dans les sobriquets cruels dont on nous affublait. À Eton, on me surnomma *Bamboula*. Une voix snob s'écriait : « Hé, Bamboula, qu'est-ce que tu fiches dans la bibliothèque alors que tu sors tout juste de la forêt ». On me balançait ce nom comme un javelot tandis que je marchais dans un couloir ou me dirigeais vers le terrain de sport. Devenu plus vigoureux, je me battais – que faire d'autre ? – jusqu'à ce que je décide de riposter avec plus d'intelligence. Je me souviens du jour, un onze décembre, où je résolus de cesser de jouer à ce petit jeu et d'être le Noir de ces Blancs. Ils me brutalisaient à cause de ma couleur de peau, et je ne voulais plus l'accepter. Je fuyais comme la peste les deux autres Indiens d'Eton parce qu'il n'était pas question qu'on me mette dans le même sac qu'eux sous prétexte de la ressemblance. De même, je refusais qu'on m'explique comment être indien ; j'ai mis des années à apprendre à le devenir.
  Il tourna brusquement son visage vers moi et me demanda :
  – Qu'est-ce que tu penses de tout ça ? Tu ne dis pas grand-chose.
  – J'essaie de déterminer si tu es furieux ou blessé, parce que tu ne sembles pas amer.
  – La souffrance l'a toujours emporté sur la colère, mais cela aurait été fatal de le montrer. Ce n'est pas une solution de se haïr.
  – Les choses ont-elles changé quand tu es allé à l'université ?
  – Moi, j'étais différent. À mon arrivée à Oxford, j'étais

implacable. C'était indispensable, en raison de la férocité de la concurrence à Balliol. Je n'avais jamais rencontré d'aussi redoutables adversaires dans le domaine intellectuel que les boursiers, relégués dans un enfer particulier. On me rebaptisa à Oxford. Ce jour-là est aussi gravé dans ma mémoire. Je parlais d'un compositeur, Berlioz, je crois, pontifiant sur la *Grande Messe des Morts*.

Il s'interrompit avant de lancer en souriant :

– À propos, j'ai bien plus le sens du détail que tu ne me l'accordes. Quoi qu'il en soit, j'étais en train de débiter des balivernes lorsque j'entendis quelqu'un rire. Il s'appelait Duncan Lambert-Smythe. « Écoutez-moi ce noiraud, dit-il. C'est le Nègre blanc par excellence, pas vrai ? » La remarque provoqua d'énormes éclats de rire et de claques sur les genoux. Le surnom était idéal. On pouvait y recourir avec l'élégance d'un coup d'épée et le prononcer avec humour, presque amicalement. À ce moment-là, je compris que je leur posais un sérieux problème. Non seulement à cause de mon accent, de mes vêtements ou de mon comportement, mais parce que j'avais inventé une façon d'être anglais supérieure à la leur. La brutalité m'avait forcé à acquérir une humanité qu'ils ne possédaient pas.

Il abandonna son ton doucereux. Malgré le calme avec lequel il poursuivit, son émotion était manifeste. Il s'efforçait de la contrôler, et son combat intérieur était intéressant à observer.

– Mes problèmes s'aggravèrent, reprit-il, quand je devins le premier de ma classe. Les hostilités étaient incessantes. Je compris qu'il me faudrait partir le plus vite possible. Aussi fis-je de gros efforts pour qu'on me laisse terminer mon diplôme en deux ans. D'abord, on me trouva d'une arrogance si scandaleuse qu'on me rembarra avec force moues dédaigneuses et rires. Comme je m'obstinais à trouver des moyens ingénieux de faire le programme en deux ans, on finit par l'accepter, du moins par ne plus m'en empêcher.

» Peu après, les étudiants misèrent sur moi. De l'argent changea de mains. Les professeurs étaient également de la partie. Duncan Lambert-Smythe s'attribua le rôle de bookmaker. Les enchères n'arrêtaient pas d'évoluer. Les enjeux montaient. Ils commencèrent à un ou deux shillings, montèrent à dix avant de grimper au billet d'une livre puis à celui de cinq. La plupart étaient sûrs que je n'avais pas la moindre chance. Un ou deux, dont Lambert-Smythe, jugeaient possible que j'y arrive. Je les entendais discuter et se chamailler dans les salles communes, la salle de bains et sur la piste où ils couraient. Cela fit sensation. Je n'eus jamais de doutes quant à ma réussite : je n'avais pas le choix. J'avais déjà un an de moins que je l'aurais dû, mais j'étais prêt pour un marathon. Arrivé au sommet, je pouvais enfin les narguer. Ils étaient furieux parce que j'étais plus anglais qu'eux – ma capacité à donner le change, mon impassibilité leur damaient le pion. Il y avait des réactions de mépris amusé, des regards lancés aux clochers par la fenêtre et des remarques : « Voyons voir si Singh va s'en sortir. Pourquoi pas ? Ça coûte rien de tenter le coup, hein ? Voyons voir si l'Indien va y arriver. »

» J'acceptais leur attitude parce que, aux yeux des Anglais, un intellectuel est comparable à un héros de guerre. Les étudiants prononçaient maintenant le mot sans dérision, même avec une nuance de respect. C'était mon blason. J'appris à l'aimer. À mesure que la fin de la dernière année approchait, l'exaltation devenait grisante. Assis dans son bureau, Duncan buvait du cognac, faisait griller du pain sur le radiateur à gaz tout en discutant des paris et de mes chances de succès. L'impartialité avec laquelle il considérait ma course ne l'empêchait pas d'augmenter les enchères, dont il écrivait la liste sur le tableau d'affichage tous les après-midi. Les professeurs avaient beau lui enjoindre de laisser tomber, il s'obstinait. On appelait ma tentative le Derby indien. En fait, la contrainte m'aidait parce que c'était de plus en plus difficile de tenir le coup. Les professeurs en rajoutaient. Je travaillais jour et nuit tout en feignant n'avoir besoin que de deux heures pour venir à bout de mes devoirs. Duncan me soutenait. Dans la journée, il venait souvent m'apporter un verre d'orgeat; le soir, j'avais droit à du café et à des excitants. Il finit par être aussi concerné par le résultat que moi. Il me réveillait en pleine nuit pour que je bûche mes examens, ou il se débrouillait pour que je sèche l'escrime ou l'aviron afin que j'aie plus de temps pour étudier.

» Au bout du compte, je fus reçu premier à Balliol. Et lorsque j'allai passer l'oral, les examinateurs se levèrent et battirent des mains. Il n'y eut pas l'ombre d'un ressentiment. Des épaules d'un blanc pur me portèrent à travers la cour ; les professeurs s'associèrent aux applaudissements et aux lancers de chapeaux. Par la suite, je réussis même à garder quelques amitiés, dont celle de Duncan Lambert-Smythe. Il était, ouvertement et avec extravagance, homosexuel. Outre son talent de rameur, c'était un brillant helléniste, un latiniste hors pair, le meilleur spécialiste en lettres classiques de sa promotion. Il avait eu la gentillesse de faire une partie du travail sur le terrain pour les dossiers que je rendais toutes les semaines. Lorsque je lui avais demandé pourquoi il m'aidait, il m'avait souri : « Simplement pour le plaisir de te voir leur damer le pion, mon vieux. Uniquement pour m'amuser à te regarder leur faire mordre la poussière. » Nous avions en commun un statut de marginal que nous nous encouragions l'un l'autre à cultiver. Nous étions liés par un respect mutuel et de l'affection. À la fin de mes études à Balliol toutefois, malgré mes bonnes notes, on me trouvait imprudent sinon autodestructeur. On aurait dit que mon exploit les effrayait un peu. « On se demande ce que vous allez devenir, Singh, fit observer un professeur, en me coulant un regard en coin. Qu'allez-vous réaliser avec votre intelligence, votre arrogance intraitable et votre petit talon d'Achille ? »

Sam était parti quand Joseph rentra, au bout de deux heures. Je craignais qu'il n'ait deviné quelque chose. Je lui demandai s'il avait trouvé les remèdes pour son cousin.

– Certainement, répondit-il. Maintenant, il est sur le chemin de la guérison. Nous sommes reconnaissants envers la générosité du docteur Sahib.

Je scrutai son visage, dont l'expression n'affichait pas la moindre ironie : nous ne l'avions pas encore corrompu. Le lendemain, Bridget vint me voir. L'air particulièrement agité, elle remarqua aussitôt que je ne portais pas mon alliance. Je lui expliquai qu'elle était devenue trop large.

– Je n'aurais jamais cru que je te verrais maigrir! s'exclama-t-elle en relevant mes cheveux, que je ne m'étais toujours pas décidée à couper.

Après avoir mis la dernière épingle dans mon chignon, elle ajouta :

– Alors, qu'est-ce qui se passe avec le charmant docteur?

– De quoi parles-tu?

– Tu peux te confier à moi, tu sais, insista-t-elle avec un clin d'œil. Je n'en soufflerai mot à personne.

– Te confier quoi?

– Ce qui se passe entre lui et toi. Tu me crois aveugle ou quoi? Il est fourré toute la sainte journée chez toi.

– Foutaises, il est simplement venu me faire une piqûre hier.

– Ah oui? Combien de temps ça prend d'enfoncer une seringue?

– Bridget...

– Ne te donne pas de mal, mon chou. Moi, je trouve ça très bien qu'une fille prenne du bon temps, mais il me semble que tu aurais dû réfléchir après cette histoire à la caserne... Enfin, c'est pas mes oignons...

Nous buvions un apéritif sur la véranda. Bobajee avait fait de délicieuses allumettes au fromage.

– Bridget, repris-je en nous servant à boire toutes les deux un gin bien tassé. Ton imagination t'égare. Le docteur Singh et moi, nous parlons. Nous avons des choses en commun. Il se trouve qu'il est allé à la même école que mon frère.

– Où ça?

– À Marlborough.

Bridget me lança un regard étrange, à la fois déçu et triste.

– Isabel, ton toubib est allé à Eton, pas à Marlborough. J'ai pris mes renseignements sur le prince des ténèbres.

Je ne pus dissimuler mon trouble.

– Au nom du ciel, pourquoi?

– Pour protéger une copine, tu vois ce que je veux dire ?

J'allumai une deuxième cigarette au mégot de la première.

– Écoute, je ne vais pas vendre la mèche, dit-elle. Je ne suis pas idiote. N'empêche, tu sais comment ça se passe ici. Même quand il laisse sa belle voiture et vient en rickshaw, on voit des visages à la fenêtre. T'as de la veine que la voisine soit partie en villégiature parce qu'elle ne supporte pas la chaleur depuis que le petit a la fièvre. Sans compter que Maureen – tu sais, la rousse – s'en va demain matin, et que les autres ne vont pas tarder.

Bridget posa une main complice sur mon bras.

– Allons, ne fais pas cette tête, mon chou. J'ai veillé au grain. Je leur ai dit que c'était la dame du commandant qui avait envoyé le toubib. Ça leur a cloué le bec.

– Je t'en suis reconnaissante, Bridget, vraiment, mais c'est inutile de brouiller les pistes. Le docteur Singh et moi sommes des amis. Ce n'est pas interdit, que je sache. Après tout, c'est un ami du colonel Pendleton – ils jouent tout le temps aux échecs ensemble – alors toute cette clandestinité ne rime à rien.

Bridget fit exprès de me regarder droit dans les yeux quand elle posa sa question :

– Vu que vous êtes intimes et tout, t'es bien sûr au courant qu'il est marié et qu'il a un gosse ?

Je mis ma cigarette à moitié fumée dans le cendrier et la réduisis en bouillie.

– Naturellement, répondis-je sans détourner le regard. On se marie affreusement jeune ici, non ?

Elle garda le silence, exhalant sa fumée qui s'échappait vers les collines pâles noyées d'ombre.

– T'es pas du genre à paniquer pour un rien, ça je te l'accorde, conclut-elle.

Des jours durant, Sam ne donna pas signe de vie. Je passai de l'inquiétude à la colère. À en croire Joseph, il allait quotidiennement à Kasur, et la grippe s'était propagée à un deuxième village. Une infirmière venait me faire les piqûres. Mais l'idée de laisser quelqu'un m'injecter de l'arsenic me semblait désormais bizarre voire dangereuse. J'espérais une lettre. Peine perdue, le *dak-wallah*[1] ne déposa rien pour moi. Je reçus une lettre de Neville à laquelle je ne répondis pas malgré mon intention de le faire. Bridget n'aborda plus le sujet de Sam. À la place, elle parla de Gandhi :

– Eh bien, voilà un comportement différent pour un nègre de ne porter qu'un pagne quand on est invité à prendre le thé. Comme si ce petit con tout maigre voulait nous fourrer sous le nez sa fierté d'être ce qu'il est et nous invitait à reluquer l'éclat de sa noirceur. C'est le bouquet! N'empêche que c'est vraiment bizarre d'entendre s'exprimer comme ça un type au visage de cette couleur, tu vois ce que je veux dire? C'est troublant. Les nègres devraient parler comme des nègres, sinon on ne peut pas faire la différence, pas vrai?

– Absolument.

Les grandes chaleurs arrivèrent. La canicule s'intensifia. Tout était fatiguant, fût-ce de penser, ce que j'évitai le plus possible. La plupart des femmes de l'armée étaient parties dans les stations de villégiature sauf Bridget qui m'attendait. Elle me répétait que l'altitude me revigorerait en un éclair et débarrasserait mon teint de sa nuance jaune. J'étais aussi incapable de m'en aller que de prendre une décision à propos de Sam. Pas la moindre nouvelle de lui. D'autres journées s'écoulèrent. À présent, j'avais envie de me débarrasser de Bridget et je faisais l'impossible pour arriver à mes fins. Je savais qu'elle finirait par s'enfuir avec les dernières femmes restées dans le cantonnement. Effectivement, dès qu'elle eut un accès de fièvre, elle prépara ses bagages.

– J'ai vu des gens se mettre en charpie, m'expliqua-t-elle en frissonnant. S'arracher la peau au point qu'on devait les ligoter. Je me taille avec ou sans toi, ma belle, un point c'est tout.

Elle fureta dans mon placard d'où elle sortit quelques effets qui lui plaisaient :

– Ça t'ennuie si je prends ce joli châle à motif cache-

---

1. Facteur.

mire? Il fait frisquet là-bas. Tu n'as pas besoin de cette petite veste ici, hein? Sûrement pas. Oh, j'adore ces chaussures, mais mes pieds sont trop petits. Tant pis. Le chapeau me convient parfaitement. Bon, on se verra à Simla alors.

Joseph commença aussi à exercer des pressions sur moi :

— Memsahib, pourquoi tourner autour du pot? À la montagne, nous devons aller. Permettez-moi de préparer le *dooly*.

Il parlait d'une sorte de palanquin fixé sur un brancard en bambou où l'on est complètement enfermé et que deux coolies portent.

— Joseph, protestai-je, je ne suis pas une invalide. Je ne suis pas vraiment prête à partir, mais je te préviendrai quand je le serai.

— La santé va se détériorer, déclara-t-il d'un ton sinistre. Sans aucun doute.

Quand il se rendit compte que je ne changeais pas d'avis, il m'obligea à dormir dans le jardin. Il m'installa un lit sur la pelouse, accrochant la moustiquaire au figuier sacré. J'avais une petite table, un livre, un crayon et des feuilles de papier, sans oublier la lampe à pétrole, le thermos d'eau et mes sandales sur une chaise. Des pierres lestaient la moustiquaire pour empêcher les serpents et les scorpions de se faufiler par en dessous et de me rejoindre. Sous le ciel piqueté d'étoiles où brillait une énorme lune, l'atmosphère était romantique. Je lisais quelquefois. La plupart du temps, je réfléchissais ou rêvassais que Sam apparaîtrait au clair de lune, lançant un simple : « Me voici. » Il porterait une tunique de mousseline blanche, celle qu'il aimait autant que moi j'aimais ma vieille robe rose. Il avait déjà surgi de nulle part, pourquoi ne recommencerait-il pas, pensais-je. Aussi, à l'affût, écoutais-je les domestiques s'apprêter à passer la nuit sur le toit, réconfortée par les bruits des oiseaux nocturnes, les stridulations des cigales, le cri lointain des chacals, et le silence tandis que le jour se laissait envoûter par la nuit. En vain. Mon attente s'éternisa. Sam ne vint pas. Mes doutes s'accrurent. La femme et le fils devinrent si réels que j'aurais pu les dessiner.

Puis, un soir, alors que j'étais sur le point de renoncer à lui, il arriva. Il était tard. La chaleur était insupportable. Il avait l'air épuisé, sans vouloir le reconnaître. Il se tenait dans la pièce principale. Aucune lueur moqueuse ne pétillait dans ses yeux.

– Je ne pouvais plus rester loin de toi une minute, commença-t-il. Il fallait que je te voie. Tu me manques affreusement. – Il me regarda. – Il n'y a pas de danger ici? Combien de gens traînent encore dans les parages?

– Seulement les soldats qui ne sont pas à la frontière, mais ils sont tous en train de se saouler à mort au mess. C'est pour ça, ajoutai-je vivement, que j'ai décidé de te laisser entrer.

Il fronça les sourcils :

– Tout va bien?

– Pourquoi non?

J'aurais voulu être enchantée de sa venue, mais j'étais furieuse. Je l'entendis se laver les mains dans la pièce voisine.

– Je ne t'ai jamais dit... cria-t-il.

Lorsqu'il me vit plantée devant la porte, les yeux fixés sur lui, Sam baissa le ton :

– Qu'est-ce qu'il y a?

– En fait, tu ne m'as pas parlé d'un certain nombre de choses, non?

Il s'approcha en s'essuyant les mains :

– Par exemple?

Je pris une profonde inspiration :

– D'abord que tu avais une femme. Et un fils.

J'allai m'asseoir au bout de mon lit, cependant qu'il prenait place dans l'un des fauteuils. En face de moi.

– Ah, j'imaginais que tu l'avais deviné.

– Aurais-je dû deviner que c'était prévu depuis la naissance? C'est la tradition, non?

Il se pencha en avant, laissant ses mains pendre entre ses genoux :

– Quelque chose comme ça.

– Mais encore?

– Que veux-tu savoir?

Je compris que moins j'en saurais, mieux ça vaudrait.

– Tout, répondis-je.

– Tu en es sûre?

– Tout à fait.

– Dans ce cas, c'est ta décision.

– Absolument.

– Eh bien, j'ai évité le mariage aussi longtemps que possible. Ce ne fut pas difficile puisque j'étais à Londres et ne revenais pas souvent. On nous a fiancés. Puis, je suis reparti. Des années. Bien sûr, elle était très jeune et tout était arrangé depuis des lustres. Un mariage entre deux personnes assorties tant au niveau de la caste que de la fortune, et ainsi de suite.

Il me lança un sourire sarcastique, sans que je saisisse de qui il se moquait.

– Puis-je avoir un nom?

– Je préférerai ne pas te le donner.

– Pourquoi?

– Quand on connaît le nom d'une personne, celle-ci devient trop réelle.

– Je suis au supplice, Sam, voilà tout.

– C'est complètement autre chose, mon amour, il faut que tu le voies ainsi.

– Cela ne m'aide pas vraiment.

Il déplaça son fauteuil jusqu'à mes genoux.

– Non, ne t'approche pas, protestai-je. Contente-toi de me dire ce que je dois savoir. Évite de me toucher maintenant.

Il s'exécuta, en collant aux faits pour m'épargner : le choix des dates favorables, la façon dont on avait organisé le mariage, les jours et les nuits de fêtes...

Je lui coupai sèchement la parole :

– Ce sont les choses essentielles qui m'intéressent.

– D'accord, acquiesça-t-il avec douceur. Je ne l'aime pas.

Je ne le crus pas complètement.

– Je ne passe pas plus de temps là-bas qu'ici, reprit-il. Je suis très rarement chez moi, ou plutôt chez ma femme, qui vit à Anantnag. C'est peut-être difficile à comprendre pour toi, mais beaucoup de mariages arrangés marchent, souvent même à un niveau plus profond. Cela ne s'est pas passé ainsi pour moi. Dans la majorité des cas, les femmes se regroupent dans la maison des parents et créent une immense cellule familiale dont les membres sont soudés par les rites religieux et les coutumes. Les hommes mènent une existence assez indépendante. C'est ce qui m'a permis de vivre ma propre vie. Personne ne me pose de questions. – Il fit une grimace. – À part toi. Je suis un enfant unique, et ma femme est restée très proche de sa famille. Comme rien ne m'attire chez elle, je ne vais pas la voir. Elle suit la tradition. Elle respecte à la lettre la pureté en matière de santé et de propreté. Autant de choses qui m'exaspèrent, sans compter les crises à propos de la pollution, prétextes à de multiples lavages et purifications avec l'eau sacrée du Gange. Les rituels hindous sont si nombreux et importuns qu'ils sont insupportables, du moins pour moi.

Il me lança un regard un peu gêné.

– J'ignore ce que tu connais des traditions hindoues, que je ne suis plus. C'était devenu impossible de toute façon après mon séjour en Angleterre où il m'a fallu avaler ce que l'on me donnait. Du bœuf la plupart du temps, précisat-il avec un sourire. Aussi, à mon retour, ma marge de manœuvre a-t-elle été encore plus grande que celle des autres hommes. Lorsque j'ai débarqué du bateau, j'ai dû subir une cérémonie de purification. Ensuite, j'ai mené ma vie comme je l'entendais.

Il se tut. Je n'ouvris pas la bouche.

– Dès que nous avons été mariés, poursuivit-il, ma femme est devenue une matrone. Du jour au lendemain. Elle a les pieds et les poings liés par ses rituels, ses devoirs et ses peurs. À peine le soleil est-il levé qu'elle se met à prier. Elle est placide, et ça été utile. Il y a des années que nous avons trouvé un accord raisonnable; cela n'a rien d'exceptionnel, la vie des femmes de ce pays est un enfer, conclut-il, l'air sombre.

Puis il resta silencieux pendant ce qui me parut une éternité.

– Tu aurais dû m'en parler, déclarai-je.

– Tu as raison. Si tu n'avais pas été mariée, je n'y aurais pas manqué.

Il se leva et arpenta la pièce.

– Non, je retire ça. Je ne te l'ai pas dit parce que cela aurait donné trop de réalité à ma situation, ce que je ne voulais pas. J'attendais le bon moment – une erreur fatale. Chaque fois que je te voyais, c'était plus difficile. C'est entièrement de ma faute, je suis vraiment désolé. Est-ce que quelqu'un a vendu la mèche ou est-ce que tu l'as deviné toute seule ?

– Les deux.

Il ne me demanda pas qui me l'avait révélé. Sam ne cherche jamais à donner ou à recevoir davantage d'explications que celles qu'il juge nécessaires. Il avait l'air malheureux.

– C'est autant de ma faute que de la tienne, rectifiai-je. Je ne t'ai pas posé la question.

– Tu n'aurais pas dû avoir à la poser.

– Je ne l'ai pas fait parce que je savais et que je ne voulais pas savoir. Ce serait tellement mieux si l'on pouvait remonter le temps pour que nous rencontrions avant d'avoir commencé nos autres vies.

– Je ne le crois pas. Il y a cinq ans, même deux, ça n'aurait pas marché.

– Et ton fils ? enchaînai-je calmement. Où est-il ? Quel âge a-t-il ?

– Huit ans. Il est dans une petite école privée en Angleterre.

– Comment as-tu pu après tout ce que tu as enduré ?

– Tu n'as pas tort. Mais j'ai réussi à me convaincre que les avantages d'une éducation anglaise l'emportent sur les désavantages. D'autant que les écoles d'ici, les écoles anglaises, ne sont pas différentes. Sammy est très intelligent...

– Si seulement tu n'avais pas prononcé son nom ! Maintenant, j'ai envie d'aller le chercher.

À ces mots, il se décomposa. La conversation nous faisait souffrir. Je ne la poursuivis pas.

Voilà ce qui me restait. Elle. J'étais contente d'ignorer son nom car, malgré la description sommaire de Sam, cette femme avait suffisamment de réalité pour occuper une place dans mon cerveau. Dès que je la laissais entrer, je voulais qu'elle sorte parce qu'elle envahissait mon esprit non celui de Sam. Au vrai, elle habitait à des kilomètres du cantonnement. En ce moment, elle passait l'été dans les collines de Mussoorie, où elle possédait une demeure apparemment remplie de parentes. Sam était propriétaire d'un certain nombre de maisons, dont une à quelques kilomètres de Ferozepore, une autre à Simla. Elle n'y allait jamais. Sam souhaitait mon départ immédiat à Simla. Il m'y rejoindrait aussitôt que possible.

– Je ne peux plus continuer à te voir ici, insista-t-il. Tu as simulé la maladie, mais mes visites n'ont plus aucune raison d'être. C'est trop suspect. Je viendrai à Simla dès qu'Ansari pourra me remplacer. Tu devrais être partie depuis une éternité. – Il me dévisagea. – Tu commences à avoir un teint sombre, ajouta-t-il, d'un ton où je perçus une légère désapprobation.

– Je tiens ça de ma mère, qui est italienne. Je suis capable de supporter la chaleur, affirmai-je.

– Tu vas y être obligée.

6

En fin d'après-midi, il fait plus de quarante degrés sous un banian. L'air a la densité du béton. Les coucous chantent toute la journée. Quant aux affreux coucous éperviers, ils s'égosillent de plus en plus. Le soir, dans le jardin, j'entends souvent des chacals au loin, et, plus tard, le bruit consolant du veilleur de nuit qui siffle en faisant ses rondes. En nage lors de mes longues nuits solitaires, je me souviens qu'il transpire à peine, quelle que soit l'ardeur ou la violence avec laquelle il me fait l'amour. Je ne déteste pas la chaleur, je la trouve simplement éprouvante mais j'évite de m'en plaindre constamment. Il se peut que je la supporte mieux que les autres. Le soir, le *bheesty*[1], un homme au visage doux, arrive avec son outre en peau de chèvre ruisselante. Il marche autour du bungalow tout en aspergeant le sol. À peine l'eau touche-t-elle la poussière qu'une senteur exquise, comparable à celle de l'herbe coupée, se répand.

Je me lève aux aurores pour faire une heure de cheval. Quand la chaleur devient infernale, je m'assieds dans un tub rempli d'eau froide où je m'allonge, enveloppée dans une serviette humide. Il m'arrive de relever ma jupe lorsque je marche et de m'éventer ainsi. Je commence à considérer la chaleur comme un défi à relever si je veux rester aux Indes, ce qui est mon projet. Il me semble qu'elle me permet de connaître le véritable pays, non celui des

---

1. Porteur d'eau.

villes de garnison. Mais elle élève aussi la température de
mon corps : ma passion s'exacerbe, la tension sexuelle est
intolérable, le désir me rend folle. Certains jours, j'ai envie
de mettre mon sari et de me rendre à l'hôpital de campagne où Sam travaille, voire chez lui. Les après-midi où
je m'ennuie à mourir, je passe des heures devant le miroir
de Meerut à m'enduire les paupières de khôl et les joues
d'une pâte de pétales de roses écrasés. Je me persuade que
je porte le costume indien parce qu'il tient moins chaud,
et c'est vrai. Avec le ravissant petit corsage en soie et le
sari moucheté d'or, j'ai l'impression d'être plongée dans
de l'eau fraîche. Il me donne une démarche différente.
Je prends conscience de la soie sur ma peau, de l'air qui
circule sur la partie dénudée, entre la taille et la poitrine.
J'ai acheté des bagues de pacotille au bazar dont j'orne
tous mes doigts et tous mes orteils. Je frotte mes sourcils
soigneusement épilés d'un onguent au santal. Mon teint a
la couleur d'une noix. Je me tire les cheveux en chignon,
c'est moins chaud que si je me les coupais; j'ai même
pensé les graisser à la manière des femmes d'ici, mais
c'est trop répugnant. Je mets du rouge à lèvres écarlate
et trace un point vermillon au milieu de mon front. En
revanche, je ne me perce pas le nez d'un diamant parce
que ce serait exagéré.

Au lieu de me parer de la modestie et du mystère que
je prêtais aux Indiennes, le sari me libérait, me tournait
la tête, me donnait la sensation d'être en chaleur. En un
sens, il me délivrait de ma peau blanche et me permettait de transgresser les abominables conventions qui ligotaient les femmes. En perpétuel état d'excitation sexuelle,
je rôdais, ne cessant d'espérer la visite de Sam. Outre le
désir qu'il me voie en Indienne, tant cette tenue rehausse
la beauté d'une femme, c'était la réaction qu'il aurait qui
m'intéressait. Mais il ne venait pas.

Deux soldats ont craqué à cause de la canicule.
Lorsque Joseph me l'annonça, je tendis l'oreille en me
demandant si cela n'obligerait pas Sam à revenir à la garnison. Ce ne fut pas le cas. Sûrement parce que personne
ne l'avait appelé. L'armée n'a pas de mot pour la dépression nerveuse, dont elle ne tient pas davantage compte

que de la chaleur. C'est considéré comme un manque de discipline, une faiblesse – bref comme une conduite lamentable pour laquelle les soldats passent en cour martiale avant d'être jetés des mois en prison, où ils risquent de se suicider d'un coup de revolver. Autant de choses que je savais depuis longtemps, depuis une vie antérieure et une autre incarnation, depuis l'effondrement de Gareth dans les tranchées. On pourrait qualifier la détresse des soldats des Indes de traumatisme provoqué par la chaleur au lieu de commotion due aux combats. Quoi qu'il en soit, je ne les vois jamais. Ils sont confinés dans leur caserne. Je les imagine étendus sur leur grabat, les yeux rivés sur le punkah, accablés d'ennui. Le matin, je les entends se réveiller. Leur routine ne change pas pendant toute la saison chaude. Le soldat de base n'a aucun répit, fût-ce l'été. Quant à mon mari suant sang et eau à la frontière, je n'y pensais jamais.

Bientôt, je ne fus plus entourée que de domestiques de plus en plus grognons. Quand Joseph me serina pour la énième fois : « Mem, il est temps de partir pour les collines », je cédai, fixant le départ à la fin de la semaine.

– Je vous aiderai pour les bagages, mem, proposa-t-il, nourrissant l'espoir – j'en étais sûre – que cela me pousserait à lever le camp plus vite.

– Pour l'amour du ciel, Joseph, je peux faire mes valises. Je ne suis pas une idiote !

Il secoua la tête :

– Mem. Ça n'a rien à voir avec l'idiotie. C'est mon travail : il y des choses que je dois emballer, d'autres, c'est Gita. Ce n'est pas à vous de lever le petit doigt. Vous avez du mal à vous en souvenir.

– Très bien, Joseph. Si tu crois vraiment qu'il faut commencer, va me chercher le sac en tapisserie et le truc en cuir caramel entouré d'une courroie. Ma bonne selle. Et tout le saint-frusquin.

Il me lança un regard ravi :

– Mem, nous prendrons un palanquin et un *gharry*[1] pour les bagages ?

– Non. Réserve une tonga avec deux poneys costauds

1. Charrette tirée par deux chevaux.

et une *ekka*[1]; si je me souviens bien, c'est plus petit qu'un gharry. J'aime voyager léger.

Son expression était éloquente.

— Comme la memsahib voudra. Inutile. Moi aussi, je ne suis pas idiot.

À présent, je regrette de ne pas être partie quand Joseph le suggérait. Tout m'y poussait, sauf que je ne parvenais pas à me décider. Si seulement j'avais suivi ses conseils! Peut-être que rien ne serait arrivé. La chaleur devint insoutenable et tout le monde de plus en plus désagréable. Moi, j'attendais toujours Sam, au cas où. En vain. Il me fit cependant passer un petit mot où il me promettait de me rejoindre à Simla dans quelques semaines. Impatiente et mécontente, je trouvais qu'il ne se donnait pas assez de mal. Je n'avais pas renoncé à l'idée d'aller le voir, mais j'hésitais sachant que c'était trop risqué. Aussi tournais-je en rond, incapable de lire, d'écrire, de dormir. Cela me paraissait même une perte d'énergie de manger. Les délicieux caris et beignets aux bananes de Bobajee étaient à peine entamés; je me nourrissais de lassis sucrés, de minces tranches de gâteau à la noix de coco accompagnés d'innombrables tasses de thé *masala*[2] que j'avais pris l'habitude de boire. C'est alors qu'un mercredi, deux jours avant la date prévue pour notre départ à Simla, je reçus une visite inattendue.

La chaleur était un peu moins oppressante car c'était au tout début de la matinée. Joseph entra, l'air bizarre :

— Memsahib, dit-il en s'inclinant légèrement, il y a une femme à la porte et elle ne veut pas s'en aller.

— Qui est-ce?

L'air malheureux, il secoua la tête :

— Je ne sais pas, Mem. Je ne peux pas dire.

Voilà qui piqua ma curiosité :

— Tu ne la connais pas ou tu ne veux pas me dire de qui il s'agit? Sois clair, je te prie.

Joseph était manifestement perturbé :

---

1. Charrette tirée par un cheval.
2. Thé Orange Pekoe où l'on ajoute du lait, du poivre, de la cannelle et des clous de girofle.

– Mem, je ne connais pas cette femme.

Malgré sa scrupuleuse honnêteté, je fus sûre qu'il mentait. Un frisson me parcourut.

– Est-ce l'une des memsahibs ou une indigène?

Il ne répondit pas à ma question.

– Fais-la entrer, Joseph, je vais la recevoir.

Il se balança d'un pied à l'autre :

– Mem, je peux encore essayer de lui demander partir. Char à bœufs encore dehors.

Je me levai.

– Ne sois pas ridicule, Joseph! Contente-toi de la faire entrer.

Comme il tournait les talons, je lui lançai malgré moi :

– Joseph, s'il y a quelque chose que je dois savoir, parles-en maintenant.

Il hésita un long moment.

– Mem, c'est une femme qui existait avant l'arrivée de memsahib. Son sort est joué.

Lorsque j'avançai dans la pièce, une jeune fille, plutôt une jeune femme, s'y tenait. On aurait dit une sainte dans sa longue robe nimbée par la lumière qui ruisselait derrière elle. Sa beauté me coupa le souffle. Je la dévisageai. Elle me fixa de ses yeux qui semblaient presque noirs. Son sari ivoire drapé autour de ses épaules lui couvrait la gorge et le bas du visage, ne laissant apparaître que le velours profond de son regard, son petit nez et sa bouche rose au modelé parfait. Elle ne souriait pas. Son immobilité me crispait. Mon cœur cognait dans ma poitrine à la vitesse d'un train de marchandises tandis que je pensais : « C'est Elle, tout est fini. » Je me ressaisis.

– Ne voulez-vous pas vous asseoir? fis-je, contente soudain de ma pièce ventilée par le punkah, irradiée par la lumière matinale, et de ses beaux meubles exotiques.

Le décor lui allait bien et vice versa. L'espace d'un instant de folie, je me dis que j'avais arrangé la pièce uniquement pour la jeune femme, qui était chez elle puisque ma vie était terminée. Comme elle s'approchait du fauteuil, elle faillit trébucher. Lorsque j'esquissai un geste pour l'aider, elle eut un regard si désespéré que je

perçus sa souffrance. Et le rôle que j'y jouais m'horrifia.
Se redressant sur-le-champ, elle s'assit. Le brocart écarlate de mon nouveau coussin éclaira sa peau dorée. Elle
bougea légèrement ; la soie se fronça de telle sorte qu'elle
parut enveloppée d'ivoire. De son corps, je n'apercevais
que sa minceur. Ses yeux étaient tellement incendiés que
je me demandai si elle avait de la fièvre. Puis elle parla.
En un anglais impeccable. « Ah, c'est formidable, pensai-
je. Encore quelque chose qu'il a oublié de préciser : sa
femme aussi est allée à Oxford. »

– Je suis la fille de Fahad Naseem, commença-t-elle,
s'exprimant avec lenteur et une grande courtoisie. Je suis
venue vous parler d'un sujet qui inquiète beaucoup ma
famille, et moi-même. Je regrette d'y être obligée. Même si
ce qui nous est arrivé ne vous concerne pas directement,
vous êtes impliquée. Mon père, ajouta-t-elle en levant le
menton, est un commerçant très respecté, d'une excellente
caste, connu pour sa bonne éducation et son honnêteté.
Nous sommes des musulmans qui suivons l'enseignement
d'Allah. Mon père n'en a pas moins donné une éducation
de haut niveau à tous ses enfants, même à ses deux filles.
Il s'est aussi écarté de certains devoirs les plus sacrés de
notre religion, surtout dans mon cas. Je suis l'aînée. J'ai
dix-sept ans. Contrairement à ma sœur, je n'ai pas été
forcée de vivre enfermée et, grâce à cette liberté, j'ai eu
le droit d'être, pendant un an, la préceptrice des deux
petites filles d'un officier. L'épouse de celui-ci ne voulait
pas que le dialecte local pervertisse l'accent anglais de ses
enfants. Alors je leur apprenais à lire tous les matins, de
neuf à onze heures. J'aimais mon travail. Il me procurait
une liberté que je n'avais jamais connue. Il me permettait
d'entrevoir une autre vie, une destinée différente de celle
qu'on me réservait. J'étais reconnaissante envers mon père
de m'avoir donné le droit de le faire, mais c'était uniquement parce qu'il espérait que j'accepterais de me marier
après avoir constaté la vanité et la stupidité de l'existence
des *Feringhi*[1].

Elle pencha lentement la tête.

---

1. Terme indien péjoratif désignant les Européens.

– Il faut comprendre que dix-sept ans est un âge avancé pour une fille qui n'est pas mariée. Mes parents s'inquiétaient, mais j'insistais pour rester comme ça. J'espérais aller faire ma vie en Angleterre ou peut-être aux États-Unis. Évidemment, je n'en parlais à personne parce que mon père avait d'autres projets. Il souhaitait que j'épouse son associé pour consolider son affaire. Voilà les conflits créés par l'instruction chez nous : l'esprit est comme une huître, il est difficile de le fermer une fois qu'il s'est ouvert.

Elle baissa les yeux. Je m'aperçus que ses lèvres tremblaient.

Joseph choisit ce moment pour entrer avec le plateau du thé. Il disposa les tasses sur la table avec une lenteur exaspérante, y versant le thé à la vitesse d'une tortue. Lorsqu'il s'inclina et nous laissa seules, l'humeur de la jeune fille avait changé.

– Je crois, reprit-elle, que je devrais aborder le sujet, mais c'est très douloureux.

Pendant un moment, le seul bruit fut le craquement du tissu servant d'éventail que le punkah-wallah actionnait inlassablement d'arrière en avant. Je l'imaginais étendu sur le dos dans la véranda, une corde nouée autour de son gros orteil qu'il bougeait pour agiter l'air dans la pièce sans autre raison que de me rendre la vie plus agréable. Un moyen en fait de prendre de la distance par rapport à la jeune fille assise en face de moi tant j'appréhendais – après mon premier sentiment de soulagement et mon étonnement – ce qui allait suivre. J'ignorais qui elle était et la raison de sa visite, en revanche, malgré l'héroïsme de ses efforts pour le dissimuler, sa détresse était évidente. Je me penchai :

– Je vous en prie, dites ce que vous avez à dire.

J'aurais mieux fait de me taire. Mon insistance parut la rendre encore plus malheureuse. Comme je m'excusais, elle s'empressa d'ajouter :

– J'ai souvent pensé à vous, madame Webb, et je n'imaginais pas que vous seriez aussi gentille. Alors c'est encore plus difficile de vous révéler ces choses.

Un autre long silence s'établit.

– J'ai connu votre mari, murmura-t-elle comme si les mots étaient noués dans sa gorge.

Je n'avais pas envie qu'elle ajoute quoi que ce soit. C'était inutile.

– Je comprends, assurai-je.

– Non, sûrement pas, protesta-t-elle avec amertume. Parce que cela m'a souillée de faire la connaissance de votre mari. Un Anglais m'a déshonorée, et je mérite la mort pour cela. – Je lui lançai un regard épouvanté. – Mon père m'a prévenue, poursuivit-elle, le souffle court. Il a aussi prévenu le sergent Webb. Ce dernier n'en a pas moins continué à me poursuivre de ses assiduités et moi à succomber. Cela flattait ma vanité. J'avais beau connaître les risques, mes sens m'ont entraîné à ma perte. Même à ce moment-là, même quand il a été au courant, mon père s'est montré indulgent.

Les joues en feu, elle était tellement agitée que je la crus malade ou au bord de la crise de nerfs.

– Mon père m'a ordonné de ne jamais revoir le sergent Webb sinon les conséquences seraient terribles. J'ai consenti. En échange de sa clémence, j'ai accepté les fiançailles dont il rêvait depuis toujours. On a fait les préparatifs traditionnels pour le mariage. Le sergent Webb était parti en service actif. Il est resté absent de longs mois pendant lesquels je me suis résignée. Mais le sort a voulu qu'il revienne très peu de temps avant la cérémonie. En fait il allait partir en permission. Le sergent Webb m'a attendu devant la maison de l'officier, puis il m'a suivie jusqu'à chez moi. Qu'on le voie, que je risque de perdre la vie à cause de ça lui était complètement indifférent. Je ne lui ai pas adressé la parole, pas une seule, cette entrevue a pourtant scellé ma destinée. En tout cas dans cette vie, conclut-elle doucement.

Pendant son récit, je n'avais pas ouvert la bouche. À peine se fut-elle tue que je m'exprimai avec passion :

– J'ai beau ne pas comprendre les raisons qui vous ont poussée à me révéler cette histoire, j'en suis contente. Ce que vous avez subi m'attriste beaucoup, d'autant qu'on a agi avec inconséquence sans se préoccuper de vous, de votre famille ni de votre avenir. Vous assurez que le prix

est très élevé pour vous, et j'ignore ce que vous enten-
dez par là. L'est-il vraiment? Cultivée, intelligente et belle
comme vous l'êtes, vous avez toujours la possibilité de
partir. Je peux vous aider. C'est épouvantable d'épouser
quelqu'un que l'on n'aime pas.

— Trop tard, répondit-elle d'un ton las, en commençant à se lever.

Je me rendis compte qu'elle n'avait absolument pas
bougé durant toute notre conversation. Pas une seule fois.
Avait-elle eu peur de tomber? Son immobilité lui avait-
elle permis de tenir le coup? Quoi qu'il en soit, le regard
qu'elle posa sur moi était plein de pitié et de dégoût.

— Comment pourriez-vous m'aider? souffla-t-elle.
Vous les Anglais, vous ne songez qu'à donner de l'argent.
Je parle de déshonneur. Je me suis souillée avec un
Anglais, et je dois en assumer les conséquences. Pour lui,
celles-ci n'existent pas : seule la conquête l'intéresse. Alors
que mon amour est aussi profond que ma haine. Tout est
consommé.

Je la dévisageais, m'efforçant de la comprendre. En
vain.

— Je suis venue vous déshonorer comme on m'a déshonorée, poursuivit-elle. C'est la raison de ma présence
ici, qui vous fait perdre votre honneur. Et je suis aussi
venue vous montrer le prix que j'ai payé pour la petite
aventure de votre mari avec une indigène.

Sa longue silhouette drapée vacilla, et j'aperçus un
éclat d'or tandis que son coude se dégageait du tissu.
S'approchant de moi, elle sortit deux bras cuivrés du sari
ivoire. Elle avait les mains tranchées. De longs points
noirs suturaient les moignons livides.

Elle partit dans un char à bœufs, voilée et derrière
des rideaux, comme à son arrivée. Je restai assise aussi
figée qu'elle l'était quelques instants auparavant. J'avais
l'impression qu'elle était toujours là, ou que je m'étais
fondue en elle et que nous formions un seul être. Si ridicule que cela puisse paraître, je pris lentement conscience
que je tentais, en un sens, de la garder avec moi afin de
l'empêcher de choisir son destin ou d'être choisie par son

destin, quel qu'il soit. Peu de temps après, Joseph entra et s'approcha de moi. Il n'ouvrit pas la bouche. Nous demeurâmes ainsi un moment jusqu'à ce qu'il reparte en portant le plateau. Aussitôt, mon état de choc céda la place à d'incoercibles sanglots. Je passai la matinée les yeux rivés au siège qu'elle avait occupé. Enfin, à midi, je sortis sur la véranda ; Joseph m'y rejoignit, se postant près de mon fauteuil. Sans le regarder, je déclarai :

– Je sais, Joseph. Tu n'as rien à ajouter.

Il ne bougea pas. Puis, avec une infinie douceur, il posa la main sur mon épaule qu'il tapota, une fois, deux fois, avant de retourner à l'intérieur.

Le lendemain, réveillée avant l'aube, je bourrai fébrilement les lourds sacs achetés chez le marchand de soie. Des piles de vêtements m'entouraient lorsque Joseph m'apporta le thé. Accroupie sur les talons, dans la posture qu'adoptait le mali, je vis l'expression de son visage. Il ne fit cependant aucun commentaire.

– Joseph, on s'en ira dès que tu auras tout organisé.

Il acquiesça tandis que je continuais mes bagages.

– Joseph, repris-je, je voudrais que tu fasses parvenir aussi vite que possible cette lettre au docteur Sahib. Ton cousin peut-il s'en charger comme la dernière fois ? – Je lui tendis l'enveloppe. – Il faut qu'il la reçoive aujourd'hui. Tiens, donne-lui ça.

Joseph secoua la tête.

– Pas nécessaire l'argent, memsahib.

Par la suite, je découvrirai que j'avais machinalement entassé une affaire après l'autre dans le sac, sans y prêter la moindre attention. Je ne songeais qu'à partir et à prévenir Sam de l'endroit où je serais. Bridget m'avait donné deux adresses à Simla. En regardant un plan de la station dans les collines, j'optai pour la plus éloignée du centre de la ville. L'idée que Sam ne me trouve pas me tracassait.

Quand tout fut prêt et chargé, je fus contente d'avoir choisi la route plutôt que le train, même si le voyage serait épouvantable. Il me fallait une épreuve. Et de la lenteur afin de parvenir à voir les choses autrement. Il me fallait apprendre à me vider l'esprit pour oublier la jeune fille immobile en sari ivoire – son regard noir dont je sentais toujours la condamnation. Outre mon angoisse et ma nervosité, je glissais mes mains sous mes bras que je croisais sur ma poitrine dès que je m'asseyais ou marchais.

La lumière était d'une grande douceur au moment de notre départ. Nous empruntâmes un raccourci par des petites routes longeant des champs de canne et des bosquets de manguiers. Des bovins traversaient des cours d'eau stagnants. Des silhouettes sombres accroupies dans les champs levaient les yeux sur notre petit cortège. Je me trouvais dans la tonga, mes affaires sur le siège libre et le palefrenier tenait les rênes. Joseph, lui, était installé dans l'ekka entouré de nos provisions, bagages, couvertures et bouteilles d'eau. Nous avancions en silence. Des gens marchaient en portant des ballots de nourriture. Des enfants, assis dans la poussière, mâchonnaient de la canne à sucre. Des chiens efflanqués étaient allongés à l'ombre. Nous finîmes par arriver dans une zone où les taudis et les huttes des intouchables étaient disposés en cercle. Accroupis dans un immonde terrain vague plein de détritus, ils nous regardèrent passer. Des remugles de poisson mort émanaient de la rivière. La terre se desséchait. La misère et la détresse de ces gens me dégoûtaient. Ma compassion s'était estompée. Nous les dépassâmes à toute allure. Le paysage ne tarda pas à se dégager et, sur une éminence, la grande plaine éclatante apparut. Elle se déroulait à l'infini, complètement plate, tandis que des montagnes se profilaient à l'horizon – un mur bleuté qui miroitait dans la brume de chaleur. Le soleil n'était pas encore vraiment haut. Nous roulions vite en soulevant de la poussière.

Une fois parvenus à la *Great Trunk Road*[1], nous montâmes une pente raide et atteignîmes une surface bien damée. Les hommes comme les animaux l'empruntaient pour gagner les bourgs et les villes du Nord, ou les collines au-delà. Lorsque nous les rejoignîmes, les gens nous jetè-

---

1. Grande artère commerciale qui part de Calcutta, passe par le Pendjab et va jusqu'à Peshawar.

rent des coups d'œil. Ni accueillant ni hostile, leur regard
était simplement indifférent. Nous étions de passage ; eux
aussi – cela n'avait pas d'impact sur le cours des choses.
Nous faisions partie de cette foule qui marchait d'un pas
lent et sûr à mesure que la matinée s'écoulait. Des membres de toutes les castes déambulaient sur la route, mais
certains se déplaçaient rapidement, sans parler, en restant
d'un côté, tandis que d'autres se maintenaient à l'écart. On
faisait apparemment la distinction entre ceux qui étaient
souillés et ceux qui ne l'étaient pas. Le palefrenier roulait vite sur la voie du milieu de l'artère qui en comptait
quatre. C'était la seule plate et pavée, où la circulation
était fluide. Les voies externes étaient encombrées de
charrettes chargées de cages de poulets et d'oies, de sacs
de légumes et de riz, entre lesquels des enfants étaient
coincés. Il y avait aussi un bébé blotti contre une femme
enceinte en sari. De lourds chars à bœufs transportant du
riz, du sel, du grain, du bois d'œuvre, des peaux, des balles
de coton et des objets en argile se traînaient sur une voie
en terre battue. Et partout une foule avançant lentement.
Les hommes étaient suivis par les enfants et les femmes,
qui, un bébé accroché à leurs hanches, bavardaient et
riaient tout en faisant trembler la poussière avec les bords
de leur sari. On eût dit qu'elles auraient pu cheminer pendant un siècle. De temps à autre, nous tombions sur des
rangs compacts de troupes britanniques et indiennes,
dont les hommes défilaient dans leurs treillis poussiéreux,
coiffés du casque de liège. Ils étaient joyeux parce qu'ils
se dirigeaient vers les collines. De longues charrettes en
bois croulant sous les provisions les suivaient, ainsi que
des files de chevaux, d'éléphants et de chameaux bâtés de
lourds sacs qui pendaient de leurs selles. Ils nous firent
signe et se regroupèrent après s'être écartés pour nous
laisser passer.

Des arbres ombrageaient la plus grande partie de la
route, le long de laquelle se dressaient des campements,
des sanctuaires et des postes de police. Un Pendjabi en
pantalon jaune vif observait la foule en fumant la pipe. Il
nous lança un bref regard narquois avant d'en tirer une
bouffée, à l'affût des bandits ou de fauteurs de troubles. La

pagaille et la saleté régnaient dans certaines aires de repos dont les feux étaient piétinés, où des mendiants guettaient le prochain bienfaiteur. Dans d'autres, propres et situées à l'ombre, on trouvait des échoppes vendant de la nourriture, du tabac et du bois de chauffage. En cours de route, j'aperçus un abreuvoir, un puits, un ruisseau près desquels des gens étaient rassemblés, par petits groupes, séparés les uns des autres comme s'ils avaient toujours à l'esprit le danger de la contagion. Dans des lieux plus isolés, on entendait les voix perçantes des femmes *purdah*[1], cachées derrière les rideaux à pompons de litières pourvues de dais brodés. Je fus fascinée de voir émerger une main pâle garnie de bagues, qui ne tarda pas à disparaître.

La route était droite. Tantôt elle grouillait de monde, tantôt elle était déserte. Plate, sans aucun virage, elle s'élevait parfois un peu. Alors les Indes s'étalaient à nos pieds tandis que les collines d'un bleu doux ouvraient la voie au lointain Himalaya. La plaine s'étirait tellement à l'infini que les montagnes semblaient souvent ne pas exister et on avait l'impression de nager sous une mer brûlante, guettant un signe de fraîcheur, d'altitude, d'air. Nous nous dirigions vers Ludhiana où nous comptions passer la nuit. Joseph, aux petits soins, veillait à ce que nous nous arrêtions fréquemment pour que je me repose. Il étalait une courtepointe sous un arbre et m'apportait de l'eau afin que je puisse me laver la figure. Nous nous adressions à peine la parole. Incapable de ressentir quoi que ce soit, je ne parvenais qu'à regarder autour de moi comme si cette tentative d'immersion et de communion était susceptible de me sauver. De l'autre côté de la route, d'autres voyageurs récupéraient, faisaient la cuisine, mangeaient et dormaient. Parfois, un groupe de gens – un village entier peut-être – s'éloignait du bas-côté et empruntait un sentier à travers la plaine. Des hommes de grande taille marchaient à côté de chariots de coton et de grains, qui grinçaient. Des fouets tournoyaient dans l'air. Des remarques cinglantes fusaient dès que quelqu'un se mettait en tra-

---

1. Pratique de dissimulation de la femme aux regards. Le plus souvent confinée, elle ne se montre que voilée.

vers de leur chemin. Leur impatience et leur épuisement étaient perceptibles, mais ils ne les montraient pas. Le soleil filtrait entre les branches les plus basses des arbres. Le jour ayant atteint puis dépassé son point d'ébullition, le ciel miroitait. Et la majesté voilée de l'Himalaya ne cessait de surgir devant nous, cachée par des nuages et la neige. De temps à autre, une arête déchirait la couverture nuageuse pour disparaître l'instant d'après.

Aux abords de Ludhiana, nous trouvâmes une hôtellerie; un affreux bâtiment au toit plat en retrait de la route. L'aubergiste, un Écossais hargneux en état d'ébriété, étonné que j'aie entrepris mon voyage sans escorte de militaires ou de policiers, parut en conclure que j'étais une prostituée. Comme sa tête ne me revenait pas, je pris une chambre à l'arrière, près de l'endroit où Joseph et le palefrenier déchargeaient les chevaux et s'installaient pour la nuit. Les étoiles qu'ils verraient, la fraîcheur de l'air nocturne qui les environnait me firent envie. De mon horrible chambrette, je les entendis bavarder, préparer un feu, étendre des couvertures sous un arbre et dîner ensemble. Des perruches et des tourterelles se mirent à roucouler dans les branches devant ma fenêtre. Un peu plus tard les chauves-souris traversèrent le ciel. Et je finis par m'endormir.

Le lendemain, nous retrouvâmes la plaine mais la chaleur était un peu moins suffocante. Chaque fois que nous tombions sur un ruisseau ou une source, Joseph m'apportait un seau d'eau. Plus nous approchions de notre destination, plus celle-ci était froide; c'était un délice d'y plonger les mains, de m'en asperger le visage. Aux abords des collines, nous aperçûmes des forêts de cèdres de l'Himalaya dans le lointain, et comme nous prenions de l'altitude, le vent devint coupant, revigorant. Des blocs de pierre, des rochers et du gravier jonchaient les accotements, comme si la montagne s'était élevée en se débarrassant de ce qu'elle avait dans son giron. Le prochain hôtel européen, situé à l'écart de la route, était bien signalé par des panneaux. Après avoir tourné à un angle,

nous prîmes une piste en terre battue qui grimpait une
côte. Au sommet, il y avait un presbytère victorien aux
belles proportions, derrière lequel se dressait un bouquet
de chênes. Dès que la tonga eut bruyamment remonté
l'allée en graviers qui conduisait au portail, une femme
sortit sur la spacieuse véranda et dévala l'escalier pour
m'accueillir :

— Est-ce que vous allez bien ?

Elle me dévisageait, persuadée que j'avais subi les
pires malheurs en cours de route.

— Très bien, merci, lui répondis-je. Avez-vous une
chambre ?

— Vous ne voyagez tout de même pas seule ? me
demanda-t-elle.

Relevant le voile diaphane qui entourait mon chapeau
à larges bords, je tendis la main pour désigner Joseph :

— On s'est très bien occupé de moi.

— Eh bien, vous venez d'arriver aux Indes, s'offusqua-
t-elle, en me faisant pénétrer dans la fraîcheur du vestibule. Entrez, on va vous installer.

Elle m'emmena dans un salon meublé de canapés
recouverts de tissus décolorés par le soleil et de tables
en acajou. Un vase en cuivre rempli de pieds-d'alouette
bleu foncé était posé sur le couvercle du piano. Les murs
étaient tendus d'un papier à motifs d'oiseaux exotiques.
Des rideaux de soie bleue étaient accrochés aux fenêtres,
aussi grandes que des portes, donnant sur la véranda.

Mon hébétude commença à se dissiper. L'aspect
familier de l'hôtel me rassérénait, tout comme la femme
qui le tenait. Durant le périple sur cette route torride,
j'avais regardé défiler le monde sans ressentir quoi que
soit. Aucune parcelle de sa beauté, ni de sa misère n'avait
percé le mur. Tout ce qui s'était offert à mes yeux m'était
étranger, bizarre, au-delà de toute compréhension. En
retrouvant un univers que je connaissais, quelque chose
commença à frémir en moi

— Cette maison, m'expliqua mon hôtesse, tout en
m'indiquant un fauteuil près de la fenêtre, faisait partie d'une petite paroisse. C'est le seul bâtiment qui reste,

comme vous le voyez. Il a vingt ans, l'église a été réduite
en cendres lors d'une insurrection. Quand mon mari a
pris sa retraite, nous l'avons acheté au pasteur. À l'époque,
la Grande Route était la seule voie qui reliait directement
le Sud au Nord. Les Indes ont changé de fond en comble
quand on s'est mis à se déplacer par la route au lieu de
naviguer sur les rivières et à nouveau, bien sûr, à l'arrivée du chemin de fer. Lorsque nous avons acheté la maison, ajouta-t-elle, en calant ses formes généreuses dans
une bergère, en face de moi, nous pensions qu'un petit
hôtel anglais, plein de charme, serait tout à fait indiqué
pour les gens qui venaient passer l'été dans les collines.
Le gouvernement au grand complet y va, vous savez. Le
vice-roi et sa cohorte d'officiers. Tous les dignitaires : le
commandant en chef ainsi que les ministres de Delhi et
du Pendjab, sans compter les officiers et leurs épouses
de la plaine. En ce temps-là, la route grouillait de sahibs.
Nous les recevions pour la nuit avant la dernière partie du
voyage jusqu'à Simla ou Mussoorie. C'était très amusant.
À présent – elle passa la main dans ses cheveux – c'est
très différent. Nous restons malgré tout ouverts, et des
clients continuent de se présenter – elle sourit – comme
vous, bien que ce soit tard dans la saison.

Elle remarqua que je ne portais pas d'alliance.

– Vous êtes venue avec la flottille de pêche ?

– Non, répondis-je en riant. Avec mon mari. Nous
sommes en garnison à Ferozepore, mais il est parti en
service actif dès notre arrivée.

Ce fut à son tour de rire.

– Oh, je connais ça par cœur, assura-t-elle. Mon
mari a beau être à la retraite, nous faisions partie de
l'armée.

Elle embrassa la pièce du regard.

– Nous adorons ce pays et n'avions pas envie de rentrer en Angleterre. Les choses ne se passent pas si mal,
c'est agréable d'avoir un visiteur de temps à autre. En
outre, des militaires s'arrêtent parfois, pour le plus grand
plaisir de mon mari. Bon, assez bavardé. – Elle plaqua ses
mains sur son giron. – Vous devez être épuisée. Je vais

vous montrer votre chambre, et ensuite pourquoi ne pas descendre prendre un verre de sherry avec nous?

Je la suivis dans l'escalier. Ma chambre donnait sur un terrain de croquet et une piscine carrée entourée de saules pleureurs. Un lit à baldaquin trônait au milieu et une coiffeuse en acajou, drapée de dentelle victorienne, où s'amoncelaient des colifichets lui faisait face. Un fauteuil rembourré et une armoire occupaient presque tout l'espace. Le manteau de la cheminée était couvert d'insignes de l'armée, mais il y avait du bois dans l'âtre. Vu le froid, j'en fus ravie. L'hôtesse me laissa quelques minutes, puis elle revint en portant un vase rempli de géraniums rouges et quelques épaisses serviettes blanches. Et, comble de joie : des tuyaux étaient fixés à la baignoire de la salle de bains. J'étais au septième ciel. Le bonheur d'un tel luxe valait bien un apéritif et un brin de conversation.

– Installez-vous, dit-elle. Je vais envoyer quelqu'un pour allumer le feu et vous donner une couverture de plus.

En fin de compte, ce fut très agréable de siroter un sherry en grignotant des canapés. Nous nous tenions dans la véranda, assis sur des sièges en rotin recouverts de peaux de tigre. La brume qui tombait des montagnes flottait au bout de la pelouse et, au loin, l'Himalaya dominait les arbres, ses neiges éternelles se dérobant à nos regards. Lorsque la nuit tomba avec son habituelle brutalité, les montagnes disparurent complètement. Tout en buvant, je leur donnai un aperçu de ma vie, afin d'expliquer le manque d'organisation de mon voyage. Ils étaient tout ouïe. Lily Saunders s'indigna en découvrant où j'allais résider à Simla :

– Albert Street, ça ne va pas du tout, surtout après la maladie que vous avez eue. C'est normal que vous ayez envie de vadrouiller en ville, de courir les déjeuners et les dîners, de participer à la vie mondaine, mais j'ai cru comprendre que vous aviez besoin de calme pour récupérer. – Elle prit une gorgée de sherry. – Bien entendu, poursuivit-elle en reniflant, Albert Street est située aux antipodes du quartier élégant. C'est la rue la plus animée et la plus bruyante, où des rickshaws circulent toute la nuit, où les lanciers font la noce. J'ai entendu dire que, de nos jours, des gens peu recommandables ne viennent que pour le spectacle. Ils ne sont invités nulle part. La présence de ces badauds regardant bouche bée le vice-roi sortir du théâtre – ce genre de choses – est assez effroyable. Au bout d'Albert Street, il y a aussi quelques hôtels plutôt miteux, sans compter que c'est trop près du bazar. Ce n'est pas un coin pour vous.

» Je me rappelle les périples de Bikaner à Simla que je faisais dans mon enfance, ajouta-t-elle avec nostalgie. À l'époque, il n'existait que quelques maisons et pas d'Albert Street. C'était infiniment plus agréable que maintenant : Simla n'est plus ce qu'elle était. La racaille l'envahit, et il n'y a pas moyen de l'en empêcher. En plus, ainsi que vous le confirmera le major, votre statut de femme mariée n'est pas une protection pour les petits exploits romanesques ou autres idylles qui surgiront. C'est un lieu d'un romantisme indescriptible. Du temps de ma jeunesse, nous montions à cheval au clair de lune, nagions dans le lac, emportions un pique-nique de poulet froid et de champagne et passions la nuit dehors sous les étoiles. Tant qu'il n'y avait que des officiers, ce n'était pas grave. Il paraît que les liaisons ne sont plus aussi innocentes maintenant. Aussi, annonça-t-elle, en posant sur moi ses yeux marron étincelants, j'ai un bien meilleur projet pour vous. Pourquoi ne pas loger dans notre cottage ? Naturellement il est situé assez à l'écart, mais cela peut vous convenir. Il est isolé et le calme qui y règne est idéal pour quelqu'un qui n'a pas envie d'être dérangé. Voyez-vous, les premières maisons ont été construites au pied des collines. Les nouvelles qui s'entassent maintenant sur les pentes sont vraiment moches. En revanche, la nôtre est ancienne ; même si ce n'est qu'un simple pavillon d'été, vous y serez très bien. Et puis il y a un joli lac à proximité pour faire du bateau.

– C'est impossible, protestai-je faiblement. C'est beaucoup trop gentil à vous. Il n'est pas question que vous vous donniez tout ce mal.

– Ne soyez pas ridicule, m'interrompit le major Saunders, s'animant soudain après son deuxième whisky soda. Le cottage appartient à mon fils qui est en permission jusqu'au mois de décembre. Sans compter que, vide, c'est une tentation pour les fêtards. George sera content de toucher le loyer car il rentre toujours d'Angleterre sans un sou. Ma femme vous expliquera tout demain matin ; vous trouverez la clé derrière la porte de la resserre.

– Oh, murmurai-je, c'est tellement gentil. Je ne peux vous dire à quel point je vous suis reconnaissante. Puis-je vous donner un chèque demain : pour le loyer et tout ce qui est nécessaire ?

– Ne vous tracassez pas à ce propos, chère amie. Nous réglerons tout demain matin. Si nous dînions ?

Grâce à la carte du paludisme que j'avais jouée, Lily avait déjà décidé que, après deux sherries, je devais filer dans ma chambre, prendre un bon bain chaud et me mettre en chemise de nuit.

– Je vous ferai porter votre dîner, déclara-t-elle en agitant la sonnette pour appeler le domestique. Vous avez l'air absolument éreintée, ma pauvre petite, on se demande comment vous avez pu supporter le voyage. Vous êtes manifestement encore convalescente. Et bien maigre.

Elle se tourna vers son mari.

– Tu la vois toute seule sur la Grande Route. Ça me rappelle mon enfance quand on partait en palanquins avec nos jouets, nos animaux domestiques, leurs litières à côté de nous. Le voyage vers les montagnes ponctué de pique-niques était très amusant pour un enfant. Tout était parfait. Quoi qu'on dise sur les Anglais, ils savent faire des routes. Ils l'ont appris des Romains. Vous n'imaginez pas ce qui circulait sur la *Great Trunk Road* : éléphants, chameaux, régiments, convois de poneys pas débourrés, canons. Un équipage en or destiné à Lord Curzon. Un cirque de Chine. Il n'y a pas si longtemps, des diamants cachés dans la doublure d'une centaine de smokings envoyés à Srinagar en guise de paiement pour un meurtre.

7

Cette nuit-là, je rêvai de la jeune musulmane pour la dernière fois. Je fis une longue promenade au bord du lac le lendemain matin, sans regarder derrière moi pour voir si elle me suivait. Le dernier lien qui m'attachait à Neville était rompu. Si son dessein avait été de me mettre en garde, eh bien je l'étais. Si mon sort était réglé, qu'il en soit ainsi. J'étais tout près de Simla, où il me tardait d'arriver. J'étais décidée à rejoindre Sam. Joseph et moi, nous allions emprunter la Grande Route jusqu'à Balka, puis continuer vers Simla – lui à pied, moi sur un poney. Certes, il y avait un petit train absolument charmant qui proposait un des plus beaux voyages en chemin de fer du monde : la montée des collines de Kasauli, la traversée de Summer Hill et celle d'un tunnel débouchant dans la splendide gare victorienne de Simla. Mais je voulais monter à cheval. J'en avais besoin afin de m'immerger dans la vie du pays. D'après Lily Saunders, j'avais raison. Son mari, en revanche, me trouvait folle.

Lorsque nous partîmes, le temps était couvert et il faisait froid. Quittant la Grande Route, nous tournâmes immédiatement vers un étroit chemin qui s'élevait graduellement. D'abord en douceur. Puis d'une manière spectaculaire. À mesure que je gravissais le sentier conduisant aux montagnes, je sentis mon cœur se dilater comme si je me trouvais dans un coin reculé du Pays de Galles, où des vents glaciaux mugissent le long d'affleurements rocheux, cinglent les chaumières en pierre et poussent les feuilles mortes dans les ruelles. Cet aspect familier que j'aimais tant me revigora : on eût dit que j'exhalais un souffle que je retenais depuis mon départ du bungalow de Ferozepore. J'expirai à plusieurs reprises, et quelque chose en moi parut se libérer. Plus j'avançais, plus je me sentais détendue, presque nue. L'air frais et épicé était grisant. L'eau des torrents charriait de la neige fondue. Je m'arrêtai sur une saillie pour regarder grimper les autres poneys. Des soldats anglais et indiens qui avançaient en file indienne se distinguaient par leur topis en forme de cône et leurs uniformes, noircis aux endroits où ruisselait la sueur. Quelques Européens qui voyageaient dans des *dandies*[1], étaient suivis par des porteurs chargés de bagages – l'un poussait une bicyclette, l'autre portait un énorme tambour aux couleurs du régiment sur la tête. Je cherchai Joseph, que je finis par reconnaître grâce au turban rouge qu'il m'avait promis de mettre pour que je puisse l'apercevoir de loin. J'agitai frénétiquement le bras jusqu'à ce qu'il lève les yeux. Il me salua aussitôt de la main. Les larmes me montèrent aux yeux au souvenir de son dévouement sur la route, ainsi que de la façon dont il était resté en silence près de moi après m'avoir annoncé la mort de la jeune musulmane. Il avait posé la main sur mon épaule comme un camarade, comme un véritable ami. Et voilà qu'il grimpait péniblement une pente, accompagnant l'étape suivante de mon périple.

L'ascension devenait plus pénible, je transpirais à grosses gouttes. Le poney connaissait le chemin. Heureusement parce que je ne savais absolument pas où j'allais et qu'à cette altitude, plus rien ne ressemblait au Pays de Galles. Il était difficile de chevaucher sur une pente aussi escarpée ; le sous-bois, qui avait souvent l'aspect d'une jungle, envahissait le sentier. Joseph m'avait recommandé de ne jamais m'en écarter : « Mem, un raccourci vous mènera en Chine ou au Tibet. Dieu vous perdra si vous ne restez pas sur le chemin. » Celui-ci, étroit lorsqu'il descendait à travers des flancs de coteaux surpeu-

---

1. Hamac attaché à des perches en bambou, porté par deux hommes.

plés, s'élargissait dans les lieux dégagés. Des pâturages
s'accrochaient au pied de terrasses boueuses parsemées de
huttes. Le bétail était de très petite taille. Les gens aussi.
Avec leurs yeux bridés, leurs pommettes saillantes, leurs
fins sourires, ils avaient l'air de Mongols. Ils sentaient
fort. Ils étaient d'une telle agilité et d'une telle rapidité que
c'était merveilleux de les regarder bondir avec la légèreté
d'un chevreuil sur les sentiers qui traversaient les villages
et les vallées. Rien n'est plus délicieux que lorsque la route
passe par un bois crépusculaire où l'ombre ruisselle sur
vous comme de la pluie. On entend les murmures des
cours d'eau et du vent qui s'engouffrent entre les chênes
et les noyers. Les trilles des oiseaux, si assourdissants
qu'ils soient, sont ici plus mélodieux car tourterelles, bar-
bus et coucous remplacent les perroquets et les coucous
éperviers. Il y a quelque chose de sacré et de mystérieux
dans ces bois parfois un peu lugubres. Au sortir de leur
pénombre, l'on voit des bouleaux et des pins ployer sous
le vent, ainsi que de lourds rhododendrons blancs aussi
gros que des arbres, sur les feuilles fragiles desquels volet-
tent des papillons jaune pâle. L'air qui semble crépiter
insuffle une véritable énergie. C'était néanmoins éreintant
de gravir des cols rocheux et des chemins raides argileux,
jonchés de pierres. La descente était pire encore à cause
des crampes, aussi descendais-je très souvent de ma monture pour me dégourdir les jambes. Je voulais continuer
jusqu'à en tomber d'épuisement, mon corps à bout de
forces, parce que cela évoquait l'amour sexuel. Or ce que
je désirais par-dessus tout, ce qui m'avait poussée dans ces
montagnes infernales, c'était Sam. Nous faisions souvent
halte. Parfois, j'attendais le cavalier se trouvant derrière
moi – nous étions six à cheminer ensemble – et nous
buvions de l'eau, partagions raisins et biscuits secs tout
en échangeant quelques mots. Nous ne cessions de poser
les mêmes questions : « À votre avis, c'est encore loin ? À
combien d'heures de marche ? » Auxquelles les uns et les
autres nous répondions invariablement : « Aucune idée.
Espérons que ça ne va durer encore trop longtemps. »
Puis nous nous remettions en route, bien décidés à arriver
à destination avant les autres.

Dans la montagne, je ne pensais strictement à rien. Je me contentais d'être là, présente et vivante, parmi les fougères et les cascades, à observer les lapins se précipiter dans des terriers, ou les ombres projetées par les nuages sur les flancs de la montagne. Au bord d'un précipice, je m'arrêtai pour contempler le vide jusqu'aux cimes de pins d'un vert très sombre. Se trouver à une telle hauteur coupait le souffle et donnait le sentiment d'être aussi vulnérable qu'une brindille que le vent pouvait balayer. Lorsque l'on jette une pierre d'un à-pic, elle ne renvoie aucun écho tandis que le silence d'un abîme insondable s'étend en dessous. Au sein de cette immensité, on ne se sent presque plus exister. Le vent dans les arbres et le roucoulement des tourterelles paraissent étrangement humains, à moins que ce ne soit simplement parce que l'on ne fait plus qu'un avec eux. Quelque part là-haut, le sentier rejoignait une large route dégagée, de celle que nous avions empruntée à partir d'Umpalla. En l'apercevant, je fus soulagée : le dernier tronçon jusqu'à Simla serait plus praticable. Comme nous montions plus haut, une certaine euphorie s'empara de moi. Sans doute étais-je en train d'expulser la malaria de mon sang, de brûler la fièvre, de la rejeter de mon corps. Ainsi, je m'endurcissais et prenais des forces pour ce qui m'attendait. Il me semblait que nous nous dirigions vers le toit du monde. Aux arrêts le long de la route, la circulation s'intensifiait : bergers, bûcherons, tailleurs de pierre, troupes, hindous, musulmans, sikhs et Persans. Tous marchaient avec entrain, et des gens d'autres couches sociales les avaient rejoints : musiciens, chanteurs, comptables, prêteurs, avocats, coiffeurs, prostituées, danseuses. À l'approche de Simla, le terrain s'aplanit par endroits. On passa devant des éléphants, certains à moitié dissimulés par de hautes herbes et des fleurs bleues, d'autres s'ébattant dans la rivière. Les inévitables chevaux, chameaux et chars à bœufs n'arrêtaient pas d'arriver. Parfois, on apercevait un visage blanc dans une Ford ou un maharaja rutilant dans une Cadillac. Une caravane de jeunes princes en Jaguar blanches roula en vrombissant et en klaxonnant. Des officiers d'état-major trottaient sur des étalons noirs. Un régiment entier se déplaçait, drapeaux déployés, au son des clairons. À leur passage, la route s'animait, mais la plupart du temps elle n'était peuplée que de gens qui marchaient, s'arrêtaient pour prier, boire et manger, prendre des bains rituels dans la rivière et dormir serrés les uns contre les autres. Pour être en sécurité. Pour se tenir chaud. Nous faisions quelquefois halte pour regarder, en arrière, la cuvette plate de la plaine lointaine avant qu'elle ne disparaisse de notre champ de vision. C'était toujours ainsi, un paysage se dérobait à nos regards tandis qu'un autre apparaissait. Les majestueux massifs se profilèrent : les neiges de l'Himalaya et l'imposant sommet de Jakko qui surgissait des nuages puis s'y cachait à la manière d'une femme derrière son voile. Là-haut, très haut, se dressaient des montagnes dont les glaciers aussi vastes que la mer étaient aussi inaccessibles que les étoiles.

Enfin, nous aperçûmes la ville de Simla – un spectacle saisissant à cette distance, alors que la nuit tombait au galop. Les versants des collines semblaient constellés de perles en raison du chapelet de lumières étincelantes. La route principale traversait la ville basse où des rickshaws se faufilaient entre les boutiques et les ruelles, ressortant derrière le bazar dans une cour où s'alignaient des écuries. Après le silence de l'altitude, le vacarme était presque insupportable. Je discutais avec certains de mes compagnons de route, un officier et deux caporaux-chefs. Nous étions devenus très amis, comme il se doit à la fin d'un long voyage, avant que chacun aille son chemin. On me donna des conseils. On me recommanda d'être prudente. On m'invita à prendre un verre et à dîner. Mais j'avais hâte de leur fausser compagnie et de m'organiser. Il me fallait trouver un mode d'existence dans cette ville accrochée n'importe comment aux contreforts. On ne pouvait s'empêcher de regarder vers le haut ; l'œil était en permanence attiré par les collines, puis par les montagnes derrière, sans jamais apercevoir l'horizon. Les maisons étaient de tous les styles : chalets suisses, villas victoriennes, bungalows, cubes. Le plus stupéfiant – à deux mille cinq cents mètres d'altitude – c'était que les habitations étaient perchées sur d'étroites terrasses surplombant de vertigineux précipices, on aurait dit des mouettes blotties sur des falaises. Les maisons s'étageaient sur les versants jusqu'au sommet ;

d'abord entassées, elles se clairsemaient à mesure que la crête approchait. Au nom du ciel comment s'y rendait-on? Les Anglais avaient-ils transformé ce palais de plaisirs en garnison? L'atmosphère était oppressante. On sentait qu'une petite communauté emmurée se cachait derrière ses collines avec ses bals, ses réceptions en plein air, ses tennis, ses théâtres, ses tenues de soirée obligatoires – ultime folie de l'Empire arc-bouté sur sa gloire, même si elle était sur le déclin.

Un palefrenier vint me délivrer de mon poney. Il m'indiqua où trouver un cheval le temps de mon séjour à Simla – un moyen de transport indispensable dans une ville sans voitures. Je hélai un rickshaw et donnai mes instructions au conducteur. J'évite le plus possible d'en prendre : on ne peut s'empêcher de penser que l'homme qui le tire remplace un cheval. Moi, je suis assise dans un siège tandis qu'il court entre deux perches. Ça ne lui pose apparemment aucun problème; de temps à autre, il me crie : « Accrochez-vous, memsahib, bientôt virage brutal, mais n'ayez pas peur, Allah est avec nous. » À l'évidence, il n'était possible de se déplacer dans Simla qu'en pousse-pousse, à dos de poney ou à bicyclette. Il m'entraînait à tombeau ouvert, montait, descendait, se ruait dans des venelles, en sortait, et, lorsque je baissais soudain les yeux, je m'apercevais que nous oscillions au-dessus d'un précipice de trois cents mètres de profondeur. Peu à peu la ruelle s'élargit. Au bout d'une dizaine de minutes, nous atteignîmes un quartier de la ville plus plat, aux bas-côtés plus larges. Puis nous arrivâmes devant une rangée de petites maisons alignées à flanc de coteau. Le rickshaw s'arrêta brusquement, et je descendis. Mon cottage se trouvait en face de moi, bordé de haies des deux côtés, précédé d'un jardin fleuri de pensées, de pois de senteur, de glycines et de chèvrefeuilles. Derrière se dressait la vaste chaîne dentelée de l'Himalaya, hérissée de pics, spectrale sous la lune.

Il fallait que mon anonymat soit absolu, ce qui ne serait pas une mince affaire dans une ville de l'Empire où la saison battait son plein. Simla grouillait de fonctionnaires, de dignitaires, de grands commis de l'État, de la moitié des membres de l'administration, sans compter l'armée. Venue chercher Sam, j'aurais volontiers envoyé paître le reste du monde. Mais comment le trouver? Et si j'y parvenais, comment le rencontrer? Incapable de dormir, je passai une nuit très étrange. En premier lieu, je souffris de courbatures et de douleurs diverses provoquées par l'interminable et pénible chevauchée; puis je fus prise d'un vertige que j'attribuai au mal des montagnes tandis qu'une nausée comparable à celle que j'avais eue lors de la traversée du golfe de Gascogne s'emparait de moi. Renonçant au sommeil, je déballai mes affaires et m'installai à la lueur de l'unique lampe à pétrole. Malgré son côté spartiate, le cottage était pourvu du nécessaire. Je dénichai la literie et des serviettes, en revanche je fus incapable de trouver le moyen de me procurer de l'eau. Je ne vis qu'un puits avec des poulies. Heureusement, il ne manquait pas de bouteilles d'eau. Après m'être lavée, je me fourrai au lit où je me pelotonnai sous toutes les couvertures que j'avais trouvées. Ainsi couchée, je tentai de rassembler mes pensées. Pour je ne sais quelle raison, elles ne cessaient de revenir à la femme de Sam, que j'imaginais avec elle. Jusque-là, jusqu'à l'incident avec la jeune musulmane pour être plus précise, elle ne m'avait pas empêchée de dormir. Après en avoir parlé avec Sam, elle s'était fondue dans l'ombre. Voilà qu'elle réapparaissait en pleine lumière.

À la bibliothèque du club, j'avais emprunté un livre intitulé *La tradition hindoue*, que j'avais dévoré. Il m'avait aidé à comprendre un peu la vie de Sam, et je m'étais sentie à la fois impressionnée et étrangère à tout cela. Jusqu'à cette première nuit à Simla, je n'avais pas éprouvé l'ombre d'un sentiment de culpabilité envers sa femme. À présent, elle m'obsédait. En outre, les conséquences m'effrayaient. Quelles souffrances cette liaison susciterait-elle? L'un de nous serait-il épargné? Ce changement d'état d'esprit ne me plut guère : il était inopportun, fâcheux et désagréable. Mais rien n'y faisait : une culpabilité visqueuse et gluante m'envahissait. Mon invincibilité s'était volatilisée, j'étais simplement une fille perdue, immorale, désespérément amoureuse. Et la silhouette de l'épouse de Sam se précisait, on aurait presque dit qu'elle collait son visage à la vitre. Je m'efforçai de la distinguer avec l'espoir que cela m'aiderait à retrouver le cynisme avec lequel je pensais à elle auparavant. Elle était devenue bien davantage qu'une abstraction. Je me la représentais comme une femme, voilée, mais réelle et vivante. Une femme qui, à l'âge douze ans, avait été fiancée à Sam et qui avait depuis mené une vie dont ce dernier était le seigneur et maître. C'était en soi effrayant qu'une femme puisse considérer un homme de la sorte ou se voir comme un réceptacle pour des fils, une fée du logis, une épouse vertueuse et fidèle. Je devais l'éloigner, l'empêcher de se mettre entre nous. Il m'était impossible de lui accorder la moindre légitimité. Du coup, je me la représentai comme une fille ayant autrefois épousé l'homme qui était devenu mon amant. Le terme d'autrefois introduisait une distance rassurante, comme si tout était consommé et qu'une autre réalité existait. D'une part je me voyais l'attaquer et triompher d'elle, de l'autre je luttais contre le pouvoir, quel qu'il soit, dont elle disposait et qui me faisait défaut. L'instant d'après, sans crier gare, un doute vis-à-vis de Sam me tarauda. Peut-être l'avait-elle récupéré – grâce à une maladie subite, une mort dans la famille, le retour d'Angleterre de leur fils –, un lamentable prétexte de bonne épouse susceptible de me faire passer au second rang voire de m'écarter. Ma nervosité était telle que je m'approchai de la bibliothèque à l'angle du salon en éclaboussant le parquet de lumière. À mon arrivée, j'avais parcouru les livres du regard, aussi allai-je sur-le-champ prendre un volume des œuvres de Kipling sur la deuxième étagère. Et là, dans un poème intitulé « *L'homme à deux côtés* », non seulement je reconnus l'Anglais de couleur, mais aussi moi-même. Tant que je resterais dans un pays qui n'était pas le mien, bien qu'il appartienne à mes compatriotes, je serais partagée en deux, exactement comme Sam l'était, proie d'un conflit entre les deux côtés de ma tête :

Je dois un peu au sol où j'ai grandi
Plus à la vie qui m'a nourri

Mais surtout à Allah qui a donné
À ma tête deux côtés séparés.

Je marcherai sans chaussures ou vêtements,
Sans amis, tabac ni galettes,
Plutôt que de perdre un moment
Un côté de ma tête[1].

Ni le poème, ni mes pensées cette nuit-là ne résolurent quoi que ce soit. Plus je m'attachais aux Indes, plus les questions se complexifiaient : qui étais-je dans ce pays ? Pouvais-je être moi-même et me conduire comme ailleurs ? Ou est-ce que le fait de vivre dans les Indes britanniques délimitait mon identité et la façon dont je devais me comporter, comme c'était le cas pour les Indiens ? Cela concernait-il la femme de Sam ? Ou est-ce que l'Empire ne l'affectait pas, vu son mode de vie, son refus de révéler son visage au monde à cause de sa religion, non à cause d'une interdiction édictée par les Anglais ? Son mode de vie m'exaspérait. J'avais envie de me la représenter comme une sœur aînée dont on rêverait d'être débarrassé ou une épouse plus âgée ayant perdu tout attrait et emprise sur le cœur de Sam. Malgré tout, je ne pouvais éviter de penser avec amertume qu'elle était celle qui l'avait connu encore imberbe, celle qui avait consenti à l'épouser avant d'avoir des seins. Bien sûr, elle n'avait pas eu le choix ni éprouvé le même coup de cœur que moi lorsque je l'avais vu traverser la place blanche et déserte le jour de l'assassinat de la femme. Mais les droits qu'elle avait sur lui étaient aussi indestructibles que ce que ce qui liait les générations et définissait les transactions matrimoniales. C'était un accord scellé par une alliance de caste, la pureté de la lignée. Moi, je n'en avais aucun. J'étais une Feringhi insignifiante. Une intouchable.

Soudain, par désespoir, j'eus envie d'être cette femme et d'avoir la même chose qu'elle – uniquement pour me rendre plus accessible à Sam. Je l'imaginai voilée, protégée

___
1. Extrait de *Kim*, traduction Louis Fabulet et Charles Fontaine Walker, Mercure de France, 1902.

et recluse, en train de marcher dans des pièces fleurant le parfum, d'accomplir d'anciens rites, de s'agenouiller dans son sanctuaire, de faire ses prières et ses sacrifices du matin aux dieux. Tantôt elle lançait un coup d'œil aux collines lointaines par une étroite fenêtre à treillages, tantôt elle regardait les coupoles d'or et d'azur derrière son balcon. La vue restreinte lui donnait-elle un aperçu au-delà des merveilleux jardins suspendus, jusqu'à l'eau bouillonnante près des buissons d'épineux où les buffles se roulaient, où s'accroupissaient des intouchables pour laver leurs hardes crasseuses ? Lorsqu'elle s'attardait à Mussoorie, était-elle accompagnée par les chuchotements de femmes qui s'enduisaient les mains de henné, huilaient et torsadaient leurs cheveux, restaient des journées vautrées sur des coussins en satin à se parer pour exprimer leur pureté intérieure ? Une pureté dont je n'avais et n'aurais jamais aucune idée puisque je m'étais souillée sans espoir de rédemption, comme Sam car il m'avait touchée. Était-ce la raison pour laquelle il m'avait lavée ?

Mieux valait me la représenter en train de passer son office et ses placards à linge en revue pour vérifier si on n'avait pas chapardé un bol de riz ou une serviette, ou de houspiller son cuisinier ou battre ses domestiques au prétexte qu'ils récuraient les casseroles sans respecter les rites de propreté. Je la voyais balancer de la purée de lentilles sur le mur parce qu'une main impure avait sali le récipient. En revanche, je ne parvenais pas à imaginer une personne intelligente prévoyant le repas d'un mari qui allait l'avaler dans la pièce d'à côté avec des convives du même sexe, tandis qu'elle attendait les reliefs dans la cuisine, en compagnie d'autres femmes. C'était inconcevable. Toute la nuit, je me tournai et me retournai dans mon lit, sans savoir quoi faire. Mais tout s'éclaircit le matin.

À mon réveil, je scrutai mon visage et mes bras. Grâce au voyage à dos de poney, ils étaient devenus bruns. C'était parfait. Pas l'ombre du rose anglais ni du mat italien. J'étais couleur café au lait. Et comme je l'avais appris, ici le marron était assimilé au noir – tout ce qui n'était pas blanc était noir. J'ouvris l'armoire à pharmacie où je trouvai un tube de brillantine. Après avoir enduit mes cheveux de l'infâme pommade, je les brossai jusqu'à ce que toute leur longueur soit noire et luisante. Puis je fis une raie au milieu et les tirai en un chignon bien serré. Je soulignai mes sourcils de khôl. J'appliquai un peu de vaseline sur ma peau aux endroits où le soleil avait donné à mon teint la couleur olivâtre de mes ancêtres maternels. Je traçai soigneusement un point rouge sur mon front. Je pris le sari, entrai un bout dans ma culotte, le drapai lâchement sur mes épaules et m'en couvris la tête. Voilà, j'étais fin prête pour la ville de Simla.

Je me répétai que j'étais une Indienne, une hindoue, pour m'en pénétrer, me l'enfoncer dans le crâne. Or, aussi fou que cela paraisse, à l'instant où j'avais mis le sari, je n'avais plus été la même. J'étais libre. Tout me semblait possible. Et je n'avais pas peur. Car, à force de les observer, j'avais remarqué que les Blancs ne regardaient jamais les Indiens. Même si je m'immolais par le feu, aucun Blanc ne me jetterait le moindre coup d'œil. Il me fallait sortir pour voir si je passais inaperçue. Il me fallait découvrir ce qui arriverait. Il me fallait surtout savoir ce que je ressentirais.

Au coin de la rue, un gamin était accroupi dans la poussière avec la patience d'un sage. Quand j'appelai pour qu'il me trouve un *jhampani*, il se transforma aussitôt en entrepreneur. Je le vis insister pour obtenir une commission du wallah des rickshaws, qui l'envoya au diable en lui donnant un coup de pied au postérieur. Après lui avoir glissé quelques *annas*[1], je montai dans le pousse-pousse. Sauf que j'étais anxieuse à présent. Il était exclu de rester près des gens de la race que je m'étais choisie parce qu'ils me flaireraient tout de suite. Aussi gardai-je la tête baissée lorsque je montrai l'adresse qui figurait sur un bout de papier au conducteur. En outre, j'avais pris la précaution d'écrire une lettre à l'intention du propriétaire de l'appartement d'Albert Road, où je lui demandais s'il était arrivé du courrier pour Mme Wenn, faute de me sentir capable de m'y risquer en langue vernaculaire. J'espérais récupérer une lettre de Sam.

1. Un seizième de roupie.

Au pas de course de l'homme, nous nous éloignâmes des jolis jardins de la petite enclave anglaise et nous faufilâmes entre des maisons flanquées de vérandas à l'arrière qui dominaient les toits d'habitations situées sous elles. De loin, on avait l'impression de pouvoir sauter d'un toit à l'autre, comme un enfant jouant à la marelle. D'en dessous, tout paraissait minuscule, et on avait le sentiment d'être au sommet de l'univers, dans une atmosphère qui réduit le cerveau au silence, refroidit le sang et libère l'âme. Mon accès de mauvaise conscience s'était dissipé. Exaltée, je brûlais de désir. Nous nous dirigeâmes vers la rue piétonne où se trouvaient les magasins européens. Là, je dus descendre et continuer à pied parce que certains véhicules seulement peuvent l'emprunter. Tout en marchant, je vis des vitrines pleines de robes en soie, de fracs, d'écharpes, de chapeaux en feutre à larges bords, de pantalons d'hommes en flanelle, de vestes en tweed, de pantalons en lin blanc et de smokings. Sans compter les ombrelles en soie et d'autres chapeaux extraordinaires avec des mètres de tulle destinés à protéger du soleil le teint pâle des memsahibs. Les *Angrezi*[1] s'étaient complètement installés ici, ils occupaient le terrain. Des arbres apportaient de la fraîcheur aux élégantes boutiques ainsi qu'à la rue bordée d'établissements rappelant Bond Street ou Burlington Arcade. Des marchands de tabac vendaient des cigarettes turques, russes ou américaines. Des vins français et des alcools s'alignaient sur des étagères bien garnies. Une pyramide de bouteilles de champagne s'élevait derrière une vitrine. Une collection de masques tibétains était exposée dans un magasin aux murs tendus de soie cramoisie, tandis que, dans un autre, s'amoncelaient des rubis, des diamants, des émeraudes – autant de pierres précieuses de la taille d'un pouce. Un autre encore pourvu d'un auvent vert paraissait déborder de perles rose pâle, mais quand j'y regardai de plus près, je vis une corde noire pailletée se faufiler parmi celles-ci, puis les yeux dorés d'un mamba luisant qui dardait sa langue.

Aussi forte qu'en soit mon envie, je n'osais m'attarder.

1. Les Anglais.

Comme je passais à proximité de dames en promenade, j'entendis des bribes de conversation : « On s'est vraiment bien amusées ! La vue du sanctuaire est splendide, mais je déteste ces ignobles singes ! Avez-vous entendu dire que Mabel n'était pas invitée au bal masqué ? C'est incroyable, non ? Elle a passé la soirée à brailler dans les toilettes du Grand Victorian. Vous imaginez le tableau ? Dieu sait ce qui se passera si elle n'est pas conviée à la garden-party. Bien fait pour elle : même ici, certains hommes sont infréquentables. Combien en avez-vous sur votre carnet de bal pour ce soir, Lydia ? Oh, pas de chance ! Enfin, il va sûrement se remplir. Allons déjeuner dans le petit bistrot chinois, j'adore leurs nouilles. Comme ça nous aurons le temps d'arriver à l'heure du thé chez les Auchinleck. Oh, quelle robe divine ! Peut-être que j'arriverai à persuader mère de faire une folie et de me l'acheter pour le dîner du vice-roi de vendredi. Vous n'y allez pas ? Mon Dieu, comment est-ce possible ? »

Au bout de la rue piétonne, je pris un autre rickshaw sans avoir la moindre idée de ma destination. Le tireur de pousse le comprit et me fit faire un grand tour. Nous passâmes devant la mairie, des bâtiments administratifs, avant d'aller dans le quartier moins flamboyant de la ville où j'avais eu l'intention de m'installer. J'avais beau bénir l'intervention de Lily Saunders, j'étais incapable de décider où je me sentais moins à l'aise : ici, où les hôtels, les boutiques style Belle Époque, les immeubles étaient assez miteux ou plus hauts où la foule des gens élégants flânait parmi les magasins chics. Il y avait une majorité de femmes. Quant aux hommes, le teint rose, les cheveux d'un blond filasse, ils n'étaient pas vraiment séduisants. Pourtant, je savais par Bridget – je m'attendais à tout moment à la voir surgir – que les officiers passaient leurs vacances à Simla et que c'était le lieu magique de tous les divertissements. Le rickshaw me ramena brutalement sur terre lorsque le tireur me désigna une maison qui semblait divisée en appartements. Après l'avoir moins bien payé que si j'avais été blanche, je le laissai partir. Je faillis commettre l'erreur de m'avancer vers la porte d'entrée, mais, me reprenant à temps, je me précipitai à l'arrière où un vieux domestique, assis sur une marche, fumait. Le courage me manqua. Puis je pensai : que peut-il faire, m'agresser et me lancer : « Mem, vous n'êtes pas noire ? »

Baissant la tête, je me dissimulai sous mon voile et joignis les mains pour le saluer. Il m'imita. Je m'approchai à pas lents en m'interrogeant. Avais-je peur d'être démasquée ou avais-je peur parce que j'étais devenue une servante qui se rendait chez un sahib ? Je demandai à l'homme si sa memsahib était à la maison. Il hocha la tête. Pouvait-il lui remettre cette lettre ? ajoutai-je avec courtoisie. Au bout d'un instant, une femme en robe de coton à fleurs apparut à la porte de service et m'apostropha. Elle me facilitait la tâche parce qu'elle criait en anglais :

– Pourquoi avait-on envoyé la lettre ici ?

Je fis celle qui ne comprenait pas. Le vieil homme traduisit. Je haussai les épaules comme si je n'en avais pas la moindre idée. Elle me tendit une enveloppe blanche que je pris, en inclinant la tête.

– Ne la perds pas, m'ordonna-t-elle. Ça vient de l'hôpital général de Lahore.

Après un dernier signe de tête, je me dirigeai vers la route comme si j'avais gagné le Derby.

Ma chérie, viens immédiatement, sur-le-champ, tout de suite. À cheval, c'est plus simple, et tu es d'une telle efficacité que tu en trouveras un facilement. Je te donne des indications sur le chemin à prendre dans la forêt. Quand tu seras arrivée, va jusqu'au portail devant la maison ; la clé se trouvera sous une grosse pierre rouge, à droite. Dépêche-toi ! Je suis incapable d'attendre une minute de plus. Pardonne mon ton comminatoire – je sais à quel point tu es sensible à ce genre de choses – mais les mots ne peuvent exprimer mon désespoir absolu et mon besoin fou de te voir. Ton Sam.

À mon retour à la maison, qui était assis au seuil ? Joseph. J'eus envie de le serrer dans mes bras, mais bien sûr... Aussi baissai-je la tête. Lui aussi. L'espace d'une fraction de seconde, je le bernai. Puis il ouvrit la bouche, atterré une fois de plus :

– Mem a perdu l'esprit, hein?

Il me poussa vers la maison comme si j'étais nue.

– Que s'est-il passé en mon absence? ajouta-t-il.

– Voilà une phrase sans une faute, dis-je, en ouvrant le verrou.

– Aucun intérêt la construction des phrases, memsahib. Ma question, c'est pour les vêtements.

Il s'écroula sur la première marche du perron, la tête entre les mains. Je m'assis près de lui. Ce fut merveilleux qu'il ne se relève pas d'un bond. Je lui tapotai le bras :

– Allons, Joseph, murmurai-je. Ce n'est pas si grave que ça. Je voulais visiter Simla, où il y a des tas de gens importants et je n'avais aucune envie qu'on me reconnaisse. Le sari, c'était la solution idéale.

Il montra mon poignet.

– Mem, sari et montre vont pas ensemble.

Je posai la main sur ma précieuse petite montre en or comme pour la pulvériser. Il me dévisagea avec l'air d'une mère scrutant un enfant stupide.

– D'accord, Joseph. D'accord. Je vais aller me changer si tu me fais l'honneur de trouver comment la pompe de ce maudit puits peut produire de l'eau.

– Comme memsahib voudra.

– Memsahib souhaite aussi un bon cheval. En deux temps trois mouvements.

– Où le trouver?

– Je peux te le dire exactement, mais tu devras prendre un rickshaw. Ne proteste pas, il n'est pas question que tu marches.

– Trop de marche, souffla-t-il, en fixant ses pieds, écorchés et sanguinolents.

– Mon Dieu, Joseph, pourquoi ne pas m'avoir dit que tu avais besoin de chaussures?

– Mem, habitué je suis à marcher, mais chemin dangereux et blessant.

– Ne bouge pas. J'irai chercher le cheval.

– Memsahib, j'ai prévu. Palefrenier amène cheval et aussi bagages. Entrons. Pas bien de traîner sur le seuil comme coolies.

Je ressortis par la porte d'entrée. Je n'étais plus la

même femme. Je portais une longue jupe bleue et des bottes de cheval. Évidemment, j'étais ridicule, mais pour une raison – facile à deviner – mon jodhpur et ma bombe avaient disparu, et Joseph n'avait aucune explication. Je traversai Simla en montant en amazone jusqu'à l'endroit où nous étions entrés la veille au soir. Suivant le plan et les indications de Sam, je pris une route qui montait vers l'est serpentant dans un boqueteau de sapins et je la suivis pendant quelques kilomètres. Elle était déserte. Ici et là surgissait l'eau verte d'un torrent. Le bleu du ciel était intense, l'air vif. Les montagnes disparaissaient sous les nuages. J'avais relevé ma jupe et mes jambes étaient nues sous le soleil. Après quelques kilomètres parcourus au petit galop, je m'arrêtai saisie par l'impression subite – sur cette route plate – que je m'approchais d'un précipice. Plus qu'une impression, c'était physique. Il me fallait réfléchir. Je descendis de ma monture pour marcher un peu. C'était la dernière occasion qui m'était offerte de faire un choix. Dès que je verrais Sam, je serais perdue. L'avenir se profilait, et je percevais des dangers, des risques de tragédie. Je m'y appesantis un moment, imaginant la pire des catastrophes. Sauf que cela m'était complètement égal. J'étais allée trop loin. Une fois remontée à cheval, je me retrouvai sur un joli sentier, dégagé et ensoleillé. Des parfums de jasmin et de chèvrefeuille flottaient dans l'air. Les frondaisons des arbres se rejoignaient parfois au-dessus de ma tête au point que je n'apercevais plus qu'un pan de ciel. Les roucoulements des tourterelles s'appelant les unes les autres fendaient le cœur; les coucous lançaient leurs cris d'alarme. Je continuai à avancer. Jusqu'à ce que je tombe sur une imposante maison de pierre, nichée parmi des arbres et entourée par une immense pelouse bien tondue. Une grille en fer forgé hérissée de vilaines piques la ceinturait. Suivant les instructions, je la contournai et vis qu'une longue allée, assez large pour des voitures et bien entretenue, menait au portail. La propriété était si impressionnante que je fus contente d'être passée par les bois. Je mis pied à terre, trouvai la clé sous la pierre, ouvris le portail et entrai en conduisant mon cheval par la bride. Aucun domestique n'apparut.

Lorsque j'eus dépassé le premier tournant, je découvris la totalité de la maison. Et je tombai à nouveau amoureuse. J'en connaissais une qui lui ressemblait tellement qu'on aurait dit la mère et la fille. En fait, je regardais la parfaite réplique de Wilton House, près de Salisbury. Immobile, je contemplais la façade de pierre claire, les majestueux pavillons de style italien, les fenêtres vénitiennes. Les rayons du soleil illuminaient la demeure, franchissant la ligne des tourelles avant de ruisseler sur le fronton. Tout était sobre, élégant, magnifique. De l'autre côté de la grande pelouse, derrière le parc traditionnel, un petit pont palladien enjambait une rivière et menait à une forêt. Le bleu doux des montagnes se dressait derrière la masse verte. Mes yeux s'embuèrent. Je connaissais tellement bien l'original : une abbaye construite aux environs du xiiie siècle, passée aux mains des contes de Pembroke. Un rayonnage entier de la bibliothèque de maman y était consacré. Je guidai lentement le cheval sur l'allée de graviers jusqu'au perron, où, complètement désorientée soudain, je me demandai si je ne m'étais pas trompée de maison, de chemin, de pays. Après avoir attaché le cheval à une amphore, je me tournai vers la volée de marches en pierre. Comme j'étais partagée entre l'envie de tambouriner sur la lourde porte et celle de m'enfuir dans les bois, on ouvrit. Sam apparut. Le sourire aux lèvres, il portait un pantalon de lin crème et une chemise blanche; un *gentleman-farmer* à la porte de son manoir.

Nous ne proférâmes pas une parole. En proie l'un et l'autre à une étrange paralysie. Debout, nous nous dévorions des yeux. Il finit par rompre le silence :

– J'ai l'impression d'être incapable de bouger.

– Dans ce cas, je vais venir vers toi.

Mais lorsque nous fûmes face à face, nous ne sûmes pas davantage quoi faire. Puis il m'attira. Je me précipitai dans ses bras, mon visage près de son cou, mes lèvres sur sa peau. Accrochés l'un à l'autre nous restâmes ainsi un long moment, jusqu'à ce qu'il m'enlace par la taille et me conduise dans le vestibule. L'intérieur était simple, dépourvu de la somptuosité baroque de Wilton; en revanche, les pièces avaient la même forme. Il y avait quelque chose de plaisant dans le plan géométrique, dont la régularité aidait à maîtriser le désordre de mes émotions. Je le suivis, sans desserrer les dents. Nous entrâmes dans un salon aux murs crème, aux longs rideaux safran bordés d'or, retenus par des embrasses, si bien que le soleil inondait le parquet. Il me fit asseoir dans un fauteuil doré, tendu de soie pourpre, tout à fait dans le style Wilton. J'étais tellement excitée que ne pus m'empêcher de lui demander :

– C'est une copie de Wilton, non ? En miniature.

Une question absurde alors que je ne songeais qu'à lui en poser une autre : « Où étais-tu fourré pendant tout ce temps ? »

– Celle-ci n'a que cent ans, me répondit-il, déjà assis par terre.

À nouveau, nous nous regardâmes avec la timidité de gens qui ne se connaissent pas. J'étais incapable de détacher mes yeux de Sam. Les manches de sa chemise blanche étaient retroussées, ses bras bruns luisants étaient couverts d'un léger duvet, et, pour la première fois, je remarquai une fine cicatrice blanche au-dessus d'un de ses coudes. La montre en or était trop large pour son poignet. Il garda une expression grave avant de me préciser avec un sourire :

– C'était la maison de ma mère. J'y venais l'été avant que l'on ne m'expédie à l'école. – Il parcourut la pièce du regard. – Elle a été transformée. C'est un caprice de l'un des Pembroke, qui trouvait qu'un peu de la splendeur des Tudor serait parfaite aux Indes. L'homme, qui s'est révélé être un fou dangereux, a fini par être cloîtré ici pendant plusieurs années. Quand ma mère l'a achetée, elle s'est débarrassée d'un tas de bustes en marbre, de dorures et de tout un bric-à-brac, pour en faire une maison de famille. Je ne me sers que des pièces de devant.

Et il continua à me parler de la demeure, un thème intéressant certes, mais hors sujet. Pourquoi débitait-il des sornettes à la manière d'un guide alors que nous ne nous étions pas vus depuis ce qui semblait une éternité ? Je commençai à comprendre qu'il était nerveux. Peut-être avait-il eu comme moi un moment de doute et n'était-il pas aussi sûr que moi de vouloir continuer. Il avait changé, voilà ce qui m'inquiétait. Pâle, amaigri, il avait des cernes sombres sous les yeux.

– Tu as été malade ? laissai-je échapper.

– J'en ai l'air ?

– En fait, oui. Pourquoi faut-il toujours que tu biaises ?

– Ah bon ? Je ne le savais pas.

Il baissa les yeux et parut réfléchir à la question. Il était assis dans cette merveilleuse position indienne intemporelle, alanguie, belle dans sa souplesse, une jambe tendue et l'autre dessus. Avait-il conscience de sa grâce ou de ses mouvements qui exerçaient une telle séduction sur moi ? Il me regarda :

– En effet, j'ai été un peu malade. – Il passa la main dans ses cheveux. – J'ai attrapé la grippe, c'est presque impossible de l'éviter même si je suis immunisé. Ce virus était particulièrement virulent.

Il fronça les sourcils, les deux rides au-dessus de ses yeux se creusèrent.

– La grippe a toujours quelque chose de mystérieux avec sa façon de surgir de nulle part. Le terme latin qui la désigne suggère qu'elle est le fruit d'influences cachées – astrales ou occultes – c'est une maladie bizarre...

– Je t'en prie, Sam, cesse de tourner autour du pot. Tu as été très malade ou pas ?

– Quelle impatience ! s'exclama-t-il en riant. J'ai déjà remarqué ce trait de ton caractère. Laisse-moi au moins te donner quelques précisions pour que tu comprennes ce qui m'a tenu éloigné de toi si longtemps.

Sur ce, il me rendit folle en déblatérant sur la grippe : une affection fébrile zymotique, extrêmement contagieuse, avec des symptômes et des séquelles, parmi lesquels la prostration, le catarrhe de la muqueuse respiratoire... bla, bla, bla. Alors que je me tenais à quatre pour ne pas le toucher.

– Sam, demandai-je patiemment. Aurais-tu la gentillesse de m'épargner les détails ? J'étais morte d'inquiétude à ton sujet.

Il s'approcha. Son pied nu finit par effleurer le mien, chaussé. Il ôta mes souliers tout en continuant à parler de la grippe meurtrière – la contagion, la contamination, la nature exacte de cette épidémie, les remèdes efficaces

et inefficaces, la différence entre les traitements traditionnels et ceux de l'Occident, et ainsi de suite jusqu'à ce que
je l'interrompe :

– Sam, je vais te frapper si tu ne t'arrêtes pas.

– Désolé, s'excusa-t-il, en faisant une grimace. Je
jacasse toujours quand j'ai peur.

– Il n'y a aucune raison d'avoir peur.

– Je suis tellement heureux de te voir que je ne sais
comment me comporter ni que dire. En réalité, je suis
fou de toi, malgré ton horrible brutalité sans compter ton
impolitesse notoire et la violence de tes débordements
assez comparables à la grippe quand elle se déclare. – Il
sourit. – Que croyais-tu ? Que je t'avais oubliée ? Que je
ne reviendrais jamais.

– Non. En fait, je me demandais si tu m'étais infi-
dèle.

– Avec qui ? lança-t-il, manifestement choqué.

– Ta femme.

Il éclata de rire. Puis il baissa les yeux et s'intéressa
au parquet pendant un certain temps.

– À ce que je vois, déclara-t-il, je n'ai pas réussi à te
tranquilliser à ce propos. Tu vas devoir apprendre à me
faire confiance étant donné que nous allons souvent être
séparés, toi et moi. On dirait que tu doutes déjà de moi. Je
trouve ça plutôt injuste parce que je ne t'ai fourni aucun
motif d'inquiétude.

Il se pencha et glissa ses mains sous ma jupe ; je m'en
emparai pour les immobiliser avant de lui répondre :

– Pour un homme qui ne cesse de répéter que les mots
n'ont pas de sens, tu as été assommant aujourd'hui.

Me laissant tomber de mon fauteuil, je lui attrapai le
cou afin de l'embrasser passionnément. Ses mains s'em-
pressèrent de remonter sous ma jupe et de m'entourer
la taille. L'espace d'une fraction de seconde, j'aperçus les
lattes dorées par le soleil, le tapis rouge et crème où je fus
renversée sans ménagements. Il me foudroya du regard :

– Je n'ai pas fait l'amour à ma femme depuis des
années. Et à partir d'aujourd'hui, je ne le ferai plus dans
les siècles des siècles. Amen.

8

Il portait un pyjama jaune et des pantoufles de cuir souple, recourbées aux orteils. J'étais nue. Cela m'étonnait de ne pas en ressentir la moindre gêne. Il faisait sombre dehors, et les étoiles commençaient à apparaître. Il m'avait offert deux cadeaux. Un bracelet en or tressé de Russie. Une courtepointe molletonnée du Cachemire, rouge semée de minuscules points noirs. Ils me plaisaient infiniment parce que j'y voyais les prémices de la vie que nous pourrions partager. Un jour. Je ne cessais de penser : peut-être que Neville est mort dans la montagne. Peut-être qu'un Pathan l'a tué. Peut-être que je ne serais plus jamais obligée de le voir, ni de lui parler. Ou encore : peut-être que sa femme va contracter une maladie mystérieuse, qu'elle trépassera d'une mort rapide et sans souffrance. Frissonnante, je tirai la courtepointe sur moi tout en caressant l'étoffe soyeuse. Les points prirent l'aspect de ronds dans l'eau tandis que, sous l'effet de l'ombre, le rouge de la bordure tendait au noir.

Sam alluma la lampe à pétrole et souffla sur l'allumette. Le verre était enduit de suie. Il passa le doigt dessus à la manière d'une femme vérifiant s'il y avait de la poussière. Je le dévisageai. Son expression affichait une sorte de réserve, presque de l'indifférence, puis il tourna son visage très rapidement de mon côté.

– Qu'allons-nous faire de ce maudit cheval ? lança-t-il d'un ton angoissé.

– Je croyais que tu l'avais mis dans l'écurie, à l'arrière.

– Tu m'as dit que tu voulais rentrer ce soir.

– Je n'en ai pas envie, mais Joseph risque de s'inquiéter.

– Vous êtes très proches, tous les deux.

Je lui lançai un regard, qu'il soutint.

– Peut-être que les Noirs t'attirent, tout simplement, constata-t-il.

Le silence entre nous fut si palpable que l'on aurait dit qu'une créature avait surgi dans la pièce. Je tins bon.

– Je t'ai mis en colère, constata-t-il, à nouveau distant.

– Sans aucun doute.

Il se redressa sur le lit et tendit ses mains, qui sont fines, comme ses poignets :

– Je suis désolé, c'est ignoble ce que je viens de dire.

Il se frottait une joue. Je mourais d'envie de lui embrasser la main, sauf que j'étais furibonde.

– Je ne me suis pas censuré, expliqua-t-il, comme je le fais d'ordinaire. Je dois être plus nerveux que je ne le pensais. Pardonne-moi, je suis vraiment désolé. Mon sous-entendu est épouvantable.

– J'imagine que je devrais te savoir gré de l'avoir formulé à haute voix. Combien de fois l'as-tu pensé ?

– Jamais. Mais je réalise à quel point je suis dépendant de toi. Cela ne me plaît pas, je n'en ai pas l'habitude. – Il me regarda, m'offrant son profil. – Tu es certaine d'être obligée de partir ? Cela me met les nerfs à vif, que tu t'en ailles si vite. Ne t'est-il pas possible de rester ? Il y a tant de choses dont nous devrions parler, tant de choses auxquelles j'ai réfléchi depuis notre dernier rendez-vous.

Il me bouleversa. Il avait perdu son humour. On avait l'impression que le Gulf Stream s'était engouffré dans la pièce, réchauffant l'air, teintant l'atmosphère de vert :

– Est-ce que notre liaison t'inquiète ? demandai-je, avant de lui prendre la main et de la mettre entre mes cuisses.

– Je crois. Cette histoire risque d'avoir des conséquences d'une extrême gravité. Tu es beaucoup plus vulnérable que moi, et ça m'est intolérable. Tu as tellement dépassé les bornes. Je ne supporte pas l'idée que les gens vont te tourner le dos ou te faire souffrir. Nous n'allons pas pouvoir continuer longtemps à cacher notre relation. Tu le sais, n'est-ce pas ?

– À long terme, je ne le voudrais pas.

– Nous avons tous les deux eu le temps de réfléchir à l'aventure où nous sommes embarqués. Tu t'es effondrée lorsque tu as eu ta crise de paludisme, et moi la grippe m'a anéanti. En fait, je ne supporte pas de ne pas connaître l'avenir, de n'avoir aucun contrôle sur quoi que ce soit.

– Qu'est-ce qui pourrait t'arriver de pire ?

Il dressa la liste :

– Je serais considéré comme un paria par ma famille et ma communauté. Je serais sans doute obligé de renoncer à ma clientèle et sûrement aux recherches que je poursuis dans un asile à Ranchi, grâce à un riche philanthrope. Il est possible que je perde mon poste à l'hôpital de Lahore. En revanche, si l'on prend les choses du bon côté, je pourrais continuer à être un docteur, à l'étranger au cas où la situation serait intenable, ou dans une autre région des Indes. Évidemment, nous serions beaucoup plus pauvres. Et de ton côté ?

– Moi aussi, je serais rejetée. Mais je ne crois pas que je rentrerais en Angleterre. Je resterais ici, si tu l'acceptais. À ceci près que je serais incapable de vivre aux Indes sans faire quelque chose.

Lui prenant les mains, je plongeai mon regard dans le sien.

– Je ne veux surtout pas que tu croies que tu m'as mise en danger ou que tu vas gâcher ma vie, que c'est de ta faute en un sens. Ne te figure pas que je serai une pierre à ton cou, ni que tu seras forcé de m'installer dans une maison paumée et de me voir devenir folle. C'est ce qui arrive dans ce genre de situation, non ? L'homme parvient à surmonter l'ostracisme tandis que la femme est enfermée dans un grenier ou se jette sous un train. Ce ne sera pas mon cas. Quoi qu'il advienne, je suis capable de me prendre en charge. Je ne me serais pas embarquée dans cette aventure si je ne le savais pas.

— Voilà qui est digne des meilleurs représentants de ta race, fit-il observer, en me rejoignant parmi les oreillers. En revanche, un mariage entre nous est exclu, ajouta-t-il calmement. Je te dois d'être clair à ce sujet.

— J'aurais aimé t'épouser, murmurai-je avec tendresse, mais vivre avec toi me suffirait. Amplement. Serais-je sans fortune que nous n'aurions pas cette conversation. Je ne peux pas m'imaginer dépendante, oisive ou inutile ici. Si je reste, il faut que je fasse quelque chose de constructif. Si nous vivons ensemble, nous devons être sur un pied d'égalité.

— J'ai une vision d'avenir un peu plus romanesque que la tienne, assura-t-il en se moquant de moi. Je nous vois installés dans un house-boat ou dans une maison, au Cachemire peut-être. Sans doute réussirais-je à poursuivre mes recherches tout seul, sauf que les résultats ne seraient pas publiés. Je serais un simple médecin et je ferais de mon mieux avec les ressources limitées dont nous disposons ici. Ça me conviendrait. Mon père nous rendrait probablement visite d'ici un ou deux ans. Mon fils m'en voudrait pendant au moins dix ans. Ma mère serait malheureuse, mais elle comprendrait tout en se gardant de l'exprimer. J'irais sûrement voir ta famille et la maison où tu as grandi au Pays de Galles. Enfin, à titre d'information, un ou deux enfants ne me déplairaient pas.

Cette dernière remarque me stupéfia tant que je gardai le silence.

Sam, manifestement aussi bouleversé que moi, s'activa tout à coup et prit des décisions :

— Il faut que j'aille voir ton cheval. Ne bouge pas d'ici. Je file en voiture apporter un petit mot à Joseph. On n'a qu'à inventer une sortie au théâtre ou n'importe quoi. — Il leva les yeux. — Est-ce que Joseph sait lire ?

— Joseph parle cinq langues, répondis-je d'un ton glacial.

— Tu n'as pas complètement pardonné ma goujaterie de tout à l'heure, constata-t-il.

— Je la mets sur le compte des cruautés du passé.

– C'est généreux de ta part. Je devrais être de retour dans une heure au plus tard. As-tu besoin de quelque chose ?

– De t'embrasser.

Après son départ, le courage me manqua. Soudain, je me sentis en danger dans l'immense demeure. Ne sachant que faire, ni si quelqu'un n'allait pas arriver. D'après Sam, personne ne venait jamais. On l'entretenait l'été, mais elle était fermée tout l'hiver. Une sorte de vie fantomatique s'y déroulait.

– Les domestiques y débarquent avant moi, avait-il précisé. Ils ne restent pas quand j'y séjourne. Ma vieille ayah qui s'occupe scrupuleusement de tout veille sur mon intimité. – Et il m'avait regardée. – Merci d'avoir accepté de rester. De toute façon, si tu étais partie, je t'aurais suivie. Ne l'oublie pas.

Prenant son visage entre mes mains, je l'avais embrassé sur la bouche. Il avait toujours l'air malheureux, ce que je ne supportais pas :

– Ne cédons pas à la mélancolie. Je t'aime tant. Dépêche-toi de rentrer pour me préparer le plat que tu m'as promis. Je meurs de faim.

J'aimais son rêve d'avenir auquel j'avais envie de croire, mais j'avais l'intuition qu'il ne se réaliserait pas. Quand je l'entendis partir en voiture, je fus subitement sûre que c'était pour toujours et je me précipitai à la porte. Trop tard. Je fis le tour de la maison, allumant les lampes. Il me semblait voir sa mère dans les pièces, en train de parler ou de lire une histoire à un petit garçon. J'eus même l'impression que le comte dément était enfermé dans le grenier. Les Singh s'étaient vraiment débarrassés du faste et de la splendeur. Plus de médiocres toiles représentant Jupiter caressant Junon ou Salomé dansant avec une tête sur un plat. Ni de toiles de cerfs dans la montagne. Ni de portraits de famille ou de cavaliers. Aucune sculpture de chiens chassant le renard. Pas la moindre collection de porcelaines de Sèvres. Les tapisseries de Bruxelles et d'Aubusson avaient disparu, de même que

les lourdes boiseries et les frises en marbre. Il n'y avait
ni statue grecque au sein découvert, ni salle de réception
ou de bal, ni cage d'escalier décorée de peintures murales.
En revanche, je découvris un boudoir exquis, gris perle et
vieux rose, meublé de canapés ronds, de sièges tendus de
velours et d'une commode pleine de saris irrésistibles, soigneusement pliés en quatre. J'en choisis un en lamé d'or,
que j'emportai dans la somptueuse bibliothèque, dont
chaque mur était tapissé de volumes reliés qui avaient
tous été lus. Un vieux fauteuil en cuir et des tables en
tek sculpté trônaient près d'une immense cheminée; des
tapis persans écarlates couvraient le sol. Le couloir voûté
ressemblait à s'y méprendre à celui de la maison d'origine,
si ce n'est qu'il y manquait les bustes. Dans le vestibule,
Shakespeare, adossé à une pile de livres, appuyait le menton sur ses mains et croisait les jambes. La maison était
la quintessence du raffinement anglais rehaussé par une
touche italienne. Le tout dégageait une impression d'une
grande sérénité conjuguant ordre et équilibre. On aurait
pu mener là une vie merveilleuse, mais, apparemment,
personne ne le faisait.

Sam avait transformé le magnifique parc traditionnel en une sorte d'espace vert éclectique, agrémenté d'un
étang circulaire, entouré de rosiers et d'une clairière
de rhododendrons. Ceux-ci, très différents de la variété
banale de nos jardins, étaient d'un blanc immaculé ourlé
de rose, comme les pivoines – une espèce de Chine.
Il avait aussi créé une jungle de lys de toutes espèces,
allant du blanc le plus pur à un violet foncé qui semblait
presque noir. Il me faudrait veiller à ne pas poser trop de
questions sinon j'aurais droit à un cours détaillé. Malgré
les chênes et les ifs plantés dans la pelouse, ce n'était
pas un jardin anglais car les murs de la maison étaient
noyés sous des bougainvillées couleur pêche et du jasmin blanc. En outre, des gardénias s'enchevêtraient à des
jacarandas, des frangipaniers et des grenadiers. Un lilas
me serra le cœur. L'air était saturé des parfums de toutes
ces fleurs. L'ensemble avait un aspect légèrement sauvage
qu'une bibi aurait peut-être aimé, pensai-je. J'aperçus des
enfants au teint clair et aux yeux sombres; ils traversaient

la pelouse sur des chevaux faits avec des tiges de canne à sucre. Je distinguai une femme se promenant parmi les massifs de roses. Me voyais-je dans une vie antérieure ou ces silhouettes avaient-elles vécu ici autrefois ?

Je m'assis au bord de l'étang en y laissant pendre mes pieds. Je m'abîmai dans la contemplation de l'eau semée de nénuphars. Puis j'y basculai comme une pierre. L'étang était si profond que ma chute dura : quand ma jupe se releva, j'eus la sensation d'être un animal pris au piège, un chat dans un sac en train de se noyer. Le tissu s'enroulait autour de ma tête et de mon cou, me bouchant les yeux et les oreilles. Pourtant, je ne perdis pas mon calme. Je cessai de me débattre. J'avais beau sombrer, j'étais sûre de m'en sortir. Je dégringolais toujours – en fait, je me noyais, lorsque l'étang s'embrasa de lumière. Quand mes pieds rencontrèrent le fond pierreux, je pris mon élan de toutes mes forces. Et cela délivra mon visage de l'emprise de l'étoffe. De retour à la surface, je suffoquais à la manière d'un poisson, les poumons dans un étau et près d'éclater ; mon corps était un bloc de glace ; j'avais les mains bleues. Après avoir réussi à me hisser péniblement hors de l'eau en claquant des dents, je courus vers la maison, entrai par les portes-fenêtres de la chambre de Sam et me précipitai dans la salle de bains, où je m'assis par terre. Une flaque se forma aussitôt autour de moi. Trop choquée pour bouger, je m'emmitouflai dans d'épaisses serviettes en coton de Madras, qui ne m'empêchèrent pas de grelotter. Une fois calmée, je décidai que je devais mon salut à un quelconque dieu des enfers.

Je m'étendis dans la baignoire en porcelaine blanche, assez longue pour que ce soit possible. D'un style manifestement victorien, elle était très élégante et équipée d'un véritable système de tuyauterie, si bien qu'il suffisait d'ouvrir un robinet pour qu'un flot jaillisse. La chasse d'eau des toilettes fonctionnait – certes bizarrement, en crachotant, mais elle fonctionnait. Sam m'avait raconté qu'à l'époque où il était vice-roi, Lord Curzon s'intéressait beaucoup aux inventions et se procurait toujours les plus récentes. Il avait remercié la mère de Sam, qui l'avait soigné pour une piqûre de serpent, en lui faisant envoyer de Londres, par bateau, ces commodités ultramodernes. Le lavabo aux parois ornées de pensées peintes à la main était particulièrement joli. Allongée dans mon bain, je me réchauffai en rêvant de Sam avec ravissement puisqu'il serait de retour dans une demi-heure. Nous avions une nuit devant nous. Une nuit.

Du salon, nous étions allés dans son lit que nous n'avions pas quitté de l'après-midi. Il avait fait observer :
– Tes émotions excessives ne sont pas d'une Anglaise. De même quelque chose dans ton visage, tes yeux surtout, n'a rien d'anglo-saxon. N'y a-t-il pas eu un lien avec l'autre côté dans un lointain passé ?
Il plaisantait bien sûr. Mais sa remarque s'était gravée en moi. En outre, il avait obtenu de moi des informations sur ma vie sexuelle sans me révéler grand-chose de la sienne. Il évoquait plus volontiers un état auquel je n'avais jamais réfléchi – le célibat –, qui avait été le sien pendant plusieurs années. Quand je lui en avais demandé la raison, il m'avait répondu : « Pour m'éclaircir les idées. » C'était difficile à comprendre parce que c'était le contraire pour moi. Il s'agissait d'une sorte de retraite ou de renonciation aux sens faisant suite à une période de débauche, qu'il m'avait décrite sans s'appesantir sur les aspects sexuels. J'en vins à trouver cela sage parce que le cœur se laisse piéger par ce genre de choses, susceptibles d'avoir toutes sortes de conséquences. Il avait, paraît-il, quand il était parti pour son « grand tour » d'Europe après Oxford, fait les quatre cents coups.
– J'avais envie, m'avait-il expliqué, de passer la journée en pyjama de soie bleue et de prendre un dîner de cinq plats à minuit. J'avais tellement travaillé que je voulais décompresser. Je commençai à errer dans les rues à la recherche de Dieu sait quoi. M'intéressant à l'insolite et au bizarre, je devins une de ces personnes – il y en avait énormément à l'époque – avides de sensations. Apparemment, j'attirais des êtres étranges et passionnants. Grâce à ma fortune, je fus introduit dans l'univers élégant et futile de gens fabuleusement riches. Ils possédaient des manoirs à Salamine, Nice ou Palerme et de délicieuses

mansardes à Paris, où ils fréquentaient de dangereux émigrés d'Amérique du Sud ou de Constantinople. Nous passions l'été à courir les bals ou à pique-niquer dans les collines. Nous allions à l'Opéra et aux Ballets russes. Nous étions perpétuellement en virée, d'un château à l'autre. Des heures durant, je discutais de Picasso et de Cocteau avec des artistes drogués. Je dormais jusqu'à deux heures de l'après-midi, buvais à partir de trois heures, sans me rappeler le visage des femmes de la nuit précédente. La guerre s'annonçait. Aussi la vie était-elle angoissante et tragique comme si nous pressentions que la guerre allait transformer l'Europe en cimetière.

» Au sein de cette décadence et ce gâchis, avait-il ajouté avec un rire ironique, je n'en gardais pas moins l'attitude d'un élève de collège privé. J'étais le champion des litotes à l'anglaise, et un imposteur. J'ai essayé l'opium. Cela paraissait naturel et conforme à l'esprit du temps ; je me suis persuadé que je menais une recherche et que j'étais capable de ne pas transgresser les limites de ce rituel délicat. L'opium était très en vogue. Il suffisait d'en fumer pour faire figure d'intellectuel ou d'être civilisé. Pendant une période, je n'en ai pas souffert, planant nuit et jour sans l'ombre d'un souci. Mais une nuit, sur une plage de Monte-Carlo, j'ai compris que j'étais au bord du désastre et j'ai tout balancé à la mer. Cela m'a énormément secoué de m'arrêter ainsi du jour au lendemain, j'ai mis du temps à m'en remettre. Une fois rétabli, je suis rentré en Angleterre, où je me suis lancé à corps perdu dans mes études de médecine. Le temps passant il s'est toutefois produit quelque chose d'étrange : j'ai commencé à regretter les Indes. Pour la première fois. Mes amis me trouvaient cinglé. À l'époque, la guerre était imminente et tout le monde tenait à s'engager. Je n'étais pas prêt à mourir pour l'Angleterre même si je me sentais anglais, à ma manière. Comme les autres, j'étais préparé à ce qui allait arriver. Notre éducation nous avait formés à servir, que ce soit à la guerre ou dans l'Empire britannique. J'avais beau savoir que cela faisait également partie du jeu, cela m'était égal. Aussi ai-je pris un bateau pour les Indes à la fin de 1915. Dès mon arrivée, j'ai travaillé comme un fou dans des hôpitaux sous-équipés et des cliniques miteuses. Et pendant ce temps-là, la plupart de mes amis alimentaient les colonnes nécrologiques du *Times*, avait conclu Sam d'une voix calme.

Représentais-je pour lui une autre étape de la décadence? Étais-je devenue l'Anglaise de ce Noir? Lorsque je lui avais demandé : « Suis-je pour toi un moyen de te réaliser? » Il avait répondu : « Et moi pour toi? » Sam croyait que je perdais courage. Il n'en était rien, sauf que je commençais à me demander si nous nous en sortirions vivants. Son existence dépendait complètement de l'image que son hôpital, sa clinique, ses malades et, par-dessus tout – il aurait détesté le reconnaître –, les Anglais avaient de lui. Il avait obtenu de ces derniers une forme peu commune de reconnaissance, mais ce privilège était fragile, il ne tenait qu'à sa réussite en tant que médecin et, élément déterminant, à la réputation qu'il s'était faite auprès d'eux. J'avais moins à perdre, du moins l'imaginais-je, puisque je n'avais pas construit ma vie ici. Cependant, je voulais le faire; j'y étais fermement décidée. Je voulais travailler, rester aux Indes sans être exclue. Sam m'avait expliqué que l'activité des Anglaises y était dérisoire ou nulle, qu'elles n'avaient aucun rôle du fait des conventions et préjugés, d'autant que leurs enfants étaient envoyés très jeunes en Angleterre d'où ils ne revenaient pas pendant des années. Encore une tradition que je n'avais à aucun prix l'intention de suivre.

Allongée dans la baignoire, je contemplais le jardin tout en retournant dans ma tête ce qu'il m'avait dit. Par les portes-fenêtres grandes ouvertes, j'entendais les tourterelles perchées dans le tilleul, et, quand le vent soufflait, il apportait une fragrance de gardénia. Sam me manquait tellement que je me rappelai les propos qu'il avait tenus après l'amour :

– Tu ne cesses de me demander d'enlever le masque, mais je ne suis pas sûr d'en avoir envie. À une époque, je pensais que le sexe suffisait. Il ne se prêtait pas aux méprises, ni aux sous-entendus. Depuis toujours, mon entourage ne dit pas ce qu'il pense. Moi non plus. Il y a des façades derrière des façades, des mirages partout. Du coup, je me surveille et fais attention à ce que je révèle de moi. Je n'ai pas l'habitude de femmes dans ton genre. D'abord, j'ai pensé que tu étais naïve, que tu ne connaissais pas les Indes et que tu n'avais pas compris grand-chose en matière de séparation entre les races : tu étais comme un petit œuf d'oie perdu dans la jungle. En fait, tu n'es pas naïve, mais incroyablement peu conventionnelle. Tu regardes les choses autrement, ce qui te met en grand danger. Je ne crois pas que tu t'en rendes compte ou que tu y accordes assez d'importance.

Parfois, nous sommeillions, ma tête sur son bras. Il n'avait aucune difficulté à s'endormir, où que ce soit pendant dix minutes ou deux heures. Et il se réveillait complètement reposé. « Nous sommes tous à moitié assoupis ici », affirmait-il, étendu par terre, la tête sur un oreiller ou en se balançant, profondément heureux, dans un hamac sous les arbres. Parfois, nous restions longtemps sans parler jusqu'à ce que l'un de nous lance : « Que penses-tu de... ? » Au fil des heures, nous passions de la parole au silence, qui nous liait plus étroitement l'un à l'autre. Séduits par le sommeil et l'amour, nous ne résistions ni à l'un ni à l'autre. Et j'en vins à considérer le sommeil à la manière des hindous, comme l'antichambre de l'éternité. Il se leva à un moment et revint avec une peinture représentant ses parents le jour de leur mariage : un couple très correct et élégant, complètement traditionnel. Nous étions couchés dans ce qui était jadis la chambre de sa mère. D'après Sam, elle avait été décorée à l'indienne, de fauteuils bas et de tables sculptées, des meubles persans venant de sa maison du Cachemire. À présent, elle était d'une extrême simplicité. Murs crème. Rideaux blancs. Un parquet en acajou couleur abricot. Un petit lit au ras du sol. Une longue table couverte de livres, de revues de médecine, de magazines et journaux manifestement lus. Un ou deux cendriers qu'il aurait fallu vider. Le roman de D.H. Lawrence, *Fils et Amants*. Un exemplaire écorné des *Upanishad* en sanscrit. Une paire de lunettes à fine monture en métal. Je les chaussai. Tout se brouilla au loin à en être méconnaissable tandis que les caractères d'imprimerie devenaient nets. Un Bouddha rose et transparent trônait sur un guéridon. Il y avait deux nus de Picasso et une grande horloge murale de Saint-Pétersbourg, une collection de dessins érotiques appartenant à son père, que sa mère avait fourrés au grenier.

– Ma mère, m'expliqua Sam, est très conventionnelle, très protocolaire, très distante. Elle est extrêmement religieuse sans être dévote. Après m'avoir laissé en Angleterre, elle est revenue ici et a fait des études de médecine. Depuis, elle n'a jamais cessé de travailler bien qu'elle soit souvent tombée malade; sa santé est restée assez fragile. Sa conception du travail venant de ses origines, de sa caste, j'ai toujours admiré sa sincérité. Il s'agit d'un travail quotidien et pénible parmi les gens qui souffrent, c'est bien autre chose que la nourriture jetée aux intouchables et aux chiens, ou les aumônes et offrandes obligatoires. Ma mère m'a enseigné à réfléchir et à me détacher de la pensée. Elle m'a initié aux longues heures d'oisiveté. J'ai aussi appris d'elle que la chair en sait davantage que l'intellect et que la vérité se trouve dans nos sensations. Elle m'a fait lire les journaux à l'âge de quatre ans. Elle m'a parlé en hindi, en anglais et en persan jusqu'à ce que je passe naturellement d'une langue à l'autre. Je lui dois mon sens de la discipline. Elle me l'a enfoncé dans le crâne. « Samresh, tu dois te donner plus de mal, me répétait-elle. Pas pour moi, pour toi. »

Il me montra une boîte remplie de lettres que sa mère lui avait écrites lors de son premier séjour dans une pension. Aucune n'était ouverte. Lorsque je le regardai, il se borna à déclarer :

– C'était au-dessus de mes forces. Son absence aurait été plus intolérable. Durant toute ma scolarité, j'ai gardé son image en moi et n'ai cessé d'espérer qu'elle viendrait me chercher. Mais cinq ans se sont écoulés avant que je ne la revoie aux Indes. La première fois qu'elle m'a quitté, elle m'a donné une amulette en me disant : « Ne me regarde pas partir par la fenêtre, parce que je ne serai pas là. Tu dois continuer sans moi. »

Je lui caressai la joue :

– Ce n'est pas quelque chose que tu m'entendras exprimer, lui assurai-je.

Il sourit :

– Tu sais panser les blessures.

– Elle était, reprit-il, complètement indienne, sans être écartelée. Mon père, en revanche, était un être hybride – brillant, tendre, instable et capable d'une rare violence. Il y avait entre eux une passion qui m'effrayait quand j'étais petit. Pendant des années, ma mère a méprisé la vie que menait mon père. Ils se disputaient des nuits entières, et, parfois, elle ne lui adressait pas la parole des jours durant ; elle se retirait dans un silence qui m'englobait de temps à autre.

Levant les yeux vers moi, il me sourit :

– Je crois que c'est cet aspect de moi que tu as du mal à accepter. Elle pouvait être froide. Quand cela lui arrivait, j'étais dépossédé. Bien entendu, j'ai appris à l'imiter. J'étais très sensible à leurs différences – d'autant plus tangibles qu'ils occupaient différentes ailes de la maison. « Nous avons notre propre partition, ironisait mon père. Ce que les Britanniques ont fait au Bengale en 1905, ma femme me l'inflige. »

La tristesse qu'il y avait chez Sam lorsqu'il parlait de sa mère se dissipa quand il évoqua son père :

– J'adorais ses appartements. Il avait aligné des pendules affichant l'heure de toutes les parties du monde sur un immense bureau tapissé de cuir. Il était assis par terre ou allongé sur un canapé, agitant ses pieds nus posés sur un accoudoir. Il fumait un havane en discutant politique avec ses amis ; cela pouvait durer toute la nuit. Il passait constamment du kashmiri à l'anglais comme si ces deux langues étaient en guerre. Je l'adorais. Ma mère aussi, mais elle refusait de le reconnaître. Elle n'était pas plus capable de vivre avec lui que sans lui, aussi l'hôpital est-il devenu plus tard une sorte de partition pour elle. Il lui fallait se dissocier de ce qu'elle intitulait son mode de vie criminel. Une fois, je l'ai entendue lui reprocher d'avoir aussi peu de scrupules que les Anglais. À en croire mon père, il tenait de ces derniers tout ce qu'il savait sur la corruption

et la duplicité. Plus vrai que nature, il respirait la force et
la bienveillance, et rien n'était plus merveilleux que de se
trouver dans une pièce où il avait une réunion avec ses
amis : des hommes sombres assis ensemble, en train de
boire du thé, de fumer, de faire des blagues, donnant l'impression de contrôler le monde. Outre ses affaires – dans
le textile et le commerce des armes – il s'intéressait beaucoup aux explosifs. « Pour gagner de l'argent, tu es plus
doué qu'un Pakistanais », fulminait ma mère. Il s'occupait
aussi d'espionnage, surtout avec l'arrivée du terrorisme.
Si les conflits ethniques ne préoccupaient pas les Anglais,
qui les fomentaient et en tiraient profit, il n'en allait pas
de même pour le terrorisme. C'était mauvais pour les
affaires. Un avis que partageait mon père. Il dépensait de
l'argent avec extravagance, en bijoux, chevaux de course,
chemins de fer, seigneurs de la guerre, palais, princes. Il
était persuadé que tout s'achetait, et il n'avait pas vraiment tort.

Tout à coup, Sam se leva et s'approcha de l'armoire
d'où il sortit une prothèse d'aspect étrange, en porcelaine.

– Tu vois ça, lança-t-il. Eh bien, c'est la jambe de mon
père. Une parmi beaucoup. J'ai gardé celle-ci parce qu'il
marchait avec d'un pas lourd et disait : « Regarde, j'ai une
jambe blanche et une noire. Qu'est-ce que ça fait de moi,
hein ? » Les jours de colère, il accusait les Britanniques
d'avoir fait sauter sa jambe ; ceux de déprime, il s'en rendait responsable : « C'était mon train, ma dynamite, ma
satanée jambe : ils se sont ligués contre moi le même
jour. »

– Attends, attends, m'écriai-je, en sautant du lit pour
lui prendre la jambe. Commence par le commencement,
c'est passionnant.

J'examinai les mécanismes de la prothèse.

– Regarde la kyrielle de petites vis et la façon dont
elle plie. Elle pèse une tonne. Elle doit être antédiluvienne.
Raconte-moi comment il l'a perdue, sans omettre aucun
détail.

Alors Sam s'installa au bureau de son père sur lequel

il posa les pieds tandis que je m'asseyais dans un fauteuil près de la fenêtre, prête à l'écouter.

– Mon grand-père, le père de mon père, était impliqué dans de délicates transactions consistant à soudoyer grassement les seigneurs de la guerre qui contrôlaient les cols entre Kaboul et les Indes britanniques – un sujet de préoccupation pour les Anglais depuis des années. Une opération juteuse, quelque dangereuse qu'elle fût, où il était mouillé jusqu'au cou. Toujours est-il qu'à un moment donné, on s'est apparemment servi de lui pour organiser un assassinat et éviter que les Anglais ne se salissent les mains. Il a monté une escarmouche à quelques kilomètres de Kandahar au cours de laquelle un type peu coopératif a eu la tête tranchée. Les conséquences pour mon père ont été désagréables. S'attendant à ce qu'il continue à faire le sale boulot, les autorités anglaises ont planifié un autre meurtre qui a failli lui coûter la vie. Leur arrogance l'a offensé et scandalisé. *Rajput*[1], il était né chef. Or les Anglais ont essayé de le compromettre dans une rébellion contre les Russes en lui demandant de passer de l'argent à des tribus afghanes, le prix du sang. Il a refusé. Du coup ils ont négocié avec les Afghans, sauf que ça s'est mal terminé et que mon père s'est retrouvé impliqué dans une échauffourée sanglante où beaucoup de gens ont été tués. Dès lors, il a rompu les ponts avec les Britanniques.

» Le problème, poursuivit Sam, tout en fumant, c'est que mon père était aussi cruel qu'eux. En fait, il leur ressemblait tellement qu'il ne pouvait s'empêcher de les considérer comme des frères. Et il aurait souhaité s'associer à eux sur un pied d'égalité. Il partageait la passion des Anglais pour les expéditions et cultivait un art qu'ils avaient fait leur depuis des lustres : l'exploration-renseignement. Ils élevaient secrètement le cours de fleuves indiens sous couvert de livrer un carrosse d'or à un maharaja ; un tel exemple était exactement dans les cordes de mon père. Ses affaires n'étaient qu'un paravent. Ses expéditions étaient en réalité des opérations militaires.

1. Prince du Radjasthan.

Malheureusement, il a commis une erreur. Il s'est entendu avec les Russes pour écarter les Anglais d'une grande partie du commerce des armes. Or ceux-ci l'ont découvert. D'énormes chargements d'explosifs devaient être acheminés vers le nord pour la construction d'un tunnel dans la montagne. Un jour mon père, qui voyageait toujours dans son train privé, s'est arrêté un moment pour déjeuner au bord d'un cours d'eau. Mais à peine est-il remonté dans son compartiment que le train a sauté. Dans l'explosion, il a perdu un œil et sa jambe droite. Sans la compétence de ma mère, il se serait sans doute vidé de son sang. « Tu es trop mauvais pour mourir, lui a-t-elle murmuré. Tu n'as pas le droit de mourir avant de t'être un peu racheté ici-bas. »

» Peut-être l'a-t-il entendue, dit Sam, songeur, à moins que le courage lui ait manqué. Quoi qu'il en soit, après cet épisode, il perdit ses illusions. Il s'engagea dans le mouvement de l'action non violente et s'impliqua énormément dans le boycott et la destruction par le feu des produits anglais. À cette époque, il est allé rencontrer Gandhi en Afrique du Sud – ce qui a radicalement changé sa vie. Tu vois, conclut Sam avec ce merveilleux sourire où l'Orient et l'Occident semblaient réconciliés. L'histoire familiale commence par le terrorisme et toutes sortes de trafics, mais les bouleversements y ont aussi leur place, alors ne désespère pas encore de moi !

En comparaison, j'étais un enfant de chœur. Mon identité était simple : je venais du Pays de Galles, qui faisait partie de l'Angleterre, qui faisait partie de la Grande-Bretagne, qui faisait partie de l'Empire, autant d'éléments s'emboîtant aussi parfaitement que l'Union Jack. Pas d'éléments tronqués. Pas de migrations suscitées par la rupture ou la guerre. Pas d'assujettissements ni d'humiliations. Pas d'exterminations religieuses. Pas de génocide, ni de conflits, ni de choix : mon identité personnelle et nationale était unique et stable.

– C'est un luxe que nous ignorons, fit observer Sam. Mon père a été la proie de ses conflits intérieurs. Il a d'abord rejoint le camp anglais, puis l'a quitté pour s'engager de plus en plus dans le mouvement pour l'autonomie. Et je soupçonne, ajouta-t-il, en ôtant ses pieds du bureau, que c'est ce qui le mobilise en ce moment précis. Chaque fois qu'on n'entend pas parler de lui, c'est qu'il se terre quelque part pour préparer un mauvais coup contre les Angliches.

9

Au retour de Sam, je me tenais devant la fenêtre du salon donnant sur les pièces d'eau et les roseraies. Je portais le sari lamé d'or. Un paon venait de s'éclipser dans une tonnelle de glycines. Une formation de canards vola au-dessus du pont palladien. L'herbe d'un vert intense se déroulait jusqu'au boqueteau de sapins. J'avais décidé de l'attendre dans le salon, la seule pièce où il était possible d'accueillir un visiteur, les autres étant trop intimes et, vu l'absence de domestiques, en désordre à l'ordinaire. Lorsque je l'entendis avancer dans le couloir et s'arrêter, j'hésitai avant de me retourner. L'espace d'une minute, il me regarda attentivement. Immobile, je baissai les yeux, puis les relevai et les plongeai dans les siens tout en m'approchant de lui.

– Pas mal! s'exclama-t-il avec un rire approbateur. Assez impressionnant en fait. On s'y méprendrait presque!

– Pourquoi presque?

– Tu as une démarche de cavalière. Et ton attitude manque d'humilité. Il va falloir t'entraîner un peu.

– Ne t'imagine pas que je vais prendre mes repas à la cuisine.

C'est ainsi que l'on commença. Une fois que je lui eus montré mon adresse à ramasser des épingles de sûreté et des trombones avec les orteils, nous abordâmes les choses sérieuses. Un lourd volume sur la tête, j'allais et venais tandis qu'il m'observait du fauteuil.

– Lève la tête et baisse les yeux. Déhanche-toi d'une manière plus langoureuse. Marche lentement, tu continues à faire de grandes enjambées. C'est beaucoup mieux. Imagine que tu es une jeune fille dans une procession religieuse. Voilà, ça y est.

Pour amusant que fût ce jeu, il nous entraîna vers le lit. Tant et si bien que le tissu du sari roussit et que la marque de caste s'estompa en une tache rose. Le lendemain, nous nous lançâmes pour de bon en allant au bazar en voiture. Si je m'exprimais en anglais, il m'ignorait :

– Tu dois parler avec plus d'aisance. Oublie le pendjabi, concentre-toi sur l'hindi. Au moins, tu n'emploies pas l'hindi anglais, qui ne sert qu'à donner des ordres. Joseph a très bien travaillé.

Ce que je m'étais entraînée à lui révéler était beaucoup plus difficile que d'apprendre l'hindi. Mot pour mot, j'annonçai :

– J'ai l'intention d'étudier pour devenir médecin.

– Parfait, approuva-t-il. Tu vas devoir le faire sous ton incarnation d'Anglaise.

Je fus stupéfaite :

– Je croyais que tu trouverais ça ridicule et irréalisable.

– Pourquoi donc ?

– Pourquoi pas ?

– Il existe des doctoresses aux Indes, répondit-il, dont ma mère, tu sembles l'avoir oublié. Certaines se sont formées ici, bien que la plupart aient étudié en Angleterre ou en France. Ce n'est pas du domaine de l'impossible.

– Tu crois que je réussirai ?

– Bien sûr.

– Est-ce que je devrai retourner en Angleterre ?

– Non, tu pourrais aller à Delhi. Bon nombre de nos docteurs obtiennent rapidement leur diplôme. Des études de sept ans sont trop longues pour les Indes ou pour beaucoup de médecins d'ici. Ceux qui ont décidé de travailler dans les villages préparent ce qu'on appelle un diplôme modifié. Ils acquièrent les connaissances nécessaires pour soigner la population en à peu près deux ans. Cela paraît de la condescendance, mais ça se tient. Tu parviendras peut-être à convaincre les responsables de te laisser suivre cette voie. De toute façon, tu recevras une excellente formation.

– Delhi, c'est à mille lieues de toi.

– Je serai dans la province du Bihar, qui est loin de tout.

– Tu retournes à Ranchi? Quand?

– Je travaille à l'asile de juillet à décembre et passe le reste de l'année à Lahore. J'ai des relations indépendantes avec les deux hôpitaux. À Ranchi, j'ai aussi une clientèle privée.

– Pourrai-je aller te voir à Ranchi?

– Naturellement, et moi à Delhi. Sauf que les distances sont immenses et les trains lents. Sans compter que tu seras débordée. L'aide que je serai en mesure de t'apporter n'est pas énorme parce que je ne suis pas rattaché à l'hôpital de Delhi, qui est, je le sais, aussi progressiste que n'importe quel établissement britannique. Ma mère pourrait tirer quelques ficelles, mais cela risque d'être délicat. Même si elle s'est libérée des contraintes et conventions qui la ligotaient, notre relation lui déplairait.

– Cela signifie que je ne ferai jamais sa connaissance?

– Je crois que tout est possible, répliqua-t-il calmement. Ce n'est qu'une question de volonté. Si tu as envie d'étudier, j'exhumerai quelques livres pour toi. Je possède un bel exemplaire de l'*Anatomie* de Gray, et je verrai ce que je peux dénicher d'autre.

Nous continuâmes à discuter de ce sujet tout en roulant dans des ruelles qui menaient au marché indien. Dans les villages environnants, des gens priaient dans la rivière et prenaient leur bain rituel. Des aigles gris s'élevaient dans le ciel. Un homme hissait un filet dans son petit bateau de pêche. L'air était chargé de remugles d'égout et de fruits pourris jonchant le sol noir sous les figuiers; des corbeaux picoraient parmi ces détritus. Nous nous étions tus. C'était la fin de l'après-midi. Il montait de la rivière une chaleur somnolente et nauséabonde. Désormais, je ne posais plus le même regard sur les Indes. Après avoir exprimé à haute voix mon objectif, j'avais conscience qu'il me faudrait trouver le moyen de circuler dans le pays autrement. Comme j'observais les gens accroupis sous les arbres ou en train de marcher sur la route en terre battue, j'étais incapable de me représenter leur destination, l'intérieur de leurs huttes, la vie quotidienne de cette femme, là-bas, en sari blanc, ou de cet homme réparant sa bicyclette sur la piste. Soudain l'idée de me retrouver dans le marché, en sari, me terrifia. Des images de gens qui se moquaient de moi, m'agressaient, me détestaient après avoir découvert que j'étais une Feringhi s'imposèrent à moi. Malgré mon envie de le confier à Sam, je m'abstins.

Nous nous étions arrêtés sous les arbres à côté des rickshaws et des chars à bœufs. Les limites irrégulières du bazar s'étendaient comme une tache d'huile. Le jour déclinait. Des fruits blets et des légumes s'empilaient en pyramides poussiéreuses. Des mendiants traînaient parmi les ordures, l'un s'avançait sur les moignons lui servant de jambes dans un magma d'entrailles de poisson. Des enfants se fourraient des bananes écrasées et des quartiers d'orange dans la bouche. Un homme apparut et se mit à leur donner des coups de bâton. Le tohu-bohu et le brouhaha étaient assourdissants. Des flots de gens allaient et venaient. On chargeait des animaux. Les porteurs d'eau criaient à tue-tête. Les marchands de bonbons étaient agressifs et bruyants. Les enfants, accrochés aux hanches de leur mère, l'air affamé, les yeux colonisés par des mouches, offraient un spectacle insoutenable. Les mendiants, avec leurs mutilations volontaires, étaient grotesques.

Sam tendit le bras devant moi pour ouvrir la portière. À peine fus-je sortie que je me forçai à avancer vers le bazar. La puanteur me donna aussitôt la nausée. Je m'immobilisai, portant la main à ma bouche pour m'empêcher de vomir. Je vis un chien mort dans sa merde et une tête de chèvre dans une bouche d'égout. Un mendiant s'agrippa à mon sari. Lorsque je tentai de m'éloigner de lui, il me suivit en m'implorant, sans lâcher ma jupe. Il avait des yeux laiteux et une bouche purulente. Pivotant sur mes talons, je retournai au pas de course vers la voiture et Sam qui s'approchait de moi. Il s'arrêta :

– Que se passe-t-il? demanda-t-il.
– Je ne peux pas. Je n'y arriverai pas!
– Quoi donc?
– À passer par là.
J'agitai frénétiquement la main avant d'ajouter :
– À me frayer un chemin parmi cette foule d'Indiens.
Dans ce bruit, cette crasse, cette puanteur.
– Alors tu ne fais plus rien du tout?
J'éclatai en sanglots :
– Je ne sais pas.
Il s'écarta et me regarda, les bras ballants, l'air méfiant :
– Nous nous sommes lancés dans une entreprise dont les conséquences échappent à notre contrôle.
Puis il me demanda sévèrement :
– Tu continues ou tu renonces?
– Suis-je censée décider ici?
– Et maintenant. Sors de la voiture et va te mêler à ces Noirs crasseux et infects, sinon je te ramène à Simla.
Je tremblais. Ni son ton ni son expression ne me plaisaient, et l'ultimatum moins encore. D'une voix crispée, je rétorquai :
– En ce moment précis, rien ne me ferait plus plaisir que d'être conduite dans un bar chic de Simla où l'on sert du champagne et des canapés au saumon.
Mais lorsque je levai les yeux vers lui, la souffrance émanant de son regard me frappa. Il s'efforçait de masquer à quel point il était offensé et blessé. Un bout de métal s'enfonça dans ma colonne vertébrale où il se ficha :
– Accorde-moi un moment.
– Tout le temps que tu veux, lança-t-il brutalement, tout en reculant vers la voiture.
Il s'y adossa. Il alluma une cigarette. Il me tournait le dos. J'entrai dans l'auto par l'autre côté. Une femme accompagnée d'un petit enfant vint vers lui et le salua à l'orientale. Avec une infinie économie de mouvement, il l'imita. Ils parlèrent un moment; le regard qu'elle posait sur lui était surprenant, suppliant ou plein de gratitude, je n'arrivai pas à décider. Je n'avais vu cette expression que chez les Indiens qui s'adressaient à nous. Hébétée, je me demandai si c'était parce qu'elle savait qu'il était méde-

cin ou parce qu'il était riche. Je n'en avais aucune idée.
Sam contourna le véhicule et ouvrit la portière, tendant
la main pour m'aider à sortir. Je la pris.

– Tu dois ressentir la même chose, commença-t-il
doucement, que moi lorsque je marchais dans le corridor
de mon collège, à l'affût des tortures qu'ils, des « grands »,
allaient me faire subir. Et, à la vérité, j'éprouve souvent
ce que tu viens d'éprouver.

Je me rapprochai de lui, ayant envie d'une cigarette.
C'était évidemment hors de question.

– Reste près de moi, m'enjoignit-il. Tout ira bien, je
te le promets.

– Non, il faut que j'y aille seule. Va chercher les
légumes, je m'occupe des fruits. Je te retrouverai à la
voiture.

Je respirai profondément. Devant moi, une foule
compacte d'êtres humains s'affairait. Impatients et pres-
sés, ils tentaient tous d'acquérir, le plus vite possible, les
meilleurs fruits au meilleur prix. Ayant l'habitude de ces
transactions, ils savaient parfaitement comment obtenir
ce qu'ils voulaient. Après avoir pris une nouvelle inspiration, je m'élançai et ne tardai pas à perdre Sam de vue.
Une sorte de calme s'empara de moi. Un peu comme au
moment où j'avais cru que je me noyais dans l'étang. Les
bras collés à mon corps, je me frayai un chemin dans la
cohue. Comme j'avançais au sein de la bousculade, personne ne m'adressa la parole. Les gens riaient, se cha-
maillaient, discutaient ; il était impossible d'approcher de
l'endroit où les pyramides de mangues, de bananes, d'ananas et de noix de coco m'attendaient. Je me souvins de
ce que mon père répétait : « Bouge-toi, Isabel, prends le
taureau par les cornes. » Puis je pensai à la voix de Joseph
en train de me tancer : « C'est quoi ces atermoiements,
memsahib ? Avancez, sinon vous serez piétinée. »

Alors, je me mis à imiter les femmes autour de moi.
Je poussai, tirai, soulevai, humai, retournai, scrutai, m'emparant de ce dont j'avais besoin et rejetant le reste. Je fis
passer de l'argent à travers un océan de mains avant de
prendre mes fruits que je fourrai dans mon sac en cali-
cot, ne prononçant qu'un minimum de paroles. Puis, je
m'éloignai du cœur des échanges commerciaux. Ce fut

là, me sentant moins écrasée, moins intimidée, que je me fondis plus facilement dans l'essaim d'étrangers. Ma peur se dissipa et, soudain, je fus en paix. On aurait dit qu'un harnachement tombait de moi tandis que, pour la première fois de ma vie, je me voyais non comme quelqu'un de particulier, mais comme une parcelle de la foule. Un sentiment surprenant, libérateur et gratifiant. Ensuite, je fis ce que les femmes du monde entier font le mieux : des courses.

Dans la voiture, sur le chemin du retour, Sam et moi abordâmes sérieusement la question de l'avenir. Nous mîmes tout sur la table. Les risques ne semblaient pas le préoccuper.

– Il arrive un moment, expliqua-t-il, où l'on cesse de s'inquiéter à propos de ce qui peut arriver : on se contente d'avoir un plan pour y faire face.

L'obscurité envahit la route. Sam s'interrompit car il lui fallait se concentrer. Des animaux et des gens apparaissaient soudain dans les phares, surgissant de nulle part. Il se tourna vers moi, brusquement comme à son habitude :

– Comment allons-nous nous débarrasser de ton mari ?

– Je l'ai quitté.

– Officiellement s'entend.

– J'espérais ne jamais être obligée de le revoir.

– Cela risque d'être plus difficile que tu ne le crois. Il est possible qu'il ne te laisse pas partir. Tu es ici à cause de lui, tu es une femme de militaire. Tu ne peux disparaître, et il n'aura aucun mal à te poursuivre.

Quand il eut garé la voiture, Sam me demanda :

– Jusqu'où es-tu prête à aller ?

– Dans quel sens ?

– Tous. Quelles sont les limites de ton engagement ?

– Il n'y en a pas.

– Dans ce cas, sourit-il, on pourrait le faire descendre s'il devient un problème, non ?

Nous nous trouvions dans la pièce donnant sur le parc. Autour de nous, la pelouse qui ceinturait les jardins et les pièces d'eau s'étendait à perte de vue. C'était le moment de la journée où les montagnes nous rendaient visite, devenaient plus proches, intimes même, alors que les pics enneigés à l'horizon semblaient des mirages.

— Savais-tu, dit-il avec indolence en défaisant mon chignon, qu'Alexandre le Grand s'imaginait qu'il verrait le bout du monde s'il atteignait la Khyber Pass. Il est venu ici avec une cohorte de poètes, d'ingénieurs, de scientifiques et de géomètres, qui devaient prendre la mesure de chaque pas de la Grèce à l'extrémité de la terre. Nous l'avons appelé Sikander et il était considéré comme un dieu. Pense aux soldats qui l'ont suivi pendant huit ans – une marche épique dans un paysage inhospitalier –, au choc entre les deux plus grandes civilisations de l'époque, aux Indes subissant son assaut. Sauf que la résistance a fini par avoir raison de lui. Il n'a pas réussi à dépasser Delhi. Il s'était trop approché du soleil; pour la première fois, son armée a refusé d'aller plus loin. Naturellement, beaucoup sont restés et se sont établis en Afghanistan ou au Cachemire, mêlant leur blondeur à notre noirceur. Les Grecs et les Indiens, c'est un bon mélange. Sans doute en ai-je hérité, avec le reste.

— Mais tu as des yeux verts, pas bleus.

— Dieu merci, les tiens sont marron.

En fait, je fouillais le parc du regard :

— Pourquoi est-ce que je n'ai jamais aperçu un jardinier depuis que je suis là ? Il doit y en avoir une armée sans compter leurs aides et les sarcleurs.

— Ils désherbent au clair de lune.

— Comme j'entends le veilleur de nuit faire sa ronde à minuit, je sais au moins qu'il existe. Il siffle comme les autres. À mon bungalow, c'était pareil.

— Je n'aime pas penser à toi là-bas; je n'ai pas envie que tu y retournes.

— Où irai-je alors ? demandai-je, en me redressant

— Eh bien, nous pourrions faire un voyage au Cachemire pour voir si tu t'y plais. Tu n'y trouveras pas le même fossé entre les races qu'ici, ni la crasse, ni la misère qui t'ont tellement dégoûtée.

Il me lança un sourire ironique empreint de tendresse.

— Non seulement le Cachemire n'est pas un territoire

occupé, mais c'est un État riche et magnifique. On a l'impression que l'atmosphère qui y règne ressemble à celle de l'Empire moghol. En hiver, les lacs sont gelés, tout s'arrête. Puis les bateaux reviennent à la fonte des neiges, et les passeurs font des allers et retours en transportant des légumes et des chèvres, naviguant devant les houseboats anglais et les palais du raja sur la rive. Même s'il ne s'agit pas vraiment des Indes, l'illusion subsiste, malgré les événements extérieurs.

L'après-midi touchait à sa fin. Nous étions installés dans la même pièce, au plafond voûté et aux étranges peintures murales représentant les Alpes. L'existence d'un tel décor alors que la chaîne de l'Himalaya se profilait derrière la fenêtre dépassait mon entendement. Le bouquet de roses jaunes et roses que j'avais composé en y ajoutant des fleurs d'un bleu sombre trônait sur une haute table sculptée. Malgré les chaises longues aux accoudoirs recourbés, nous nous asseyions plutôt sur le tapis, entourés de livres éparpillés, laissant le thé refroidir. Et nous nous y laissions surprendre par le sommeil parce que le lit était trop loin. Tantôt Sam mettait des disques de Beethoven ou de Bach, tantôt il dansait avec moi au son d'une étrange musique que j'adorais sans vraiment la comprendre – des morceaux d'une tristesse rêveuse où se mêlaient saxophone, trompette, instruments à cordes et à vent accompagnés par un piano carillonnant. Il appelait cela du jazz nègre. L'air était imprégné d'une sorte de dolence et parfois, au petit matin ou dans la soirée, le vent se chargeait d'humidité. Cela évoquait certains séjours au bord de la mer, à Porthcawl, lorsque l'été touchait à sa fin et que les fleurs perdaient de leur splendeur. Ici, elles étaient encore épanouies. Tous les jours, je sortais avec un panier que je rapportais plein; je connaissais certaines variétés, d'autres pas du tout. Je les disposais dans de grands vases, me sentant alors proche de ma mère et de mon pays. De chaque côté du lit, je mettais des petites gerbes, exactement comme elle l'aurait fait. Cet univers me semblait si lointain désormais qu'il m'arrivait de me demander si j'y avais jamais vécu. J'avais tellement rompu avec mon passé, je me souciais si peu de l'opinion des autres que je ne parvenais pas à imaginer la réaction de ma mère si je lui confiais que j'étais tombée amoureuse d'un Indien. Je vivais l'instant présent, sachant que Sam n'allait pas tarder à me quitter. D'ici peu, les vents de la mousson se lèveraient et toute la structure impériale de Simla se volatiliserait. La cour du vice-roi rentrerait à Delhi pour le reste de l'année tandis que notre petit radeau d'amour serait emporté par les bourrasques.

Nous nous endormîmes au milieu de la pagaille. Je me souviens que le tic-tac de l'horloge de parquet du vestibule me réveilla. Je crus avoir entendu quelque chose, mais je me rendormis aussitôt. Lorsque j'ouvris à nouveau les yeux, Sam était blotti contre mon épaule. La pièce était plongée dans une pénombre nacrée. Le soleil était couché, et l'air qui soufflait de la terrasse était frais. Un bruit venant du jardin me fit sursauter. M'écartant prudemment de Sam, je tendis l'oreille. Des pas résonnaient dehors, martelaient les dalles de la terrasse, tournaient à l'angle, s'approchaient. Quand je levai les yeux, je vis un soldat debout devant les portes-fenêtres. L'espace d'un moment de terreur je le pris pour Neville, mais l'homme était trop grand. En uniforme, coiffé de son topi, les bras raides le long du corps, il me regardait avec un demi-sourire indéchiffrable. Loin d'entrer dans la pièce, il restait immobile et silencieux, les yeux rivés sur nous sans qu'aucune expression ne se dessine sur son visage. Je tirai la courtepointe davantage sur moi, songeant à en couvrir Sam. Trop tard.

Je portais une longue tunique de Sam, complètement froissée. Après avoir baissé le haut, je secouai Sam. Il se redressa. L'officier ne bougea pas, mais, lorsqu'il s'aperçut que nous étions réveillés, il ôta son topi et le mit sous son bras. Puis de l'endroit où il se tenait devant les portes-fenêtres, il lança :

– Toutes les portes étaient fermées, monsieur. Aussi ai-je pris la liberté de passer par le jardin.

Comme nous nous mettions maladroitement debout, il continua de nous observer et reprit d'un ton gêné :

– Je vous prie d'excuser mon intrusion, je suis le major Turner. Le colonel Pendleton m'a donné l'instruction de prendre contact avec vous par n'importe quel moyen.

Il fit une petite courbette dans ma direction. Je distinguai alors la première trace d'émotion : il était à la fois choqué et écœuré. Sam couvrit ma main de la sienne.

– Permettez-moi de vous présenter mon amie, Mlle Herbert, qui vient d'arriver du Caire.

Le major s'inclina légèrement et détourna les yeux. Sam prit une cigarette dans la boîte posée sur la table, qu'il me tendit avant d'en offrir au major. J'acceptai. Le major refusa.

– Ne voulez-vous pas vous asseoir, proposa Sam, en désignant un siège. Ne désirez-vous pas boire quelque chose ?

Le major Turner ne s'assit pas. En revanche, il posa son topi sur la table, le temps de sortir des papiers de sa poche.

– Un accident très regrettable s'est produit dans les environs de Rawalpindi, déclara-t-il. En début de matinée, le 25, on a mis le feu à un train transportant des femmes et des enfants. Tous ceux qui ont essayé de s'enfuir ont été exterminés.

Sam tressaillit :

– Combien de morts ?

– Plus de deux cents – des femmes et des enfants en majorité – et des centaines de blessés graves.

– Qui est responsable ?

– Des militants musulmans l'ont revendiqué.

Sam s'assit. Le major et moi aussi.

– Je vous serai reconnaissant de me donner les détails, demanda Sam.

– Eh bien, pour l'instant, nous savons seulement que le train s'est arrêté aux abords de la gare de Rawalpindi, près du bidonville musulman où quelques incidents se sont produits récemment. Le train a été détourné. Une émeute à caractère religieux a éclaté, et des jets de pierres ont brisé les vitres. Peu après, plusieurs voitures de l'avant ont pris feu. Tous ceux qui ont tenté de s'enfuir ont brûlé vifs. D'après les enquêteurs de la police, des litres de pétrole ont été versés par les fenêtres. Il était impossible de sauver qui que ce soit dans les dix premiers wagons. À la tombée de la nuit, la foule hindoue s'est vengée en commettant des actes d'une effroyable cruauté. Les deux côtés rivalisent de barbarie.

— Malheureusement, le coupa froidement Sam, tous les côtés ont recours aux mêmes tactiques à des moments pareils. Je suis convaincu que vous n'avez pas oublié la cruauté des Anglais à Amritsar?

— Bien sûr que non, opina le major, en fixant le sol. Je dois vous dire, ajouta-t-il précipitamment, que l'incident a été suivi par d'autres complications. Pour des raisons non encore élucidées, un petit régiment de l'armée britannique s'est retrouvé impliqué dans les hostilités. Apparemment, le parti soutenu par les Anglais posait problème : plusieurs soldats ont été décapités. On craint que cela ne débouche sur une insurrection.

Le major s'interrompit une minute.

— Les précisions figurent dans la dépêche. J'ai l'ordre de vous accompagner à Rawalpindi dans les meilleurs délais. Le moyen de transport est dehors.

Sam resta immobile tandis que les volutes de la fumée de sa cigarette s'élevaient entre ses doigts :

— Peut-être devrais-je jeter un œil à la dépêche.

Il la lut en silence, puis la mit de côté. Le visage grave, il posa quelques autres questions et obtint davantage de chiffres : dans le décompte final, ceux-ci révélèrent une majorité écrasante de victimes musulmanes. Le rôle qu'avaient joué la police et l'armée semblait très trouble. Sam plia la feuille avant de la rendre.

— Auriez-vous l'amabilité de nous accorder un moment, demanda-t-il au major, qui s'empressa de se lever et de gagner la porte. Il se fondit dans l'obscurité.

Sam et moi sortîmes calmement de la pièce donnant sur le jardin. À peine dans la chambre toutefois, on s'effondra. Crispé, Sam ne desserra pas les dents. La peur me donnait le vertige. On échangea un long regard. Je tremblais. Nous étions tous les deux livides. Il s'assit brutalement, la tête entre ses mains. Sous le choc et effrayée, je m'accroupis devant lui, m'agrippant à ses genoux.

– À ton avis, a-t-il cru que je débarquais du Caire?

– Aucune chance, répondit sèchement Sam. Il va essayer de trouver qui tu es parmi les femmes d'officiers. S'il n'y parvient pas, il le découvrira par d'autres moyens.

Je le rejoignis sur le lit.

– Tout dépend de Pendleton, poursuivit Sam. Il pourrait se taire, mais il ne le fera que si c'est dans son intérêt et dans celui de l'armée. Il a beau être un type bien qui a de la sympathie pour moi, il me sacrifierait sans hésiter si je n'acceptais pas de coopérer. – Un sourire amer se dessina sur ses lèvres. – Mon père n'est pas étranger à tout cela. Voilà pourquoi Pendleton tient à me voir. Tu ignores beaucoup de choses des activités de mon père, et je préfère éviter de les approfondir. Quoi qu'il en soit, il est impliqué : il est dans les parages.

Il se tourna vers moi. L'air plutôt calme, il alluma deux cigarettes et m'en tendit une.

– Turner t'a-t-il dit quelque chose avant que je ne me réveille?

– Pas un mot. À peine une réaction. On l'aurait cru en train de défiler. Je n'ai surpris une lueur dans ses yeux que plus tard. Moqueuse, méprisante, quelque chose dans ce goût-là. En revanche, j'ai trouvé qu'il te traitait avec beaucoup d'égards.

– Il obéit aux ordres. Je ne le connais pas, mais cela m'étonnerait qu'il prenne le risque de cancaner à notre sujet. Si ce n'est que les Anglais communiquent d'une manière tellement biaisée... Une remarque suffirait.

– Es-tu obligé de partir?

Mon profond malaise s'accompagnait de l'impression qu'un mystère se dissipait.

– Ça ne me dit rien, reconnut-il. Cependant ce serait pire de refuser. Qu'en penses-tu?

– Je suis d'accord.

Il me regarda avec gravité :

– Veux-tu que je reste? Je le ferai sans hésiter si c'est ce que tu veux.

Espérais-je un geste grandiose, une renonciation à la vie publique au profit de la vie privée? Souhaitais-je le voir se précipiter auprès du major pour lui annoncer : « Désolé, mon vieux, je ne bouge pas d'ici ? » Absolument.

– Tu devrais partir.

– Et toi ? Que vas-tu faire après mon départ ?

Je me sentis calme tout à coup. L'avenir était le présent. Les dés étaient jetés.

– Je vais retourner à Simla, répliquai-je. Ferozepore m'est interdit maintenant. Que vais-je faire ? Aucune idée, je dois réfléchir. Ça ira pour toi ? insistai-je, nerveuse.

– Oui. Nous ne sommes plus à couvert, c'est indéniable. Tu n'en subiras sans doute pas les conséquences immédiatement. Les Anglais ne lapident pas les femmes adultères, précisa-t-il sèchement, bien que leurs méthodes soient aussi meurtrières. Ma situation personnelle ne m'inquiète pas : je suis compromis, mais ni politiquement ni professionnellement. En revanche, l'échauffourée de Rawalpindi débouchera sur quelque chose d'infiniment plus dramatique que l'incendie d'un train. Il va y avoir des émeutes. Les autorités britanniques tenteront de dissoudre le Congrès. Gandhi s'en mêlera et sera probablement jeté en prison. Nehru interviendra. Il y aura davantage de morts.

Sam se leva et marcha de long en large.

– Je ne comprends pas ce que Pendleton attend de moi. Il veut mon avis, parce qu'il sait que le pouvoir de mon père à Jammu et Peshawar est considérable et qu'il me croit plus souple, conclut-il d'un ton sarcastique.

– Voyons, tu es médecin. Tu n'es pas impliqué dans tous ces mouvements politiques, n'est-ce pas ?

– La ligne de démarcation entre les deux n'existe pas. Jusqu'à présent, j'ai fait de l'équilibrisme, mais il va falloir que je prenne une décision dans un sens ou dans un autre.

Il se mit à jeter quelques vêtements dans un sac. Puis il s'arrêta brusquement pour s'asseoir sur le lit.

– Quant à toi, dit-il avec tendresse, ne t'inquiète pas pour moi. En cours de route, j'aurai le temps de voir quel genre d'homme est le major. Je trouverai le moyen, espérons-le, de lui clouer le bec. Sinon, tout ira bien malgré tout.

Il serra sa cuisse droite contre ma gauche, exactement comme lorsque nous faisions l'amour.

– Je ne vais pas t'abandonner, m'assura-t-il, tout en glissant une mèche derrière mon oreille. Ni t'enfermer dans un grenier. Ni te livrer à la fureur de ton mari. Tu es l'amour de ma vie ; je reviendrai te chercher et nous nous organiserons. Reste à Simla. Comme ça, je te trouverai. Tu peux me laisser des messages ici si tu le souhaites.

Il attrapa une enveloppe sur une table.

– Je vais t'écrire quelques adresses. Il te sera possible de me joindre à l'un ou l'autre de ces endroits.

Il prit un stylo pour les noter rapidement.

– T'a-t-on donné une boîte postale à Simla où je pourrais t'envoyer des lettres ?

Je l'inscrivis sur un bout de papier qu'il fourra dans son sac en cuir.

– Ne pars pas ce soir. Si tu t'en vas, indique-moi où tu es. Je t'écrirai dès mon arrivée à Rawalpindi, et je te promets de ne pas m'y éterniser.

Un horrible pressentiment m'envahit : j'avais peur pour Sam, non pour moi. Avant de se diriger vers la porte, il m'embrassa très lentement puis, avec son merveilleux sourire ironique, me suggéra :

– Replonge-toi dans *Othello*.

II

10

1921

Joseph et moi nous trouvions à Simla. Il remontait un seau du puits, et je regardais dans les ténèbres. Une odeur ferrugineuse flottait, qui me rappelait les eaux minérales de Bath et de Tunbridge Wells. Nous nous étions chamaillés. Joseph voulait que nous quittions Simla sur-le-champ.

– Mem, pour vous c'est habitude braver ce qui n'est pas favorable jusqu'à limite du vrai danger.

Je le rembarrai d'un geste :

– J'attends, Joseph.

Il s'arrêta, posant le pied sur la corde pour la maintenir.

– Mem attend quoi ?

Malgré mon envie d'éclaircir les choses à propos de Sam, je fus incapable de lui dire la vérité :

– J'attends quelqu'un, Joseph.

Sans me regarder, il marmonna :

– Quelqu'un ne vient pas, mem.

– Comment le sais-tu ? protestai-je en gémissant.

Le sempiternel sifflement dubitatif sortit de la bouche de Joseph. Sa prescience étant précisément ce qui m'exaspérait, je me lançai :

– J'aurais dû t'en parler depuis longtemps, j'attends le docteur Singh.

Joseph hissa le seau sur la margelle du puits. Il le

posa par terre, plein à ras bord, avant de braquer vers moi
ses yeux noirs étincelants de colère et de souffrance :

— Mem croit que je ne sais pas ce que c'est d'aimer
une femme ?

Nous partîmes dès que je reçus son télégramme : *Rendez-vous vendredi 20 à Jammu. Prends le train de nuit à Simla, il passe par Pathankot et arrive à minuit. Je t'en prie fais-le. La situation est épouvantable ici, indescriptible. S.*

Je l'aperçus par la fenêtre du train, tendu, maigre, sombre, l'air désemparé. Était-il en train de se décoloniser ? Il se fondait dans la cohue du quai d'une manière que je n'avais jamais remarquée. Ni le jour où il avait traversé la place du cantonnement après les coups de feu, ni lorsqu'il portait la tunique et l'ample pantalon pakistanais, ni quand il mangeait avec les doigts dans une feuille de bananier. À présent, il était vraiment un Indien. Je descendis du train. Il s'approcha de moi. Un sourire où le soulagement se mêlait à l'amour éclaira brièvement son regard. Puis la lueur disparut et ses yeux pleins d'ombres s'enfoncèrent dans leurs orbites. Il n'avait plus le teint doré mais gris – une couleur terreuse qui avait quelque chose d'horrible. Il me dévisageait, et, comme j'hésitais, sachant que je ne devais pas céder à mon désir de l'embrasser ni à celui de me précipiter dans ses bras, il me laissa plantée là. J'espérais qu'il me prendrait au moins la main pour la coincer sous son coude comme à son habitude, mais il se borna à joindre les siennes en inclinant légèrement la tête. Je l'imitai. Les ongles de Sam étaient noirs, ses mains meurtries et égratignées.

Nous marchâmes d'un pas vif sur le quai, sans parler. Il m'aida à monter dans la voiture, plus vieille, moins superbe que la bleue, au point que je doutai de sa capacité à effectuer le long trajet jusqu'à Srinagar. Il conduisit adroitement, se faufilant entre la multitude des rickshaws, des chars à bœufs et des taxis. Le ciel s'était dégagé, et les montagnes se découpaient dans une obscurité plus profonde. Du train, j'avais vu leur splendeur bleutée, et distingué le Ladakh couvert de neige, avant que les nuages ne les dérobent à mes regards. Sam m'annonça alors que nous nous dirigions vers un house-boat, situé à l'écart des lieux fréquentés par les touristes, au nord du lac Dal. Puis il m'interrogea : Avais-je envie de dormir ? Le voyage en train avait-il été horrible ? M'avait-on ennuyée ? Où avais-je enfilé mon sari ? Autant de questions dérisoires. Ensuite, il ne desserra plus les dents. Même sa façon de conduite était tortueuse. Il évita la route principale, fonçant à une telle allure dans les virages en épingle à cheveux que mon cœur cogna dans ma poitrine.

– Tu cherches à nous tuer ? lui demandai-je.

L'air stupéfait, il ralentit aussitôt.

Il faisait encore sombre à notre arrivée à Srinagar. Nous accélérâmes dans des venelles, contournant les boulevards et les imposants hôtels victoriens illuminés par le clair de lune. De l'eau miroitante ou une fenêtre éclairée s'offrait à mes regards, une bribe de musique à mon oreille et, parfois, les sommets éblouissants se profilaient devant moi, mais c'était comme un rêve. Les images qui défilaient dans ma tête étaient de feu non de la glace, des hurlements non des symphonies. Comme l'aube se levait brutalement, je discernai la rivière Jhelum, enjambée de ponts scintillants, où flottaient des bateaux de pêche et un enchevêtrement de nénuphars. Au moment où nous franchîmes la Dal Gate, la ville s'animait, le bazar se remplissait de porteurs et de marchands fabriquant des étals avec des caisses et du tissu. De minuscules échoppes croulaient sous de la vaisselle en cuivre et de l'argenterie. Des vendeurs de tapis et de châles bavardaient en buvant du café au milieu de soieries brodées, d'ombrelles et de coussins à pompons rouges. Des vieilles femmes fumaient le narguilé. Quelques gamins jouaient au cricket dans une ruelle. Des animaux erraient. Les égouts débordaient d'eau de pluie.

À Dal Gate, nous embarquâmes à bord d'un bateau. Et tout ralentit en moi tandis qu'il traversait à une allure rêveuse le vieux Srinagar, naviguant devant les mosquées et les somptueuses demeures du bord du lac aux balcons noyés sous les roses. De temps à autre, Sam me désignait quelque chose du ton sec qu'il prend parfois : « Là, c'est turco-afghan. Ces ponts ont cinq cents ans. À l'intérieur de cette mosquée à minaret, il y a un cheveu sacré du prophète Mahomet. » Ou bien il se tournait pour préciser : « Voici le fort Hari Parbat, dont le mur d'enceinte a été construit par l'empereur Akbar au XVIᵉ siècle. Je t'y emmènerai un jour. » Son emploi du futur me rassura parce que lorsqu'il se comporte de la sorte, on peut douter que ce jour existera. Il était parfois presque conventionnel : « Est-ce que tu skies ? » En temps normal j'aurais répliqué d'une remarque condescendante de mon cru, non seulement parce que je sais skier mais parce que ses incursions dans la grandeur du passé indien m'exaspéraient. Je m'étais documentée dans le train, merci bien, et j'avais suffisamment pataugé dans l'Histoire pour distinguer les bouddhistes des hindous, les sikhs des soufis, et assimiler les Mauryas, les Aryens, les Guptas et les Moghols. Je me serais volontiers passée de ses commentaires, je ne pipai mot à cause de la tension entre nous. Chaque kilomètre la rendait plus palpable ; loin d'être sexuelle, elle était indéfinissable, impossible à dissiper tandis que nous dérivions vers le lac, passant devant des ruches, des jardins flottants, des lits de lotus, de petits hôtels à demi dissimulés par de grands roseaux et des house-boats qui auraient pu loger l'escorte d'une reine. Sa Seigneurie ne prononça pas une parole durant le trajet. Je finis par me demander s'il avait décidé de m'emmener dans ce lieu d'une beauté incomparable uniquement pour m'annoncer que tout était fini entre nous.

Je m'efforçais de l'oublier en me récitant quelques vers.

> *L'arc-en-ciel va et vient*
> *La rose est ravissante*
> *(...)*
> *Pourtant je sais, que, où que j'aille,*
> *Une gloire à jamais a déserté la terre.*[1]

Le soleil étirait les silhouettes des noyers et des amandiers. De petits êtres au teint sombre travaillaient

---

1. Extrait de l'ode *Pressentiment d'immortalité* de Wordsworth, trad. Dominique Peyrache-Leborgne et Sophie Viger.

dans de vastes champs de safran. Des enfants grimpaient
aux arbres. Des chars à bœufs croulant sous les légumes
montaient lentement les pentes des collines. Cessant de
regarder dans sa direction, je renonçai à deviner ses pensées. Des vignes et des rizières étaient nichées entre des
sycomores et des cèdres. Des forêts de pins touffus s'accrochaient aux versants des montagnes. Concentrée, je vivais
le moment en proie à un sentiment de liberté exaltant.
« Seul le présent existe. » Le Pir Panjal s'élevait abrupte-
ment de la vallée tandis que la chaîne de l'Himalaya se
dressait au nord, enneigée et un peu effrayante. Mes sens
en éveil absorbaient tout : les jardins d'été construits sur
de gracieuses terrasses, les parfums de jasmin et de roses
flottant sur l'eau, les gigantesques platanes d'Orient qui
piquetaient les flancs des coteaux à la manière de clous de
girofle un oignon. Le vent, frais, avait la tolérance qu'on
attribue aux habitants du Cachemire. Même la chaleur
était supportable. Or mon amant se taisait, en proie à
une telle tristesse qu'il m'était impossible de le rejoindre.
De temps à autre, il me prenait la main ou m'effleurait
la joue, mais les mots étaient superflus, les paroles trop
dangereuses. Mon cœur sombrait dans les profondeurs
insondables de la désertion, de l'abandon, du manque.

Sam n'avait toujours pas abordé le sujet des événements survenus après son départ pour Rawalpindi.
J'étais si complice de son silence qu'au lieu de chercher
à rompre la glace, je rêvais que nous faisions l'amour
dans un jardin d'épices. Le safran dorerait-t-il à nouveau
sa peau ? La cannelle ferait-elle fondre son cœur ? Si nous
nagions parmi les lotus, nos membres s'enlaceraient-ils ?
Nos corps se mêleraient-ils ? Sa cuisse droite couvrirait-
elle ma cuisse gauche ? Me parlerait-il comme à son habitude ou le silence aurait-il raison de nous ?
   Il avait loué un petit house-boat, enfoui dans les
roseaux et les joncs, derrière lequel s'alignaient de vieux
cèdres et des saules pleureurs. On n'y accédait que par
l'eau. Comme à Simla – ce qui formait un contraste
criant avec la région des plaines, l'ombre était omniprésente : grands arbres surmontés de frondaisons sombres,

feuillages couleur de thé vert laissant échapper des flaques de lumière où tournoyaient des oiseaux au plumage éclatant. Au milieu du lac, un homme juché sur son embarcation en bois récitait ses prières; une femme enceinte coiffée d'un fichu rouge, les genoux écartés, une cargaison de feuilles de lotus dans le dos, naviguait à l'aide d'une perche. Des canards survolèrent l'eau calme. De la rive, une grue prit son essor – à cette distance, on aurait dit une ombrelle. Cette terre fertile et luxuriante regorgeait d'humanité et de bonté. On le sentait à la brise, au soleil, aux visages souriants.

Sam me confia qu'il avait passé deux jours dans le house-boat sans adresser la parole à quiconque.

– Suis-je de trop? en profitai-je pour lui demander.

Il fut surpris :

– Bien sûr que non, pourquoi cette question?

Je le foudroyai du regard :

– Tu devrais le savoir. Comment peux-tu être médecin sans réaliser l'effet de ta froideur sur les gens?

– Je ne le suis pas avec mes malades. Je croyais que tu me comprenais.

Abasourdie, je le regardai :

– Sam, je ne suis au courant de rien, d'absolument rien. Comment pourrais-je te comprendre alors que tu ne m'as rien dit de ce qui t'était arrivé depuis que le major est venu te chercher et t'a traîné à Rawalpindi? Évidemment, je suis capable de lire les journaux et je sais ce qui s'y est passé. C'est tout.

Lorsque nous atteignîmes le house-boat, il était livide. Il m'aida à monter sur le pont où il balança mon sac et, l'espace d'un instant, il perdit l'équilibre sous mes yeux. J'eus peur. Avais-je prononcé des paroles irréparables? Sur le pont qui avançait dans l'eau, la lumière filtrée par le treillis des stores dessinait des damiers. Comme le house-boat était presque entièrement noyé sous un enchevêtrement d'églantines, de lierre et de chèvrefeuille, le bois était à peine visible. Je pénétrai à l'intérieur. On aurait dit que Sam y vivait depuis toujours. Sa sacoche cabossée était bourrée. Dossiers et instruments jonchaient le sol.

J'en eus le cœur brisé. À Ferozepore ou à Simla, je voyais sa sacoche – qui donnait l'impression de l'avoir précédé –, sagement posée devant la porte de la pièce où j'entrais, alors qu'il se lavait les mains. En son absence d'ailleurs, je me réconfortais en m'imaginant être sa sacoche ou la montre à son poignet ou ses pantoufles.

Le salon était sommairement meublé. Deux chaises de style colonial encadrant un poêle, un fauteuil avec un coussin, une table encombrée de journaux, des paquets de cigarettes *Gold Leaf*. La cuisine, minuscule, pouvait à peine contenir une personne – cela lui convenait sûrement puisqu'il aimait faire mijoter les plats seul. Poivrons, piments, oignons et aubergines s'entassaient près d'un réchaud à deux plaques. Une bouteille de cognac, à moitié vide ou à moitié pleine. Un scalpel près d'une gousse d'ail. Une coupe remplie de prunes. Un petit paquet de thé. Un sac de riz. Un autre de pistaches turques. Un recueil de Rimbaud à l'envers dans de la coriandre desséchée. Ayant parcouru la pièce du regard en une fraction de seconde, j'attendis qu'il vienne. En vain.

Il fumait dans un coin du pont tellement à l'ombre qu'il s'y fondait presque. J'eus envie de le secouer, mais je me ressaisis. Je remontai et allai m'accroupir devant lui, mes mains sur ses genoux.

– Au nom du ciel, qu'est-ce qui se passe ? Je ne peux pas continuer ainsi avec toi.

Il se pencha pour m'enlacer avec une telle force que je crus que mes os se briseraient. Il tremblait de tous ses membres comme sous l'effet de rafales de vent ou d'une queue d'ouragan. Il ne pleurait pas. Je le serrai contre moi jusqu'à ce qu'il se calme. Il s'écarta. L'espace d'un instant, j'aurais juré que ses yeux n'étaient plus verts. Ses cils paraissaient être une rangée de faux noires, sa bouche une ligne sombre. D'une voix hachée, il commença :

– Durant mes premières années aux Indes, quand je travaillais avec les pauvres, amputais une jambe ou prenais un visage décomposé entre mes mains ou recousais des femmes à moitié lapidées par des démons ou des enfants mutilés... j'avais l'impression d'être à l'âge des ténèbres...

et je ne savais comment réagir. Depuis, je croyais que plus rien ne me bouleverserait ou ne me transpercerait le cœur. Mais il y a eu toi. Et puis ça.

Il s'interrompit, restant longtemps silencieux, avant d'ajouter d'une manière presque inaudible :

— Nalini est morte.

Cela me fit un tel choc que je ne parvins pas aussitôt à relier le nom à qui que ce soit.

— Ta femme ? bredouillai-je. Tu veux dire ta femme ?

Il acquiesça en secouant la tête d'un côté à l'autre. Sa main dissimula à moitié sa bouche.

— On les a étendus ensemble, reprit-il. Ceux du train et ceux des émeutes. On a entassé tous les corps ensemble...

— N'en parle pas, le coupai-je... pas maintenant...

Je refusais de me représenter les choses autrement que ce que j'avais glané dans les articles des journaux. Si cela devenait moins abstrait, je ne lui servirais à rien. Déjà, il m'avait donné le nom de sa femme et, sous peu, je risquais de voir son visage ou de connaître les détails de sa mort. Alors je sombrerais dans un abîme de culpabilité et de terreur. Il me fallait tenter de le ramener sur terre parce qu'il n'avait pas quitté les morts. M'agenouillant, je lui pris les mains. Il grelottait. Il était traumatisé, épuisé et je voulais m'occuper de lui, le sauver, le reconstruire – bref, faire pour lui ce qu'il avait fait pour moi à Ferozepore, où il m'avait lavée quand j'étais brûlante de fièvre et souillée par la malaria. Comment y arriver alors que j'étais partie prenante ? Comment lui demander de s'exprimer puis lui imposer silence ?

Enchâssée dans les arbres, la chambre n'était meublée que d'un lit bas en bois, à dosseret, où étaient jetés des oreillers blancs et une courtepointe bleue en tissu du Cachemire. Je l'enveloppai dedans avant de me blottir contre lui. Il n'était pas question de me glisser sous la courtepointe à moins qu'il ne me le demandât. Lorsqu'il tendit les bras, je me déshabillai et m'allongeai près de lui. Puis, je lui ôtai ses vêtements et m'enroulai autour de lui. Ma position n'avait rien d'érotique, j'étais comme un docteur s'efforçant de réchauffer un corps à bout de forces.

Il avait toujours froid, et, dans la pénombre qui baignait la pièce, sa peau paraissait aussi blanche que vulnérable. J'eus le sentiment que personne ne l'avait aimé physiquement, ni caressé, ni étreint, ni consolé. Or, comme si cela me venait d'une vie antérieure, je savais que la mort devait s'accoupler à la vie afin que les ténèbres se dissipent.

Il se lance dans l'amour en haletant. On dirait un nageur qui plonge en eau profonde, puis atteint le fond d'une grotte sans respirer. C'est là que je le récupère – au cœur de son souffle – lorsque nous faisons l'amour. La connaissance intime que j'ai de lui provient de son souffle qui m'adjure : « Écoute et tu sauras qui je suis. » Lorsqu'il refait surface, il exhale comme quelqu'un qui aurait retenu sa respiration très longtemps. Il tremble de tout son corps. Le va-et-vient brutalement s'accélère. Collée à lui, je sens le rythme de son souffle sur ma peau et j'y entends parfois un murmure, un mot tendre, une exclamation. Quand nous nous sommes aimés jusqu'à l'épuisement, je le guette, les mains posées sur son dos. Et il dort comme un enfant au creux de mon épaule.

11

Cela prit des mois pour réunir des précisions sur l'incendie du train de Rawalpindi. J'en avais entendu parler et j'avais lu le compte rendu britannique où, naturellement, les noms indiens ne figuraient pas. On l'appelait l' « Accident du champ de piments ». On présumait qu'il s'était agi d'un soulèvement de musulmans contre les hindous, suivi par une atroce vengeance sur le mode traditionnel : œil pour œil, dent pour dent. Je me souvenais de quelques bribes d'un long article paru dans le *Times* à propos d'un homme coiffé d'un turban noir qui avait roulé à bicyclette près du train lorsque celui-ci avait ralenti pour prendre le dernier virage avant Rawalpindi. Un pré s'étendait derrière lui, au-delà duquel se dressaient des arbres. Des hommes travaillaient au soleil dans les rizières en terrasses, la terre verte leur arrivant aux genoux. Près de la voie ferrée, des femmes accroupies dans un champ de piments triaient les gousses écarlates mises à sécher sur le sol. Le train venait de le longer lorsque le cycliste s'était jeté sur les rails, provoquant l'arrêt brutal et hurlant du train.

Notre premier soir sur le house-boat, Sam se réveilla tout à coup d'un cauchemar. La tête entre les mains, il tremblait de tous ses membres. J'essayai de le pousser à me raconter son rêve, mais il en fut incapable. Un long moment s'écoula avant qu'il ne parvienne à me livrer ce que lui avait révélé sa tante, l'une des deux seules survivantes. Il parla d'une voix atone, hébétée comme s'il évoquait les événements de la vie d'un d'autre. Objectif et précis, son récit était à mille lieues de la moindre émotion. Apparemment, la famille de son épouse – quinze femmes et dix enfants en tout – était partie de Mussoorie pour aller assister à un mariage à Rawalpindi. Le début des festivités était prévu une semaine après, et d'autres membres de la famille devaient rejoindre le train en cours de route. Les invités de la noce attendirent quelques heures à la gare de Lahore. À l'annonce du départ, ils se levèrent, roulèrent leurs nattes et se ruèrent vers le quai. Ils avaient réservé beaucoup de compartiments, du numéro 14 au numéro 20, afin que les domestiques puissent s'occuper des enfants pendant qu'ils spéculeraient sur le prix du mariage. La cérémonie serait grandiose. Le cousin germain de Sam, originaire des collines autour d'Umballa, épousait une jeune fille de Rawalpindi.

Comme le train prenait le dernier tournant avant d'entrer dans Rawalpindi, il fut ébranlé par un choc et s'arrêta en grinçant. Une odeur de fer brûlant et de vapeur satura l'air matinal tandis que les secousses se propageaient sur toute la voie. Alertés par le bruit et les vibrations, les voyageurs somnolents se précipitèrent aux fenêtres pour voir ce qui se passait : une foule d'hommes contournait les rizières. D'autres les rejoignirent. Ensemble, ils avancèrent jusqu'aux canaux d'irrigation et se dirigèrent vers la piste longeant les rails. D'autres arrivèrent par un côté du champ de piments, mais il n'y avait pas de travailleurs parmi eux ; ils portaient des bâtons, des faux, de longs couteaux et des boîtes en fer-blanc qui bringuebalaient tandis qu'ils marchaient. La panique s'empara du train quand les hommes se mirent à courir vers celui-ci en poussant des cris à figer le sang. Aussitôt, les gens quittèrent les fenêtres et se précipitèrent en direction des portes.

Des pierres brisèrent les fenêtres des premiers wagons. Aussitôt, des femmes se ruèrent en hurlant du compartiment 20 vers les compartiments 14 et 15 où les enfants étaient serrés sur des sièges, et deux bébés blottis l'un contre l'autre sur des couvertures à même le sol. Nalini fut la première à sortir de la voiture réservée aux femmes. Elle s'empara de l'un des plus jeunes enfants qu'elle cala sur sa hanche et en attrapa un autre par le bras. À sa suite, la tante de Sam et sa fille prirent deux autres petits garçons. Dans les couloirs, des bruits circulaient qu'une manifestation contre les Anglais allait commencer. D'après une hypothèse plus sombre, il s'agissait d'une foule de musulmans du village d'en face conduite par Jafri, un terroriste qui avait été l'instigateur d'un massacre quelques mois auparavant. En tête du train se trouvaient des huiles britanniques ainsi que des membres du conseil hindou en route pour assister à une conférence. Il y avait aussi un petit contingent de soldats. Au moment précis où Nalini atteignit la porte avec les enfants, celle-ci fut criblée de pierres. Se baissant vivement, elle courut vers l'autre porte. On lança des bâtons enveloppés de mousseline imbibée d'essence par les fenêtres et ils embrasèrent le sol. Un chiffon enflammé vola dans le compartiment 14, atterrissant sur les sièges qui prirent feu aussitôt. L'une des femmes essaya de sauver une corbeille d'orchidées et de lys blancs. Un enfant se mit à crier parce que les ailes de paons empaillés – des cadeaux pour les futurs mariés – brûlaient. Un projectile enflammé tomba sur le porte-bagages, et des paniers de mangues, de figues, de grenades dégringolèrent sur les femmes recroquevillées. Elles foncèrent dans le couloir en s'époumonant, en s'enveloppant dans leur tunique, en se couvrant de châles et de manteaux de soie. Le wagon tanguait. Les vitres volèrent en éclats qui se fichèrent dans les visages des femmes. Les portes étaient verrouillées de l'extérieur. Ceux qui parvenaient à sortir étaient hachés menu ou arrosés d'essence et brûlés vifs. La dernière fois que la tante de Sam aperçut Nalini, celle-ci fuyait un rideau de flammes, un enfant sur chaque hanche. Certains voyageurs réussirent à descendre du train, dont la tante de Sam, sa fille et les deux petits garçons. Tous coururent à travers champ pour atteindre les arbres, en portant des enfants et des bébés. À mi-chemin, la plupart tombèrent à plat ventre, les bras levés, le dos criblé de balles car, près du train, des soldats continuaient de tirer.

Par la suite, il fut impossible d'expliquer pourquoi ces wagons avaient été la cible, qui d'entre les Anglais et les hindous était visé. Certains se demandèrent aussi si les Britanniques n'y étaient pas pour quelque chose en raison des avantages que leur procurait le conflit opposant les hindous aux musulmans. Mais les journaux ne s'appesantirent pas sur le sujet. D'autres affirmèrent avec force soupirs que la rivalité entre les membres de ces deux religions existait depuis le XIIIe siècle et perdurerait au XXIe. Qui avait attaqué qui ? D'où était venue la foule ? Sur qui les soldats avaient-ils cru tirer dans les champs où gisaient quarante cadavres de femmes et d'enfants ? Autant de questions sans réponse. On ramassa plus de deux cents corps que l'on entassa dans un entrepôt proche de la gare et que l'on brûla d'une manière si lamentable qu'il fut souvent impossible de les identifier, de trouver à quelle caste ou religion ils appartenaient. En outre, les Britanniques avaient étendu les corps dans le hangar, tête bêche, une main musulmane touchant une cheville hindoue. Les familles scandalisées ne purent venir que plus tard les séparer, les déplacer, les purifier et ramener de l'ordre et de la décence dans la profanation dont les Feringhi, par leur ignorance, étaient responsables.

La vengeance des hindous s'exerça dans le village musulman situé près de la voie ferrée. Une foule se rassembla à la fin de la matinée. Au début de l'après-midi, il y avait plus de cinq cents hommes armés de pierres, de bombes de fabrication artisanale et de couteaux. Après avoir encerclé le village, ils le mirent à feu et à sang. Comme des femmes et des enfants s'échappaient de leurs maisons embrasées, ils furent transpercés par des sabres. Des jeunes filles furent violées, aspergées d'essence et brûlées vives. Huit garçons musulmans et quatre soldats anglais furent décapités. Puis le pillage commença. À l'arrivée de la police, qui avait attendu en vain des renforts, il ne subsistait qu'une fumée dense, une odeur de chair humaine et de poils d'animaux brûlés, la puanteur du caoutchouc fondu et des plumes de poulet. Tout était réduit en cendres. On dénombra trois cents morts. Et l'on emmena tous les médecins et toutes les infirmières des environs à Rawalpindi pour installer des hôpitaux de campagne.

Beaucoup plus tard, au crépuscule, les policiers tombèrent sur un homme, supposé être le meneur de la foule musulmane. Il se tenait comme un épouvantail dans le champ de piments situé en face du village incendié. Une fois parvenus à sa hauteur, ils virent qu'on avait mis le feu à ses cheveux et cloué ses pieds au sol. Il était resté debout toute la nuit et, à l'approche des policiers, il tomba soudain à la renverse dans les piments écrasés tandis que ses pieds se libéraient des clous de menuisier.

Le lendemain, un petit homme portant un *dhoti*[1] et des lunettes à monture d'acier s'assit, les genoux levés, à proximité du champ de piments et se perdit dans la contemplation du train éventré. Il resta là toute la journée, sans proférer une parole, chassant les gens d'un mouvement de poignet. Dans la soirée, les gens s'attroupèrent sous les arbres pour l'écouter parler. Le petit homme prononça deux phrases : « Il est temps que les Anglais quittent l'Inde. Il est également temps que nous arrachions l'intouchabilité de nos cœurs comme de nos esprits. »

---

1. Pagne consistant en une bande de tissu serrée autour de la taille, ramenée entre les jambes et fixée à la ceinture par-derrière.

12

Les premiers signes annonciateurs de la mousson nous accueillirent à notre réveil. Les montagnes étaient noyées dans le brouillard et les arbres balayés par une pluie nocturne. Si seulement celle-ci pouvait nous transporter jusqu'à la mer ! J'avais à peine fermé l'œil. Baignée de sueur, le feu avait peuplé mes rêves. L'eau était le seul élément fiable et propre ; j'aurais voulu m'immerger dans un monde lunaire, être engloutie par des vagues et drossée sur un rivage paisible. Le besoin d'être pardonnée me tenaillait, mais qui avait ce pouvoir ? Je contemplais longuement Sam en train de dormir. Il faisait froid dans la chambre. J'enfilai une de ses tuniques, aussi froissée et ravagée qu'il semblait l'être, et restai un moment assise en tailleur sur le lit. Après quoi, je m'approchai de la cheminée victorienne et préparai un feu, qui prit avec un doux crépitement. Lorsque Sam est plongé dans le sommeil, il est impénétrable comme si le livre était fermé, la peinture masquée. Je pris conscience que j'avais cru le connaître avant de nous séparer à Simla, avant la mort de sa femme. À présent, je n'avais pas la moindre idée de qui il était.

Ses mains fines étaient posées sur le drap. Ses ongles étaient en deuil et cassés, comme s'il les avait enfoncés dans de la terre ou plongés dans des cendres. Lorsque je lui en demandai la raison, il ne me répondit pas directement :

– J'ai vu des hindous et des musulmans travailler

ensemble dans un hôpital de campagne pour la première fois de ma vie. Ma mère est venue accompagnée de la moitié des infirmières de l'hôpital réservé aux femmes. C'était tellement effroyable que les barrières religieuses étaient tombées : nous étions tous intouchables ou personne ne l'était. En fin de compte, je crois que nous étions indiens, tout simplement.

Quand il se réveilla, je réalisai qu'il avait oublié les événements et ignorait où il se trouvait parce qu'il m'attira à lui avec un plaisir évident. Puis le trouble et la tristesse l'envahirent à nouveau. J'allai lui chercher une tasse de thé et m'assis près de lui tandis qu'il se redressait pour la boire. Je ne songeais qu'à nous débarrasser de la culpabilité qui nous rongeait comme un parasite.

– Tu crois que nous avons commis une faute abominable ? lui demandai-je.

– Qu'est-ce que tu racontes ?

– Eh bien, j'ai parfois souhaité la mort de ta femme tant tu me manquais, cela l'a peut-être tuée. Je le regrette infiniment.

Il se renversa sur ses oreillers :

– C'est de la pensée magique.

– Tu ne l'as jamais souhaité ?

– J'avais une mort douce en tête.

– Tu n'en as pas parlé.

– Toi non plus. Mais si les pensées ont un pouvoir quelconque, les nôtres se sont trompées de cible.

Nous étions parvenus au point – cela arrivait rapidement – où il était trop douloureux de formuler quoi que ce soit. Il continua à pleuvoir. Sam dormit vingt-huit heures d'affilée. À son réveil, il avait récupéré son énergie ; elle lui revenait par bouffées. De temps à autre, il évoquait les événements de Rawalpindi, mais seulement les émeutes, les victimes, la politique. Il ne faisait plus allusion à sa femme, ni à l'avenir. Son calme et sa distance me poussèrent à cesser de lui poser des questions. Il était brisé, seul le temps pourrait le guérir. Lorsqu'il se mettait à parler, sa voix se cassait souvent et il s'excusait d'une manière si britannique que cela tordait le cœur. Un jour, il regarda l'eau dehors et constata : « Je me désintègre. »

Nous devions malgré tout nous nourrir. Aussi allait-il parfois préparer dans la minuscule cuisine un *korma*[1] de légumes, ou des aubergines avec des pommes de terre. Nous prenions nos repas assis sur le lit, nous penchant sur le côté pour attraper des bouteilles d'eau ou de bière. Comme nous ne sortions jamais du house-boat, nous ne tardâmes pas à en être réduits à du riz mélangé de lait caillé, qu'il relevait en y ajoutant des épices et des restes de coriandre. Tous les matins il descendait au lac, où il nageait. Ses bras étincelaient au soleil ; sa tête qui fendait l'eau transparente était l'unique tache sombre. Il ne s'agissait pas pour lui de se baigner, mais de s'incorporer à l'onde, de s'y perdre jusqu'à ce qu'elle le submerge, puis de faire la planche. J'étais incapable de l'imiter. Alimenté par la fonte des neiges des montagnes, le lac était glacial et ma peau n'était pas habituée aux extrêmes. Alors je l'attendais avec une serviette sur la rive tandis qu'il hurlait :

– Viens, ce n'est pas si terrible, vraiment. En fait, si, sauf que rien n'est plus délicieux que d'en sortir.

L'eau renvoyait l'écho de sa voix – voyelles anglaises extrêmement distinguées, merveilleuses inflexions de culture et d'aisance provenant d'un être égaré par ce que ce privilège lui avait coûté.

Un jour, il me rejoignit sur le rivage. Il grelottait. Ses mains étaient un bloc de glace. L'instant d'après, il réussit à ne plus trembler – un acte de volonté – et s'adressa à moi :

– J'ai réfléchi à ce que tu m'as dit sur ton envie de t'inscrire à la faculté de médecine de Delhi. Nous avons un besoin énorme de doctoresses – et pas uniquement pour s'occuper des femmes – car très peu ont décroché leurs diplômes pendant la guerre. Je n'étais pas certain que ton intention fût sérieuse. Tu ferais un grand médecin, m'assura-t-il.

Il eut un nouveau frisson, un seul, puis s'approcha de mon corps chaud et sec.

---

1. Forme d'accommodement de viande ou de légumes à base de noix de coco, d'amandes et de crème.

- Tu en as la générosité. D'après ma mère, il existe des hôpitaux réservés aux femmes, entièrement gérés par des femmes; des Indiennes se forment ainsi depuis des années. – Il m'enlaça. – Ce ne sera peut-être pas aussi pénible que tu l'imagines.

Timidement, il ajouta :

- À Rawalpindi, j'ai parlé de toi à ma mère. Elle m'a promis de t'aider, le moment venu, à trouver un poste dans un établissement.

Nous rentrâmes ensemble dans la lumière filtrant à travers les nuages. Puis, installés sur le pont, nous bûmes du café brûlant. Il fit bouillir des seaux d'eau et me lava les cheveux avec du savon parfumé à la lavande. Je restai au soleil pour qu'ils sèchent. L'état des ongles de Sam avait beau s'améliorer, les profondes brûlures avaient noirci la peau qui les entourait et ils se désintégraient en partie. Pour moi, c'était le symptôme d'une métamorphose physique : son esprit comme son corps ne tarderaient pas à se dégrader. Une nuit où nous étions au lit, il glissa sa main sous l'oreiller et en sortit deux longs rangs de perles d'un rose très pâle.

- Ils appartenaient à la mère de ma mère, me précisa-t-il. J'aimerais que tu les aies.

Relevant mes cheveux, il découvrit ma nuque tout en couronnant ma tête des perles, qui ruisselèrent sur ma gorge, entre mes seins. Une fraction de seconde, je frissonnai. Je les contemplai. Je les touchai. Je les tournai dans tous les sens. D'une infinie délicatesse, les fermoirs étaient composés de rubis entourés de diamants sertis dans de l'or blanc. J'interrogeai Sam du regard.

- Ce collier lui appartenait, précisa-t-il. Comme elle ne l'a jamais porté, les perles sont un peu malades. Si tu les mets, elles iront mieux.

D'un geste, je me préparai à l'enlever. Il m'en empêcha en le couvrant de sa main :

- Ne réagis pas ainsi. Je tiens à ce qu'il soit à toi. Il faisait partie du contrat de mariage et si je l'ai c'est parce que je comptais le déposer chez un spécialiste des perles malades à Simla.

Naturellement, je n'avais jamais entendu parler de perles malades.

– Garde-le cette nuit. Pour moi, insista-t-il.

Il fit mine de s'écarter. Alors j'acceptai, refusant de prêter quoi que ce fût de sinistre aux perles reposant sur ma gorge comme du velours ou de la fourrure.

Le matin, il cessa de pleuvoir. Nous partîmes nous promener en voiture et débouchâmes sur une route droite bordée de peupliers.

– On dirait que nous sommes en France! s'exclama-t-il, aussitôt joyeux.

Sur un côté, on apercevait un petit village niché parmi les arbres, dominé par un cimetière anglais. Après y avoir jeté un coup œil, Sam reprit :

– Ce dont ils sont morts est passé directement dans la nappe phréatique du village en dessous. D'où le nombre des maladies européennes qui sévissent aux Indes.

Des taureaux blancs aux cornes peintes erraient entre les sycomores. Sam me raconta que, dans son enfance, il pêchait et chassait le canard sur le lac, y nageait avec des fils de maharajas ou jouait avec des billes faites de turquoise et d'ambre. Un jour, un garçon s'est retrouvé coincé dans les filets... Éclatant soudain en sanglots, il cacha son visage de sa main droite. Il arrêta la voiture, posa la tête sur le volant et m'expliqua sans lever les yeux :

– C'est la fatigue. Ne t'inquiète pas je t'en prie, c'est simplement la fatigue...

Je ne pouvais le toucher. Une image m'obsédait : celle de Sam cherchant à identifier sa femme et n'y parvenant que grâce à l'amulette qu'elle portait autour du cou. Il la lui avait donnée le jour de leur mariage.

– Est-ce qu'il t'arrive de penser à la guerre ? À tous ceux qui y ont péri ? lui demandai-je car c'était ce qui m'occupait l'esprit.

Il me regarda avec tendresse :

– Oui, souvent. Ainsi qu'au jeune homme que tu étais censée épouser. Même si je suis le seul homme que tu aurais dû épouser, n'est-ce pas ?

Il pouvait se ressaisir d'une manière surprenante quand il se lançait dans l'action.

– Pourquoi ne t'apprendrai-je pas à conduire ? proposa-t-il. Tiens, viens de mon côté.

Nous changeâmes de places. Il s'assit près de moi. La voiture démarra et cala à plusieurs reprises. Enfin, je réussis à la mettre en route. Et je ne tardai pas à accélérer. Sam se renversa en arrière et ferma les yeux, ne sortant de sa torpeur que si je prenais un virage de montagne trop rapidement ou s'il avait l'impression que nous risquions d'atterrir dans une rizière comme le raja que nous avions croisé quelques minutes auparavant, qui, assis sur son toit, avait agité sa main couverte de bagues dans notre direction. Sam lui avait rendu son salut et fait observer :
– Son visage porte la marque de siècles d'excès. Ne t'arrête pas.

Lorsque je ralentis en entrant dans la forêt, il commença à me donner des petits baisers sur les tempes, les joues, aux coins des yeux, puis à m'embrasser sur la bouche et à glisser la main sous mes vêtements. La voiture finit par quitter la route, s'arrêtant après quelques embardées. Nous nous ruâmes dehors et courûmes dans la forêt, piétinant des aiguilles de pin afin de trouver un lit parmi les arbustes qui jaillissaient de la tourbière.

Notre première sortie dans le monde facilita les autres. Nous faisions un petit tour tous les jours et je conduisais de mieux en mieux.
– Je suis content que tu brutalises moins les vitesses, constatait Sam.

De temps à autre, nous allions dans les montagnes, franchissions les cols et les tunnels. De là, nous contemplions la beauté indicible du monde.
– La mort paraît si peu de chose lorsqu'on est si haut, dit-il une fois, en dénouant le ruban qui attachait mes cheveux. J'en arrive à croire que de mourir, c'est sortir d'un rêve.

Puis il m'annonça qu'il ne retournerait pas à l'asile de Ranchi et comptait poursuivre ses recherches sur les traumatismes sans l'argent du philanthrope britannique :
– J'en ai assez d'être ligoté. Et je ne veux pas être un migrant racial comme mon père, traiter avec des hommes d'affaires anglais qui ne tolèrent qu'on les approche que par l'escalier de service.

Lors d'une de nos promenades en voiture dans la

vallée, Sam me confia qu'il avait rencontré Gandhi avec son père, à Rawalpindi. Cela m'étonna :

– Je croyais ton père impliqué dans le terrorisme, les armes et intéressé par l'argent. Il ne me paraît pas être le genre de Gandhi.

– Oh, répondit-il avec un sourire. Gandhi ne méprise pas l'argent, il estime simplement que ce n'est pas destiné à l'usage personnel.

– Que pense ton père de lui ?

– Que les saints sont généralement des imbéciles. En outre, il se considère comme un Indien de souche, ce que Gandhi n'est pas. Il trouve aussi que les idées de Gandhi vont à l'encontre de l'Histoire. Pour lui, ce sont les machines et les usines qui sont le progrès, non le pilage du riz à la main, ni le filage. Il n'empêche que nous avons besoin de lui pour nous débarrasser des Anglais.

L'image de ces hommes à Rawalpindi en train d'accomplir leurs rites, de s'occuper de leurs morts, s'imposa à moi. Je vis Sam travailler à l'hôpital de campagne. Je vis sa mère parmi des femmes en compagnie de son groupe d'infirmières. Et le sentiment de mon inutilité m'envahit : je n'avais rien à donner, aucune compétence à leur offrir. Sam croyait autant que sa mère en la valeur sacrée du travail. Chaque fois qu'il évoquait sa famille, j'avais la sensation de recevoir un coup dans le ventre et me pliais presque en deux. Le lien avec ces gens était inaccessible. Jamais, je ne pourrais participer à une réunion de femmes avec sa mère, ni discuter de Gandhi ou des Anglais avec son père. Et sans doute ne serais-je jamais davantage qu'un membre de cette nation qui avait trop pris, trop tué et était restée trop longtemps. Lorsqu'il perçut ma tristesse, Sam constata gentiment :

– Tu n'aurais pas dû poser la question.

– Je sais, mais c'est parfois plus fort que moi.

Quelques jours avant son départ, je lui demandai franchement :

– Où comptes-tu te rendre quand nous nous en irons d'ici ?

– En Angleterre.

– Bien sûr. Tu dois y partir immédiatement, acquiesçai-je.

13

À nouveau seule après son départ, je redevins une Blanche. Cela ne me plaisait pas. L'immense liberté que je perdais, ma visibilité m'horrifiaient. En revanche, Joseph était ravi : « C'est bien, memsahib. » Il reprenait les choses en main. Complice et ami, il se sentait autorisé à me protéger maintenant que Sam n'était plus dans les parages. À Lahore, comme nous attendions le train pour Ferozepore, il m'interrogea sur mes projets d'avenir. J'appréhendais de lui en faire part. Après avoir déambulé dans la gare en guettant notre correspondance, nous nous aventurâmes dans une salle plus calme où ne se trouvaient que quelques Eurasiennes, et je me lançai :

– Joseph, j'ai l'intention d'étudier pour être médecin.

J'étais persuadée qu'il me jetterait le regard obtus qu'il garde pour de pareils moments, mais, comme la plupart du temps, je me trompais.

– Pas bizarre, mem, dit-il, l'air ému. Mem doit savoir que j'avais une femme, elle est tombée très malade. Une memsahib docteur s'est occupée de sa maladie quand plus personne ne pouvait l'aider.

Il se tut.

– Et quel a été le résultat ? demandai-je.

Joseph me fixa :

– C'est pas important, elle a fini par mourir. Une femme a soulagé sa douleur, c'est ça l'important. – Il joignit les mains. – Un grand honneur de servir mem.

Joseph et moi fîmes le voyage jusqu'à Ferozepore, dans nos compartiments séparés. Ensuite, nous reprîmes nos positions respectives dans le cantonnement. Bobajee et Gita furent réembauchés, mais payés à la semaine. La proximité de Neville – j'étais sur son territoire – me rendait extrêmement nerveuse. Il y avait quelques lettres de lui que je parcourus à peine, suffisamment cependant pour remarquer que son ton devenait menaçant. J'étais incapable de me rapprocher de lui, fût-ce en lui écrivant ; si je m'autorisais à penser à lui, l'image de la jeune musulmane me venait aussitôt à l'esprit. Lorsque je promenais le regard sur les autres bungalows, il me semblait que cette partie de ma vie était terminée. J'avais hâte de partir pour Delhi. Sam serait en mer pendant environ un mois, puis à Londres aussi longtemps qu'il faudrait pour ramener son fils aux Indes. Puisque celui-ci avait perdu sa mère, Sam estimait qu'il devait quitter l'Angleterre et rejoindre sa famille. Je lui avais demandé :

– Pourrai-je le rencontrer un jour ?

Il m'avait regardée en souriant et répondu :

– Bien entendu.

Je l'avais cru, comme je le croyais lorsqu'il m'assurait qu'il ferait n'importe quoi pour m'aider. Quand il était aussi gentil et encourageant, me donnant le sentiment d'être protégée sans empiéter sur ma liberté, il était difficile de me représenter l'autre aspect de sa nature, sa faculté d'être complètement ailleurs. Dans une de mes périodes de rationalisation et d'aveuglement volontaire, je lui avais dit :

– À mon avis, c'est notre relation sexuelle qui a tout dévoyé. Sans cela, il n'y aurait pas vraiment de trahison.

Il avait levé les yeux avant de répliquer :

– La trahison, c'était mon mariage.

Le jour où j'appris le départ de son bateau, je décidai que je devais prendre ma vie en main si je voulais l'associer à la sienne à l'avenir. Je craignais d'être un boulet pour lui à cause de mon amour excessif. Je craignais qu'il ne me fasse souffrir. La dépendance me terrifiait. Si ma mère m'avait inculqué la nécessité d'avoir à tout prix de

l'argent qui m'appartienne, elle n'avait en revanche jamais
suggéré que je puisse en gagner. À présent, je m'en jugeais
capable. Les Indes ne m'avaient pas libérée. L'amour non
plus. Peut-être que la solution résidait dans le travail.

Lors de mon bref séjour à Ferozepore, Bridget fut
la seule à me rendre visite par une journée humide et
maussade. Elle n'avait rien perdu de sa gaieté même si les
Indes l'usaient manifestement. Ses cheveux blonds étaient
cassants et ternes, des ridules se creusaient aux coins de
ses yeux ainsi que de sa bouche tandis que sa robe la bou-
dinait. Malgré mon affection pour elle, j'avais une vision
plus nette de son apparence : de fins sourcils foncés sous
les boucles platine; trop de rouge à lèvres écarlate; des
gestes sans grâce mais provocants. Elle était à la fois belle
et peu soignée.

– Alors, te voilà enfin! lança-t-elle. Merci de m'avoir
posé un lapin. Est-ce que tu as mis les pieds à Simla?

Elle se frayait un chemin en écartant des liasses de
papiers tout en jetant un regard de convoitise à mon sac
en velours. Sur un ton snobinard, elle poursuivit :

– Des tas de rumeurs circulent à ton sujet, ma chère.
Je croyais savoir ce que tu fabriquais… J'étais sûre et
certaine que tu fricotais avec le séduisant médecin, mais
j'ai appris qu'il s'était occupé de toutes les têtes coupées
à Pindi.

Elle s'installa sur une chaise où s'entassaient des
vêtements.

– T'as une cibiche?

Je lui en donnai une.

– Bon, qu'est-ce que t'as à raconter sur le major
Turner?

Après avoir aspiré une longue bouffée, elle l'exhala
sans me lâcher des yeux.

À ce nom, je fus très secouée :

– Bridget, pourrais-tu cesser ce feu roulant de questions? J'ignore qui est le major Turner. Elle remonta la
jupe de sa robe d'été, révélant ses jolies jambes.

– Un mec qui a avalé un parapluie. Un petit con tout
raide aux yeux jaunes, la lèvre surmontée d'une mince
moustache. Pas ton genre à mon humble avis, enfin qui

sait ? J'aurais jamais cru qu'un macaque t'aurait approchée... D'accord, fais pas cette tronche... Pour en revenir au major... vu les questions qu'il posait sur toi, tout le monde en a conclu qu'il y avait anguille sous roche d'autant que sa femme est morte de la typhoïde l'année dernière. Il prétendait t'avoir rencontrée à Simla. Comme personne d'autre ne t'y a croisée, on a supposé que tu avais eu une aventure avec lui et que tu l'avais largué. Son amertume et son air pincé ont suffi aux mauvaises langues.

– Je ne connais pas le major Turner, mentis-je, même si je le revoyais planté dans la pièce plongée dans la pénombre, en train de nous toiser et de déclarer à Sam : « Je vous prie d'excuser mon intrusion, je suis le major Turner. »

– Eh bien, reprit Bridget. À en juger par ton expression, il ne s'est rien passé entre vous deux. Avoue, qu'est-ce que t'as fichu tout ce temps ? Ça m'a plutôt vexée que tu ne me donnes pas signe de vie. – Elle écrasa sa cigarette. – Tu sais, je n'ai pas touché un mot du toubib et de toi. J'espère que tu me crois.

Un silence lourd de sens s'éternisa. Je n'ouvris pas la bouche. De guerre lasse, elle ajouta :

– T'en fais pas, t'as raison de la boucler, c'est plus sûr. Les choses sont vraiment compliquées en ce moment, tu risquerais de te retrouver dans le pétrin. Il vaut mieux l'éviter.

Nous discutâmes trois heures pendant lesquelles je parvins à ne pas parler de Sam et de moi. Je mis aussi longtemps à la convaincre que je pouvais aller à Delhi et y accomplir quelque chose.

– Au bout du compte, c'est ça le secret de l'histoire ? Moi, j'imagine que tu couches avec le toubib alors que t'as décidé de laisser tomber ton mari et de te tailler pour devenir docteur.

Bridget se servit un autre cocktail, en forçant sur le gin.

– M'est avis que tu réussiras. T'as ce qu'il faut d'instruction, de toupet et de cervelle. Je suis pour. L'éducation et le fric, y a que ça pour s'en sortir. Ici ou en Angleterre, c'est pareil : on compte qu'à cause du sexe. Quand on y

pense, ça revient à peu près au même que d'être noir.
Installe-toi à Delhi, je viendrai t'y voir et tu pourras me
présenter aux médecins blancs.

Au fil des jours que nous passions à Ferozepore,
Joseph était de plus en plus anxieux :

 − J'espère que mem recommence pas à tergiverser.
C'est le Sahib qui me tracasse. Le régiment va revenir de
la frontière. Incessamment. Avant la mousson, les soldats,
ils retournent dans leurs quartiers.

 − Je projette notre départ pour très bientôt, Joseph.

 − Ce qu'il faut faire, sans aucun doute. Je vous félicite, dit-il, un grand sourire aux lèvres.

 − Enfin, si tu souhaites m'accompagner. Bien sûr,
c'est à toi de décider. Tu n'y es absolument pas obligé.

Il joignit les mains :

 − Lié, je suis, mem, pieds et poings. Dépêchons-nous
de partir demain.

Nous quittâmes Ferozepore au début de mois de juin,
par une journée de mousson, alors que le ciel se préparait
à déverser un océan d'eau sur la plaine. Elle tomba nuit
et jour sans discontinuer. Au bout de quarante-huit heures
de pluies torrentielles, les routes devinrent des rivières, les
falaises des cascades. Les petits bungalows de Ferozepore
furent engloutis – autant de petites coquilles qui éclatèrent.
Je pensai à mes beaux rideaux s'envolant par la fenêtre.
À mon fauteuil rouge voguant sur l'onde. À mes oreillers
brodés, au miroir de Meerut tressautant avec les marmites
et les casseroles de Bobajee. Au mot d'une ligne que j'avais
laissé à mon mari projeté sur la cime d'un arbre. L'espace
d'un instant, le visage de la jeune musulmane m'apparut comme en rêve tandis que les vagues submergeaient
la véranda. En revanche, les îles continuaient de flotter.
Elles s'élevaient et recueillaient les débris de l'inondation
si bien qu'un enfant se cramponna à une haute branche,
qu'une chaise cassée s'échoua sur le sable. Les cataractes
donnaient l'impression que le monde se dissolvait dans
des tourbillons d'ordures et d'eaux usées. Des trombes
d'eau se précipitaient dans des jungles en un périple sans

destination. Une rivière déborda, sauta au-dessus de la
grille, grimpa l'escalier et atterrit sur un lit où une famille
dormait sous le soleil du petit matin. Du haut de la lucarne
d'un grenier, un cygne contemplait le spectacle. Des rats
s'agglutinaient sur les tuyaux de cheminée et des mille-
pattes s'accrochaient aux poteaux télégraphiques. Une fois
les rues envahies par l'eau, les collines par la boue, des
villages s'effondrèrent puis disparurent. Des huttes et des
cabanes tombèrent. Des récoltes furent noyées. Les rizières
furent immergées. Des bébés moururent dans leur sommeil. Des vieillards se blottirent sur le toit de l'infirmerie
comme des oiseaux trempés. Ceux qui étaient capables de
courir se ruèrent au sommet des collines d'où ils virent
les torrents arracher des arbres, des véhicules de toutes
sortes, des charrettes, des rickshaws, qui dévalaient les
pentes. Ainsi que les ventres nacrés comme des poissons
d'êtres humains qui flottaient sur le dos, les yeux écarquillés d'étonnement, et s'en allaient doucement vers Dieu.
La foudre fracassa les vitres de l'hôpital de Lahore cependant que les flots charriant arbres, chars à bœufs, vaches,
chèvres et chameaux traversaient la plaine en mugissant
pour se jeter dans la mer. Les instruments de l'orchestre
de Lahore naviguèrent majestueusement d'un affluent à
l'autre et finirent par rejoindre l'Indus en crue avant de
voguer dans la mer d'Arabie. Un énorme manguier parvint
à se dégager de l'eau, échoua sur une rive où il resta en
équilibre instable comme une épave de bateau; au bout
d'un certain nombre de jours, les oiseaux de la jungle
noyés dans ses branches revinrent à la vie, les serpents
dorés déroulèrent leurs anneaux pour ramper le long de
son tronc détrempé tandis que des livres pris au piège de
ses feuillages tombèrent par terre et offrirent à nouveau
leurs pages au soleil.

Joseph et moi, nous arrivâmes à Delhi, laissant l'inondation derrière nous. Plus rien ne subsistait désormais de
l'ancienne vie. L'armée attendait le reflux dans les collines.
Les femmes et les enfants retournèrent se sécher dans l'Himalaya. J'avais l'intention de séjourner au Grand Oriental
Hotel de Delhi, mais on le rénovait. Aussi, me souvenant

de la suggestion de Sam, allai-je au Claridges situé dans Aurangzeb Road. Lorsque je me présentai – Mlle Herbert – j'appris à ma grande surprise qu'on avait réservé une suite à mon nom. « Et elle a été réglée », ajouta le directeur avec un sourire discret. C'était la plus belle de l'hôtel qui avait été spécialement préparée pour mon séjour. Encore sous le coup de l'étonnement, je me laissai conduire à l'ascenseur. De mes appartements, situés au dernier étage, le panorama sur les sept citadelles de la période médiévale, sur le quartier du Qutab Minar ceinturé par les remparts de Lal Kot, était splendide. Ce cadeau que m'offrait Sam puisqu'il ne pouvait me montrer la ville lui-même m'émut infiniment. Le temple de Vishnou, la Colonne de Fer, les forts, les mosquées et les tours s'étalaient devant moi dans toute leur munificence. J'avais une vue d'ensemble sur le marbre ciselé et gravé d'une ancienne calligraphie, sur les dômes, les voûtes, les austères tombeaux aux murs à contreforts. En outre, du balcon où je me tenais, j'apercevais les vastes avenues s'enorgueillissant d'édifices du Raj d'une blancheur éblouissante, ornés de lourdes sculptures victoriennes. Je pouvais comparer les dômes et l'imposante enceinte d'un passé plus ancien aux monuments provisoires d'un autre envahisseur dont les jours, à l'instar des siècles du sultanat de Delhi, étaient comptés.

Mes appartements n'avaient rien de britannique. Le cabinet d'architectes qui avait rénové le Claridges s'était manifestement employé à conserver l'extérieur anglosaxon tout en donnant une touche exotique à l'intérieur. Il n'y avait eu, semblait-il, aucune proposition pour relever ce défi architectural et culturel jusqu'à ce qu'un maharaja anonyme plein aux as, membre éminent du parti du Congrès, ne soit venu à la rescousse. On le connaissait pour son incroyable richesse ainsi que pour sa tendance à vitupérer contre les Anglais dans le *Delhi Times* : « Nos illustres maîtres, qui ont commencé par piller les Indes pour financer leur révolution industrielle, cherchent à présent à faire payer l'addition de leur maudite guerre par les Indes. » Baptisé Raja V, ce puissant magnat dont la fortune avait quadruplé pendant la guerre en raison des énormes besoins en textiles consacrait désormais ses talents à la consommation nationale : « Inutile de traîner, nous devons récupérer le pays avant d'envoyer promener le Raj. » Il comprenait à merveille ce qu'aimaient les riches et les aristocrates. La fraîcheur et le calme régnaient dans mes appartements somptueux. Des lits élégants recouverts de soie blanche y trônaient. Les murs étaient tendus de lin moucheté d'or. Trois colonnes délicatement ouvragées séparaient les pièces d'un balcon qui croulait sous des bougainvillées et des hibiscus blancs. Les *dhurries*[1] étaient bleu foncé. Des rideaux rouges encadraient de vastes fenêtres. Un panneau sculpté dans le style bengali occupait le mur central. Une niche hébergeait une déesse dorée. Dans la salle de bains, il y avait une baignoire en forme de lotus et un vase noir rempli de lys écarlates, à côté duquel un télégramme était posé. *Trouve en ton cœur, je t'en prie, de quoi pardonner ma détresse lors de nos premiers jours ensemble. Et crois, malgré tout, en mon dévouement absolu et éternel. S.*

Levant la tête, je vis un plafond magnifiquement décoré de motifs floraux et géométriques bleu turquoise. Regardant à nouveau les lis écarlates aux bords noirs, je crus que mon cœur se brisait tant je me sentais seule. Le miroir me renvoya le reflet de mon visage privé du point rouge et mes cheveux sans brillantine relevés en chignon. Comme je regrettais mon voile ! Son côté mystérieux, la protection et la tranquillité qu'il procurait ainsi que la sensation d'être dans un univers caché. À présent, j'étais pâle comme un linge, caparaçonnée dans mon chemisier en batiste boutonné et ma jupe vert olive qui me serrait la taille et les cuisses alors que je n'aspirais qu'à l'étreinte soyeuse de mon vieux sari. Désorientée, j'étais redevenue une étrangère. En proie à une scission intérieure, séparée de Sam, je savais à peine qui j'étais.

La première fois que je sortis de l'hôtel, Joseph se précipita vers moi et murmura d'un ton fébrile :
– Mem, je me trouve dans une situation épouvantable.

---

1. Tapis de basse lisse parfois tissés avec des matériaux de récupération.

– Mon Dieu, est-ce que la chambre est sale ?

– Non, non. – Sa langue claqua d'impatience. – Mem ne comprend pas. Les quartiers sont somptueux, c'est moi qui suis épouvantable. En loques.

Je l'inspectai :

– Il me semble que tu es tout à fait convenable, Joseph.

Il se cogna presque la tête d'exaspération :

– Mem, ce que je dis, c'est les uniformes sont incomparables dans le quartier des domestiques : difficile de voir qui est serviteur, qui est sahib. – Désespéré, il agita la main. – Au lieu de dormir par terre, les serviteurs de basse caste se vautrent dans des draps en soie, mangent dans des assiettes. Et me voilà, honteux de montrer ma figure dans les communs d'un hôtel respectable, ne faisant en aucune façon honneur à mem.

– Que proposes-tu, Joseph ? demandai-je, en me tournant vers lui. Dis-moi exactement ce dont tu as besoin pour que nous puissions retrouver la paix.

– Je suggère de nouveaux habits, déclara-t-il.

Je convins que c'était un investissement possible, mais la somme qu'il réclama me surprit un peu :

– Tant que ça ?

– Mem, pas question que j'aie l'air d'un voyou. Si mem doit sauver des vies et soulager des souffrances, il est exclu que je fasse honte.

Je me doutais qu'en me lançant dans l'entreprise de devenir médecin, je devrais repasser par les mêmes épreuves qu'à l'université. Il me faudrait avoir des idéaux plus élevés, travailler bien davantage et plus longtemps que les hommes. Ce serait en grande partie une lutte, sans compter la vulgarité et la bêtise à supporter. Si je savais comment les choses se passaient d'une manière générale, j'ignorais tout des Indes. Est-ce que des docteurs européens faisaient des études aux Indes ? Combien de médecins indiens se formaient dans le pays et combien en Europe ? De quelle façon procédait-on avec les femmes ? Comme elles n'étaient sûrement pas dans les mêmes classes que les hommes, ne suivaient pas les cours, n'allaient pas dans les laboratoires en même temps, peut-être valait-il mieux opter pour l'un des hôpitaux de femmes afin d'éviter les préjugés et les tracasseries d'une faculté mixte ? Ce que je découvris à la bibliothèque m'étonna et me donna du courage : les femmes de castes élevées étaient jugées aptes à s'occuper des femmes et des enfants. Cela remontait à 1872, année ou le nabab de Rampur avait construit une école pour que des doctoresses puissent soigner des musulmanes de toutes castes. On admettait des femmes à la faculté de médecine de Madras, où un hôpital victorien avait été ouvert, financé par les Indiens et sous le patronage de la vieille reine. En outre, cela faisait des années que de riches Indiens avaient fondé la faculté de médecine de Bombay pour permettre aux femmes d'obtenir des diplômes. Ainsi, les Indes étaient manifestement plus éclairées que l'Angleterre, où les illustres universités telles que Cambridge ou Oxford refusaient toujours d'accorder des diplômes complets aux femmes. Au bout du compte, je me trouvais là où il fallait. Les Indes feraient de moi une doctoresse.

Par où commencer ? Après avoir eu mes examens à l'université, j'avais suivi quelques cours à Londres. Il n'empêche que j'étais rouillée et que j'avais besoin de trouver un professeur susceptible de lubrifier les rouages de mon cerveau, de le façonner jusqu'à ce qu'il ait la même maîtrise des sciences, du latin et du grec que lorsque j'étais dans les salles de classe silencieuses d'Écosse. À cette étrange époque où le *Lusitania* avait sombré et où les horreurs de la guerre commençaient à hanter nos imaginations, il n'y avait rien d'autre à faire que de continuer à travailler, de continuer à croire que tout finirait par s'arranger. Les rumeurs circulaient sur Gallipoli ainsi que sur les effroyables tranchées, la liste des victimes était d'une longueur atroce et les gens évoquaient les morts d'une façon singulière. Quand bien même un officier était un fieffé imbécile, il suffisait qu'il soit tué pour qu'il devienne un brillant intellectuel destiné à un grand avenir, tandis que les milliers de fantassins périssaient sans que personne ne s'interroge. De surcroît, on formulait effrontément dans tous les salons l'ignominie suivante : « Tout homme doit servir son pays ; s'il en est incapable, il vaut mieux qu'il soit mort. » Mes émotions d'antan revinrent comme si c'était hier. La douleur, le chagrin de la mort de Gareth : *Le ministère de la Guerre a le regret de vous informer...* Parce que c'était aussi simple que cela : il avait levé la tête au clair de lune et reçu une balle dans le cerveau.

Lors des bombardements des zeppelins, on parvenait à occulter la mort en révisant ses examens de physique ou de chimie. Les remarques n'en fusaient pas moins : « La médecine pour les femmes ? C'est si peu féminin, ma chère. Es-tu sûre ? Je ne vois pas d'objection à ce que tu deviennes infirmière, si tu y tiens, bien que ce soit une activité réservée à un autre genre de femmes. » Ou : « Les hommes se font rares, ce n'est pas le moment de t'engager dans des années d'études. » Maman était la seule à me soutenir. Elle rappelait à ses amies que les femmes avaient le droit d'aller à l'université en Italie, d'où venait Maria Montessori dont les idées avaient pris l'Angleterre d'assaut juste avant la guerre. « Notre pays, insistait-elle en balayant l'air de sa main droite, manque de générosité. Si une jeune fille est douée pour les mathématiques ou qu'elle souhaite être ingénieur, elle doit parcourir une course d'obstacles ou se rendre à l'université de Rome. Qu'est-ce qu'une femme intelligente a de tellement scandaleux ? »

Assise sur mon lit dans ma splendide chambre d'hôtel, je commandai des sandwichs de pain noir croustillant au poulet et au chutney ainsi qu'une cruche de jus de citron vert. J'avalai le tout en parcourant le programme de première année de médecine. Comme j'en avais réussi la physique et la chimie, j'espérais qu'on ne m'interrogerait pas sur ces matières. Le plus dur serait l'anatomie, qui me terrifiait. Je n'avais vu que des schémas chastes et propres dans mes livres, mais comment réagirais-je face à un cadavre ? Comment considérer un corps comme objet d'étude ? Chassant ces questions de mon esprit, je fourrai mon diplôme et mes certificats dans mon sac et partis pour un rendez-vous avec le doyen de l'université de Delhi. En passant sous l'arche de marbre, je pris conscience que je me dépouillais de toutes les composantes de mon identité : épouse, femme de militaire, Anglaise de passage, maîtresse d'un Noir anglais. Je n'étais plus que Mlle Herbert avec l'objectif de devenir médecin aux Indes.

14

St. James's Club
Mayfair, Londres
28 juin 1921

Mon amour,
Tu me manques tant qu'on dirait que mon cœur a été
amputé. Si je n'avais pas trouvé tes lettres à mon arrivée,
je ne sais pas comment je m'en serais sorti. La traversée en
bateau n'a pas été des plus agréables : deux épouvantables
tempêtes et tous les passagers en mal de médecin. C'est dans
cette chambre que ton absence est le plus palpable, à cause
des objets victoriens qui me rappellent Simla et toi. Même
le portrait accroché au mur – une beauté brune en train de
lire, étendue sur des oreillers et un tapis, vêtue d'une veste
noire, coiffée d'un chapeau – te ressemble trop pour que ce
soit supportable. Le confort du club ne laisse pas à désirer,
j'imagine. Rien n'y a changé, fût-ce un fauteuil, et à Mayfair
non plus bien sûr. Comme si ces rues n'avaient pas connu
le tumulte d'amour et de tristesse qu'a enduré l'Angleterre.
Les traces sont partout : le martèlement de bottes la nuit, les
noms inscrits sur les murs d'écoles et d'universités, la multitude d'amis perdus et ensevelis dans une terre lointaine.
Depuis mon départ, l'Angleterre s'est complètement transformée. Je tente de comprendre ce qui s'y est passé, ce qui
a disparu, les raisons de la désolation et de l'égarement, qui
me semblent autant liés à la paix qu'à la guerre. L'Angleterre
a signé un traité sinistre et révoltant qu'aucune nécessité

économique ne peut justifier, qui a laissé un sentiment de
honte et d'amertume dans son sillage. Dans les rues, les
pubs et les restaurants, l'atmosphère est d'une morosité
tangible aussi perceptible que les brassards noirs sur les
manches des gens. L'horreur de la guerre est toujours là :
les corps estropiés des survivants, les gueules cassées des
pauvres diables tout juste réchappé du feu des tranchées,
que l'on voit se cacher dans la pénombre des bars. On sent
la douleur des orphelins, des veuves, des pauvres – c'est le
règne du désespoir et de l'impuissance. À peine s'éloigne-
t-on des quartiers huppés que l'on se heurte à la misère
noire, à la crasse des ateliers, à des êtres délaissés et bruta-
lisés. Les taudis ne valent guère mieux que ceux des Indes
car il n'y a ni installations sanitaires, ni soins médicaux,
ni aucun effort pour répondre aux besoins des défavorisés.
Est-ce le propre d'un peuple invincible, charitable, chrétien
et généreux ?

Tu dois avoir été consciente de cette situation avant
ta fuite aux Indes, sous le choc, je le comprends à présent,
de trop de pertes. Cela me bouleverse. Cela n'a rien à voir
avec la dépression qui s'est emparée de l'Angleterre à la mort
de la vieille reine. On n'a pas le sentiment qu'un nouvel
idéal se forge dans les vents chiches qui soufflent ici, ni
que la répression et la rigidité peuvent être remplacées par
des réformes et des changements, ni que le pays va enfin
sortir de la garden-party pour entrer dans le monde réel.
Je ne suis plus le même non plus. On dirait qu'Oxford est
anéanti et que mes souvenirs se sont égarés. Aussi mes
années d'étude de médecine et de recherche semblent-elles
un rêve, et je ne sais pas mieux comment reprendre le dessus que l'Angleterre.

À mes yeux, ton idéal est limpide : tu vas devenir un
médecin. C'est un nouveau départ. Tu réaliseras tout ce
dont tu rêves et davantage encore. Je fais toujours partie
du passé. J'ai beau autant détester ce qui est arrivé à l'Angleterre que ce qu'elle a fait à mon pays, je n'en reste pas
moins un Anglais. C'est aussi immuable que ma couleur,
mais il m'est impossible de continuer à vivre aussi loin
des catastrophes que subit ma propre race. Désormais, je
ne parviens plus à observer, ni à analyser. Je dois changer

sans trahir. Si ce n'est que je m'interroge : qui suis-je ? et qu'ai-je à offrir hormis deux mains capables de soigner des corps mutilés ? Je sais que tu me diras que c'est amplement suffisant et de cesser de te livrer les grandes lignes de ce que je ressens plutôt que le noyau. À la vérité, la dépression que je décèle dans les yeux ou dans les dos voûtés des Anglais est une projection de la mienne.

    En ce qui concerne Sammy, il m'est aussi pénible de l'évoquer ici qu'il l'a été d'aborder avec lui le sujet de Rawalpindi la première fois que je l'ai vu. Mes préparatifs quant à la façon dont je lui annoncerais la nouvelle ne m'ont servi à rien. Je croyais pouvoir lui expliquer les circonstances de la mort de sa mère en des termes qui ne le marqueraient pas au fer rouge pour le restant de ses jours – comme s'il en existait. Je me suis retrouvé sans voix de la même manière qu'avec toi lorsque je suis terrassé par l'énormité de mes actes. Au bout d'une heure dans son école, j'avais envie de tabasser quelqu'un. J'étais allé voir le directeur – un crétin qui s'appelle Dyer – pour le mettre au courant afin qu'on puisse entourer Sammy après mon départ. Mais à peine eus-je évoqué l'incendie du train, dont il avait entendu parler, qu'une atmosphère gelée typiquement anglaise régna dans la pièce. Nos études communes à Oxford, un lieu dont nous venions de nous entretenir, n'existaient plus : il m'avait expulsé de ses sacro-saintes antichambres. Mon côté anglais avait perdu toute légitimité, j'étais devenu un homme de couleur. La rupture entre nous était si profonde qu'on l'aurait dite la conséquence d'un coup de sabre – uniquement à cause d'un nom : Rawalpindi. Dès qu'il fut prononcé, son visage changea ; j'y remarquai le regard, la dilatation des narines, la révulsion polie qui apparaît sur-le-champ chez les Anglais lorsqu'ils parlent d'atrocités commises par les autres, en l'occurrence bien sûr les quatre têtes britanniques sur des piques, non les soldats britanniques mettant le genou à terre pour tirer dans le dos de femmes et d'enfants dans le champ de piments. « Selon vous, la mère de Sammy a disparu avec le train ? » me demanda-t-il sur un ton qui aurait mieux convenu à une question du genre : « Selon vous, il n'y a pas de harengs au menu aujourd'hui ? »

La rage familière commença à bouillonner en moi, tandis que l'envie me démangeait de lui montrer ce que ça pouvait faire d'être sauvagement étranglé par mes mains noires. Je fus tellement choqué par ma violence et mon indifférence absolue aux conséquences que je partis immédiatement. C'est nouveau pour moi d'être en proie à des pulsions de ce genre. J'ai vécu si prudemment jusqu'à présent, occultant la moindre passion d'ordre personnel ou politique que, lorsque je m'observe, je suis partagé entre l'exaltation et la terreur. Je sais que c'est à cause de toi. Tu as pris mes remparts d'assaut avec tes haillons roses; tu m'as secoué jusqu'à ce que je me dépouille de toute bienséance.

Vendredi,
J'ai été obligé de m'interrompre. Trop épuisé pour réfléchir. Parfois je dors autant ici que sur le house-boat, sauf que c'est un homme arborant un gilet noir qui apporte mon thé au lieu d'une femme dans le plus simple appareil. Il monte un plateau garni de sandwichs au saumon et de charlottes aux pommes. Je suis incapable d'aller dans la salle à manger. À une époque, nous venions d'Oxford et l'occupions ainsi que le bar, passant la nuit à discuter art et littérature. J'y dînais avec Duncan Lambert-Smythe. Il adorait les fléchettes et battait tout le monde, dont le barman. Une liste de morts au champ d'honneur est accrochée au mur, mais je n'en lis pas les noms.

Il faudrait que je te décrive en détails Sammy et l'école afin que tu comprennes suffisamment de quoi il retourne pour m'aider à décider ce que nous devrions faire. J'ai rencontré le responsable d'internat de Sammy, qui m'a réconforté en me parlant des bons résultats scolaires, de l'intelligence, de la gentillesse de mon fils. Il m'a promis de le prendre sous son aile. Naturellement, tout ceci – les conversations avec les maîtres de Sammy – n'était qu'une façon de me défiler. Je n'avais jamais pris conscience jusqu'à maintenant de ma tendance à esquiver les choses, à trouver des échappatoires et des subterfuges, à éviter de prendre des décisions – exactement comme tu me le reproches. Je n'ai cessé d'attendre le bon moment pour annoncer la nouvelle à Sammy. Au début, il était tellement content de me revoir que cela m'a été impossible. Il voulait me faire visiter les lieux, me montrer son travail, me présenter ses amis. Au bout du compte, après avoir pris le thé dans une pièce qu'on avait libérée pour nous, je l'ai prévenu que j'avais une nouvelle très triste à lui annoncer qui le bouleverserait. Puis j'ai gardé un silence d'au moins deux minutes, tandis que, sans lever les yeux, il émiettait une part de gâteau de Savoie. « Si tu n'en as pas envie, tu n'es pas forcé de parler », finit-il par me dire. Je lui ai répondu que j'aurais préféré de tout mon cœur ne pas y être obligé, mais qu'il était assez grand pour connaître la vérité. Et je lui ai raconté un mensonge comme quoi un train que sa mère, ses tantes et certains de ses cousins avaient pris pour se rendre au mariage de son oncle avait déraillé et que beaucoup de gens avaient péri. Je lui ai affirmé qu'elle n'avait pas souffert. Il m'a fixé avant de détourner rapidement le regard. Il avait visiblement très peur. On m'a laissé passer la nuit et toute la journée du lendemain avec lui. À l'école. Il ne m'a posé aucune question. La plupart du temps, il est resté assis près de moi, s'efforçant d'être très sage, le visage figé comme s'il avait perdu quelque chose : de la vie, de l'énergie. Il refusait d'en parler, ne s'animant que lorsqu'il abordait les sujets de son travail ou des maîtres qu'il aimait. Je ne suis pas sûr qu'il soit capable de saisir l'irrévocabilité de la mort; il me semble qu'il gardera une image fantasmatique de sa mère, en son absence, comme je l'ai fait avec la mienne.

À mon départ, il m'a demandé si j'allais le remmener aux Indes. « Ça me plaît ici », a-t-il insisté. Je lui ai promis de passer le chercher le dimanche pour que nous allions déjeuner tous les deux, de revenir le voir pendant un certain temps et que nous parlerions de ce qu'il avait envie de faire. Mais comment le saurait-il alors qu'il n'a que sept ans ? De la porte, il m'a regardé partir en arborant la même expression que la première fois que je l'avais quitté. Voilà qui m'a rappelé le jour où ma mère m'avait sommé de ne pas la chercher des yeux par la fenêtre, mais de continuer sans elle. Au moment de nos adieux, dans la rotonde, je lui ai demandé comment on l'appelait à l'école, quel sobriquet on lui avait donné. « Singh, m'a-t-il répondu. Sauf quand c'est Sammy. » Tu n'imagines pas à quel point cela m'a réconforté. L'école me paraît bien. Il n'y règne pas la même atmosphère qu'à Eton. Les élèves ne font pas l'effet de s'attendre à voir le monde s'incliner devant eux quand ils y entreront ; les privilèges de leur classe sociale, de l'argent, ne suintent pas par tous les pores de leur peau. Pas encore. L'Angleterre a changé dans la mesure où davantage d'Indiens y vivent qu'auparavant – que ce soit un bien ou un mal est une autre histoire. Sammy est intégré. On l'apprécie. La réaction à son encontre des élèves et des instituteurs prouve qu'il fait partie de la communauté. Il a déjà l'air complètement anglais : sa voix, son attitude, sa manière de se comporter, sans oublier son côté débraillé et ses cheveux en bataille. Il se fond dans la masse : son teint est assez clair même si ses yeux sont marron. En outre, il est cent fois plus extraverti que je ne l'étais et infiniment plus chaleureux. Aussi la question qui se pose est-elle difficile : me faut-il rester ici afin d'éviter de le déraciner ? nous rejoindrais-tu ? pourrais-tu aller à la faculté de médecine ici, le souhaiterais-tu ? est-ce possible de te le demander alors que les difficultés de notre vie commune ici seraient monstrueuses ? Nous échapperions à certains problèmes mais serions confrontés à d'autres, tout aussi insolubles. Sammy se promènerait-il dans Regent Street avec toi qu'on vous prendrait pour mère et fils, en revanche la dynamique serait complètement différente si je vous accompagnais. Je ne suis pas acceptable. De toute façon, je m'y refuse : il n'est pas question que je m'affuble d'un nom italien ou juif et que je passe le reste de ma vie aux aguets. J'ai beau appartenir à la fois à l'Angleterre et aux Indes, je n'ai qu'une peau. J'en viens à penser que si j'adhère au parti du Congrès, m'engage dans le mouvement, ce sera peut-être parce que je cherche simplement à me couper d'une partie de mon être. Quoi qu'il en soit, il est juste de débarrasser les Indes des Britanniques – je soutiens aussi profondément cette action en tant qu'Anglais qu'en tant qu'Indien.

Ce qui complique encore les choses, c'est que tu m'as conseillé, si je me souviens bien, de ne pas laisser Sammy ici, de le ramener. Sauf que je n'ai pas l'impression qu'il le veuille. Les Indes lui sont trop étrangères. « J'ai vu des photos d'indigènes, ils sont vraiment affreux », m'a-t-il dit *un jour. Sur quoi, je lui ai fait observer que nous étions des indigènes, que nous étions originaires des Indes. Alors il a réfléchi et s'est exclamé : « Mais je ne leur ressemble pas, toi non plus ! » Quelque chose dans son ton m'a exaspéré, comme s'il commençait déjà à mépriser son peuple. Comment pourrait-il en être autrement alors qu'on a dû ne lui montrer que des images d'êtres vautrés dans la crasse ? S'il était allé aux Indes, il aurait sans doute eu la même réaction. Je brûlais d'envie de le prendre par la peau du cou, de l'entraîner sur la passerelle, de nous embarquer tous les deux à destination de notre pays et de le fourrer dans une des nouvelles écoles avant que son jugement ne soit définitivement faussé. Mais il y a un autre dilemme. D'une part Gandhi appelle au boycott de toutes les écoles du gouvernement, de l'autre Tagore considère que c'est une absurdité étant donné le nombre insuffisant d'établissements indiens. Le rejet de l'Occident de Gandhi ne peut que déboucher sur un nationalisme chauvin plutôt que sur un universalisme susceptible de réunir le meilleur des deux civilisations. Quelle importance a tout ça puisque Sammy n'a aucune envie de rentrer au pays ? Il se sent l'un des leurs. Et pourquoi lui ôterais-je cette illusion au motif qu'une partie de moi souhaite le voir réussir ce que j'ai raté ? Au fond, de quoi est-il question ? Pour le formuler simplement, je crois qu'il s'agit du droit d'avoir l'aisance, la vie raffinée, le sentiment d'appartenance qu'un Anglais considère comme allant de soi, sachant que cela s'accompagne de responsabilités et de devoirs envers ceux qui ont moins. N'est-ce pas l'idéal aristocratique que les Anglais créent autour de leur possession des Indes ? Il y a sûrement un moyen de le concrétiser.*

Après avoir froissé la lettre, je sortis précipitamment de l'hôtel et marchai des heures dans les rues, passant de la fureur au chagrin. À mon retour, je me ruai vers la corbeille à papier pour voir si je ne m'étais pas trompée. Comme de juste et de bien entendu, elle était vide. De même que le drap en satin était tiré, mes chaussures cirées, le sol nettoyé du moindre grain de poussière. Je m'en fus alors harceler le personnel pour récupérer le contenu de ma corbeille à papier, lequel, par miracle, me fut rendu. Je passai une nuit blanche. J'étais écartelée. Croyait-il que j'allais tout envoyer promener, réserver une place sur un bateau et rentrer en Angleterre. Tous ces enchaînements aux balustrades n'avaient-ils avancé à rien en matière d'égalité des sexes ? Qu'est-ce qui prenait à Sam d'instiller à son fils un espoir d'avoir de l'aisance et des privilèges, de l'installer dans un environnement d'imbéciles du gratin dotés du même niveau d'éducation, de la même fortune que lui, pour arriver à la conclusion que, en dépit de tout, les Anglais lui battraient froid et le traiteraient avec le dédain qu'ils éprouvent pour ceux qui ne sont pas, ne pourront jamais être britanniques ?

Il me fallut une nuit et un jour pour parvenir à une réaction normale et me livrer à une introspection. Sam était enfin sorti de l'impasse, ce qui exigeait que je fasse pareil. Allongée, j'envoyai des volutes de fumée vers le ciel du lit. De qui étais-je tombée amoureuse ? Qu'est-ce qui m'avait exactement attirée ? Qu'est-ce que je voulais ? Qu'étais-je prête à risquer, à sacrifier pour vivre avec lui ? Où avais-je envie de partager son existence ? Puis je songeai, vraiment pour la première fois, à sa couleur. Ressentirais-je du désir pour lui s'il avait la peau ébène, s'il ressemblait aux Dravidiens au lieu d'être un grand Aryen au teint plus clair ? Me séduirait-il toujours s'il avait des cheveux noirs comme du cuir verni, des yeux sombres et non verts ? L'adorerais-je toujours si sa bouche était négroïde, l'embrasserais-je avec la même ardeur ? De toute façon, quelle nuance exacte pousse au rejet ? Quand l'altérité suscite-t-elle le dégoût ? J'aime ses épaules, son ventre, son pénis parce que leur couleur diffère de la mienne. Pas trop. Aussi s'agit-il peut-être d'une attraction physique. Et le beau Bengali qui avait traversé la place après les coups de feu ? Voilà qui réduisait à néant tous mes arguments, parce que sa noirceur m'avait coupé le souffle, sa noirceur était dissoute par sa beauté – était beauté. Le Bengali avait le mystère et la majesté des dieux. Il aurait dû être paré d'or. Il arborait le blanc et le bleu grec. Il était l'égal des Immortels. Alors la beauté ? Sam n'est pas beau. S'il était noir comme du cirage, me serais-je entichée de lui, serais-je folle de lui, m'obséderait-il à ce point ? Je suis incapable de l'affirmer autant que de le nier.

Delhi
27 juillet 1931

Mon bien-aimé,
Si ta lettre m'a rendue furieuse, elle m'a cependant per-mis de réfléchir à ce qui nous attend. Selon toi, on s'en sor-tirait peut-être mieux en Angleterre et il serait plus nuisible que bénéfique d'enlever Sammy de son école. Voici ma posi-tion : mon sort est uni aux Indes. D'y vivre avec toi et d'y travailler un jour avec toi, c'est plus que ce que l'Angleterre est susceptible de m'offrir. Je l'ai compris en commençant mes études de médecine. J'ai besoin de me consacrer à autre chose qu'à l'amour – je veux que ma vie soit utile, afin d'être partie prenante de cette mystique anglaise que tu décris : un idéal aristocratique qui peut et doit exister, humblement, au sein de la tyrannie impérialiste.
Tu as évidemment raison : j'ai quitté l'Angleterre après le choc provoqué par la mort de Gareth, à cause de la guerre et du vide qu'elle avait creusé, mais surtout pour me fuir tant j'ignorais comment inventer une vie qui soit pleine et belle. Le sentiment que j'éprouve à présent pour toi, la vie que je veux mener avec toi ici ne relèvent plus de la fuite, du fantasme ou du caprice comme le premier jour où tu m'as demandé : « Que voulez-vous ? » Ce que de t'aimer exigera de moi m'effraie un peu, de même que la perspective de voir ton mystère et ton exotisme devenir une partie de la lutte quotidienne pour accepter l'autre. Au sein de ce dilemme, je tente de donner une réalité tangible à notre avenir. Après mon départ de Simla, je me suis mise à imaginer une maison où nous habiterions ensemble. Où ? Aucune idée. Il n'empêche que je me la représentais parfaitement tant j'avais besoin de me retrouver dans un lieu avec toi. Une petite maison où nous pourrions tirer les rideaux, verrouiller la porte, allu-mer un feu, faire bouillir des pommes de terre et rôtir un poulet. Où nous aurions le temps de parler en buvant du vin, de rire, sûrs que personne ne viendrait, qu'aucune botte ne martèlerait la rue, ne fracasserait la porte. Les menaces

de Neville, le chagrin pour Nalini n'existeraient plus. Il y aurait une chambre pour un petit garçon portant le même prénom que toi. Je n'étais pas loin de penser qu'on pourrait trouver cela quelque part dans les collines et y rester aussi longtemps que nous en aurions envie sans voir personne. Voilà qui provient de mon sentiment de toujours qu'il est possible de s'évaporer dans l'immensité des Indes. C'était avant tout une fantasmagorie à propos de notre retrait du monde. J'imaginais les fenêtres tapissées d'un lierre qui masquerait la fente sous la porte et nous abriterait tous les deux. En sécurité à l'intérieur, nous nous habillerions et déshabillerions, ferions l'amour, dormirions, prendrions nos repas, vivrions ensemble au fil de journées immuables qu'aucun désastre n'assombrirait. Tu allumerais la lampe, augmenterais la mèche, et de contempler tes mains suffirait à me combler. Je lirais, étudierais, m'entraînerais au point que je ne me considérerais plus comme une femme médecin mais comme un médecin tout court, maillon d'un réseau de secours et de soins, ainsi que tu te vois. Nous nous chamaillerions. Je te regarderais reculer à toute vitesse à la manière d'un crabe qui refuse de sortir avant le changement de marées. Je dois reconnaître que j'aime les disputes et les discussions, brutaliser tes défenses et ta peur, ce qui n'est pas la fin du monde tout de même! Pourquoi une querelle devrait-elle être signe d'abandon? En fin de compte, nous parvenons toujours à atteindre le rivage.

Il y eut un autre rêve, de courte durée au demeurant, que je tiens à te raconter parce qu'il est peut-être une version de celui qui t'habite. Nul doute qu'il nous serait possible de vivre en Angleterre dans un manoir tranquille, petit et anonyme, aux environs d'Oxford par exemple. Tu travaillerais à l'hôpital des officiers blessés à la guerre et les aiderais à récupérer leur santé mentale, à cesser de hurler lorsqu'une infirmière laisse tomber une cuillère ou qu'une voiture de pompier mugit. Je poursuivrais mes études de médecine, même s'il me fallait aller les terminer sur le continent. Je sais que nous rentrerons un jour – non pour retourner dans la mère patrie, mais pour voir comment nous réagirons une fois que je serai devenue ce que je suis en train de devenir et que tu seras devenu un Indien décolonisé et libre. J'imagine notre maison, notre jardin, ta chambre, la mienne, la nôtre, nos enfants courant sur une pelouse anglaise, vigoureux, grands, café-au-lait – peut-être davantage couleur lait pour être du bon côté. Tu ratisserais les feuilles que tu ferais brûler près d'une serre remplie d'orchidées et de lis noirs sans compter les semis d'oignons et de pommes de terre attendant le printemps, enfouis dans la terre noire. Je sortirais en me séchant les mains tandis que les étincelles voleraient dans les chênes. Je me tiendrais devant toi, attraperais les revers de ton manteau, les rapprocherais pour que tu ne prennes pas froid : « Dépêche-toi, tu me manques. C'est l'heure du dîner. »

J'ai dû aller au-delà, vers une vision moins rose d'un avenir que je ne me représente pas, dans laquelle il me faut croire en faisant un bond dans le vide. Je crois que cela nous poussera aux limites de notre courage, mais je le veux autant que de travailler ici d'une manière productive. En termes simples, je souhaiterais que tu reviennes avec Sammy et être de ceux qui t'aideront à devenir indien, à poursuivre cette entreprise où tu t'es lancé. J'ai envie de t'aimer ici sans les conflits que la distance crée entre nous. J'ai envie de m'enraciner près de toi et que nous nous arrimions à cette terre de façon permanente. Les Indes n'appartiennent pas à l'Angleterre, ce serait se laisser influencer par les chimères britanniques que de le penser. Quant à ton rêve d'harmonie, d'intégration, de réunir le meilleur de l'Occident et de l'Orient, comment savoir s'il se réalisera? Sommes-nous capables de survivre aux Indes ensemble, de trouver un sanctuaire dans son immensité et le champ de possibilités infinies qu'elle offre? Voilà la question. Pourquoi pas? Après tout, des liaisons comme la nôtre se comptent par milliers : Blancs basanés ou métisses, autant d'êtres crépusculaires qui mènent des vies pleines et s'en sortent. Ton problème, c'est que tu t'es fait trop remarquer par ton côté anglais. Moi, on me regarde plus d'une fois, parce qu'on se demande si je suis eurasienne ou si j'ai une goutte de sang blanc de l'époque de l'East India Company ou si je suis le fruit d'une union entre un officier blanc et une bibi. Comme nous nous inquiétons trop à ce propos, cela prend une importance démesurée dans nos vies. Nous devons nous relier aux autres de façon à ce que cela n'ait plus de sens ; ainsi, le pouvoir du Raj faiblira jusqu'à devenir inexistant.

Reviens près de moi, Sam. Ramène ton fils dans son pays. Si nous faisons moins que ça, ce n'est pas parce que nous craignons l'avenir ni les conséquences de ce que nous avons commencé, mais seulement parce que nous doutons de notre capacité à aimer. Reviens ici aussi vite que possible. Avec tout mon amour.

Isabel

Après un échange de lettres expédiées par bateau postal, nous en arrivâmes peu à peu à la décision de rester tous les deux aux Indes et de laisser Sammy en Angleterre, là où il voulait vivre. Bien entendu, c'était davantage le choix de Sam que le mien. Il n'empêche que j'admirais sa générosité. À l'en croire, il voulait permettre à son fils de trouver sa propre Angleterre, et je comprenais que, ce faisant, Sam réparait son lien avec la mère patrie tout en se tournant vers les Indes. Il se décrivait comme ayant été un Indien qui se détestait et tentait de le dissimuler par son excellence dans ses études. Sammy n'était pas ainsi. *Il reviendra, écrivait Sam, lorsque les Indes le rappelleront, et il se débrouillera mieux que moi. Je me rends compte qu'il me devance déjà parce que je n'ai pas l'impression qu'il soit écartelé comme je l'ai été. Je crois que j'ai choisi mon isolement pour éviter d'avoir à le subir.*

Pour ma part, je souhaitais que Sammy vive avec nous ainsi qu'avec les enfants que nous espérions avoir, parce que j'étais persuadée que je ne me sentirais pas comblée sans lui. Ma perception de sa solitude provenait de celle que Sam avait connue. Un sentiment qu'il n'éprouvait apparemment pas, même si je ne pouvais m'empêcher de penser le contraire. J'avais aussi l'impression que l'enfant, pour petit qu'il fût, savait ce qui lui convenait le mieux. Or, c'était l'Angleterre. Du moins pour l'instant. Il en aurait une expérience différente, et son sang finirait par le pousser à rentrer comme la guerre avait ramené son père dans son pays. Aussi laissâmes-nous les choses en l'état.

15

Il était temps de quitter l'hôtel, alors je m'installai dans une confortable petite pension, plus proche de l'université. Joseph regrettait sa chambre luxueuse meublée d'un lit et d'une armoire pleine de vêtements qui lui convenaient, dont un costume plutôt bien coupé et une paire de souliers en cuir marron, très chics. Il bouda pendant des jours : « C'est miteux ici, memsahib. » Honteux de mettre le pied dehors. Même si je lui assurai que c'était provisoire, il ne me déplaisait pas, quant à moi, de vivre dans ce cul-de-sac tranquille en raison de l'anonymat. Et puis j'en avais assez de toutes ces courbettes. Delaware Street était une rue calme et résidentielle située à proximité de dépôts et d'une grande fabrique de chaussures. Au-delà, près de la voie ferrée, s'étendaient des maisons anglo-indiennes. Plusieurs personnes me prirent pour une sang-mêlé et, une fois, dans un bas quartier de la ville, un soldat me cria une obscénité. Joseph menaça de lui couper la langue.

— Voilà des sentiments très chrétiens, fis-je observer. Joseph, je suis désolée de ne pouvoir continuer à te donner le train de vie auquel tu t'es habitué à Delhi. En vérité, je suis fauchée.

Il se vexa :

— Mem, une incompréhension comme à l'ordinaire. L'inquiétude, c'est que mem marche dans un endroit dangereux.

— Oh, je comprends ton inquiétude, Joseph, mais

ce que tu crains vraiment c'est de me voir redevenir indigène.

J'avais dépensé mon argent en honoraires, livres et cours particuliers. J'écrivis à ma mère en lui demandant si elle pouvait trouver un moyen de razzier ma part d'héritage. Vu qu'ils avaient un pouvoir discrétionnaire, les curateurs accepteraient peut-être, pour une raison valable, de me donner un peu d'argent maintenant. J'insistai aussi pour qu'elle réserve une place sur un bateau et vienne me voir, parce que je me sentais très seule sans elle. En attendant, je me lançai dans mes études de médecine. Le premier jour, j'arrivai tôt en cours et m'assis au fond de la classe. Des pupitres s'alignaient en rangées. Sur une estrade, le professeur rassembla ses livres avant de dérouler un grand diagramme, qu'elle suspendit à un crochet au mur. Il faisait une chaleur étouffante dans la pièce, on aurait dit que l'air était de la soupe. La porte s'ouvrit puis se referma tandis que des femmes identiques entraient en silence et s'asseyaient. De derrière, elles ressemblaient à un rang de sarcophages. Certaines portaient des saris, d'autres des vestes et de longs voiles et quelques-unes des pantalons flottants. D'autres encore se dissimulaient sous un tchador. Yeux derrière des barreaux. Pas de peau. Pas de parfum. Pas de sourire. Aucune brise ni courant d'air. D'ailleurs respiraient-elles, ces modestes demoiselles aux têtes emprisonnées dans le secret d'un voile ?

Notre professeur a réussi, non sans difficulté, à accrocher un schéma de squelette et, à côté, celui d'un corps humain, de sexe masculin bien entendu, mais aux parties génitales très rudimentaires, un camouflage manifestement conçu pour les étudiantes. Le professeur Thibaut possède d'autres rouleaux de diagrammes, qui, je l'espère, révéleront le corps féminin. J'observe mes sœurs drapées de noir. Elles appliquent un coin de voile sur leur front moite ainsi qu'elles le font sûrement lorsqu'elles s'essuient les joues après des ablutions ou nettoient la bouche de leurs enfants après le déjeuner. Une femme s'assied à côté de moi. Je ne distingue que les contours de son visage derrière la *burka*. Le silence règne dans la salle de classe. Le professeur tousse en continuant d'empiler ses papiers.

Ma voisine esquisse un geste, puis lève les bras afin d'ôter la burka, révélant des cheveux blonds décolorés, des sourcils noirs comme de la réglisse, une bouche écarlate. Elle se met debout et commence à se déshabiller, enroulant le linceul noir comme une bande avant de le balancer d'un côté. En dessous, elle porte des vêtements européens achetés au bazar, de mauvaise qualité mais sexy : une jupe moulante, un haut noir décolleté, des chaussures à talon haut. La bouche légèrement entrouverte, le professeur la fixe. Et les femmes ne tardent pas à suivre la direction de ses yeux, à bouger, enfin à se retourner pour regarder ma voisine. Celle-ci se baisse, attrape son sac très lourd qu'elle pose sur son pupitre, sortant des manuels de l'intérieur bourré de papiers, de bâtons de rouge à lèvres, de paquets de cigarettes et d'un briquet en or.

– Je m'appelle Gloria, se présente-t-elle sans cesser de fouiller dans son sac.

Lorsque je marmonne mon nom, elle lève les yeux et m'adresse un grand sourire. Au fond de l'amphithéâtre, on s'agite un peu, à la manière d'oiseaux qui se regroupent sur une branche. Des chaises raclent le sol. Des sandales y glissent. Des vêtements froufroutent. L'une des femmes rejette son voile en arrière, révélant une tête lisse comme celle d'un phoque, lustrée et parfaitement ronde. L'un après l'autre, les voiles tombent tandis que des cous se dénudent, qu'une joue se creuse d'un sourire, qu'un coude saille de la gaze, qu'une gorge dorée surgit de l'ombre, qu'une épaule rose perd sa lanière. Une femme au visage délicatement ciselé lève le bras, dont les bracelets d'or cliquettent. Le vent souffle dans des cheveux détachés, caresse un menton, soulève des bouclettes, effleure une nuque. Les femmes respirent. On les entend comme si l'air était insufflé dans leurs poumons. Des mains apparaissent. Quelques-unes sont peintes au henné. D'autres ont les doigts garnis de bagues et des ongles vernis. Il y a des bras nus, des corsages blancs, une manche mi-longue, une tunique en soie ornée de boutons de rose qui ondule sur un sein, pince une taille, enveloppe une cuisse. Les femmes gloussent. Certaines se mettent debout et marchent un peu. L'une se pavane en tortillant les hanches.

L'autre retrousse sa jupe et lance ses jambes nues devant elle comme un homme. Elles rient derrière leurs paumes, se tapotent doucement les lèvres, chuchotent. Une grande femme lève ses deux bras, on dirait une bénédiction.

Le professeur, qui porte, comme moi, une robe bain de soleil tout à fait banale, sourit aux femmes à qui elle adresse quelques mots de bienvenue. Malgré son accent français, son anglais est excellent. De même que celui de Gloria. Celle-ci me bombarde de questions : combien d'argent ai-je à ma disposition ? Suis-je mariée ? Est-ce que j'ai des enfants ? Sa jupe me plaît-elle ? Ne devrait-elle pas la raccourcir ? Ne serait-ce pas trop vulgaire ? Avais-je de beaux habits ? Voudrais-je prendre un café avec elle après ? Tout en jacassant, elle se penche pour fourrer sa burka dans son sac et repousse ses cheveux qui tombent sur son visage. Puis elle se redresse et regarde en face d'elle, le visage plein d'attente, la bouche écarlate aussi voluptueuse qu'un pudding aux groseilles. La salle devient lentement silencieuse. Le professeur commence son cours. Elle se tourne vers le schéma, dont elle désigne le côté gauche avec une baguette : « Le cœur... » Elle ajoute que la dissection commencera une fois que nous aurons étudié toutes les parties du corps. Les étudiantes prennent des notes. Nous examinons le corps humain, découvrant sa beauté prodigieuse, sa fragilité, sa délicatesse.

À la fin du cours, les femmes se recouvrirent avant de regagner, deux par deux, le monde de la clôture. Gloria, toujours tête nue, m'emmena dans une gargote au coin de la rue. Je lui servais de paravent, à moins que ma présence ne lui procure une certaine immunité. Le serveur manifesta ouvertement sa désapprobation. Quand il nous apporta nos cafés, Gloria renversa presque tout le sucre dans sa tasse qu'elle remua longtemps. Elle reniflait, se frottait le bout du nez d'une façon bizarre et ne cessait de regarder par la fenêtre, même si la pluie de plus en plus drue empêchait de distinguer quoi que ce soit. Après que j'eus répondu à toutes ses questions, dont la plupart étaient carrément impolies, elle repoussa sa tasse de café et me fixa de ses yeux violets tirant sur le noir :

– Maintenant, je vais te parler de moi.

Et elle me raconta sa vie presque sans reprendre son souffle comme si de formuler ce genre de choses risquait d'avoir des conséquences épouvantables.

— Évidemment, Gloria est un pseudonyme, déclarat-elle, haletante. Pas de véritables noms. Pas d'endroits précis. Il suffit que tu saches que je suis originaire du Nord, d'un lieu situé à proximité de Peshawar. Mon père était une huile. J'étais une fille de l'intelligentsia. J'avais onze ans lorsque nous sommes partis à Londres, où je suis allée à l'école de Baker Street. Mais quand on a rappelé mon père au pays, nous sommes tous redevenus musulmans : rien que le cher vieil islam du matin au soir.

Elle sortit ses cigarettes de son sac en cuir, ainsi que le briquet en cuir qui était tombé au fond.

— On m'a mariée selon la coutume, poursuivit-elle avec un sourire furtif. J'étais la deuxième épouse, la première était dévote et très paresseuse. Je devais me taper tout son sale boulot. Nous habitions ensemble dans la maison du père de mon mari. C'était un salaud. Mon mari aussi. J'ai eu un enfant qui s'ajouta aux autres – je crois qu'il y en avait sept ou huit – peu importe, la famille peut les réclamer à n'importe quel moment pour toutes sortes de transgressions, alors quelle importance ? – Gloria tira sur sa cigarette et soupira. – C'était abominable, soufflat-elle. Le truc habituel : il fallait se lever à cinq heures pour faire le pain, donner des ordres aux serviteurs, travailler toute la journée sans que cela serve à rien, passer son temps à nettoyer sans vraiment nettoyer puisque le ménage était évidemment confié aux serviteurs. Ce n'était pas un labeur pénible comme celui de bêtes de somme, ni un travail à la chaîne à se passer des sacs, qui, en un sens, aurait pu être satisfaisant. Non, il s'agissait de mettre la nappe, de servir les repas et d'obéir. De vivre en supportant les coups de pied ou de fouet, environnée par la haine tenace des femmes. Même si l'on était parfaitement docile, si l'on restait dans le rang, si l'on obéissait aux ordres idiots, cela ne changeait rien. Les femmes sont faites pour être battues, brûlées, violées, tuées. Personne ne s'en préoccupe. Personne ne voit rien. Comme les fenêtres sont murées par des briques, il est vain de crier.

Quand la porte s'ouvre, nous battons en retraite dans les pièces du fond où nous nous cachons. Une fois, j'ai eu l'audace d'écouter parler les hommes – un péché pour lequel ils m'ont forcée à les regarder taper ma fille jusqu'à ce qu'elle soit incapable de se tenir debout. Si je souriais, on me frappait. Si je relevais mon voile ou me déshabillais dans l'intimité de ma chambre, on m'ordonnait de me couvrir comme si j'étais de la merde.

– Quel âge as-tu?

– Vingt-huit ans. Je fais plus vieux, hein?

– Non.

– Menteuse.

– Ton anglais est exceptionnel.

– C'est moi qui le suis.

Je n'en doutais pas. Par la suite, lorsque nous parlions après les cours, elle continuait à me raconter sa vie en me guettant comme un aigle. Elle avait besoin de ma pitié, de mon visage horrifié et d'autre chose que je ne comprenais pas.

– Bien sûr, me dit-elle un jour, c'est très bien d'être interprète pour le service Orient de la BBC, mais le fric vient des spectacles que je donne.

Elle m'avait déjà précisé que les femmes n'avaient pas le droit de travailler et qu'elle risquait d'être tuée quelle que soit la façon dont elle subvenait à ses besoins.

– Je danse dans des cabarets, où personne ne me connaît. On ne pourrait retrouver ma trace dans les collines. Je vis ainsi, en fuite, depuis neuf ans. J'aime la danse qui me rapporte davantage que n'importe quoi. Je me sens exister quand des hommes me regardent.

Une note plaintive étrangement insistante vibra dans sa voix pourtant pleine de défi. J'eus l'impression de savoir comment elle s'adressait aux hommes. Je me représentai une salle enfumée où des hommes, étendus sur des divans, fumaient, buvaient tout en la reluquant tandis qu'elle dansait sur une scène, chantait des chansons d'amour, se prostituait peut-être après son numéro.

Une autre fois, manifestement effrayée, elle refusa de venir chez moi.

– Non, pas là-bas. Je serais trop près du terrain de polo. Je dois rester dans mon domaine.

Ce dernier était situé au bout de la ville, derrière le quartier des bazars, dans un terrain infect qu'elle surnommait « Cité des tentes ». D'abord, elle ne voulut pas m'y emmener. Puis un jour où nous nous dirigions vers le bâtiment principal de l'université, elle m'attira dans une pièce et commença à vider son sac.

– J'ai envie que tu viennes avec moi, me lança-t-elle, je crois qu'on pourra s'en tirer.

Secouant ce qu'elle appelait ses hardes, elle mit une burka. Elle avait apporté le même accoutrement pour moi – assez joli, en soie, gris-vert, doté d'une calotte qui reste au sommet du crâne quand on soulève le voile. Devant, le tissu est lisse. Une broderie rose pâle entoure la résille, derrière laquelle brille un regard. J'étais prête à l'accompagner non seulement parce que sa vie m'intriguait mais parce que j'étais inquiète à son sujet. Gloria avait perdu son travail. Gloria ne venait plus au cours tous les jours et, lorsqu'elle y apparaissait, elle était maigre et négligée.

– Je suis incapable de travailler, m'expliqua-t-elle une fois, les mains agitées de tremblements. Je n'arrive pas à m'empêcher de penser. Les idées me trottent dans la tête comme une chanson.

Elle me livra des bribes de sa vie à Londres. À l'école, elle portait une jupe grise et une cravate. Dès son retour à la maison, elle mettait son voile pour se rendre à la mosquée. Elle me raconta qu'elle allait prendre le thé au café du coin et revenait participer aux prières et rituels de son autre vie. Lorsque son père fut rappelé aux Indes, il lui recommanda d'oublier son existence anglaise sinon les contradictions la terrasseraient.

– C'est de lui qu'elles ont eu raison, dit-elle doucement. Un jour, à deux heures de l'après-midi, des hommes se sont présentés chez nous. Ils nous ont obligés à nous rassembler dans le salon – il y avait de la musique, du Chopin – et l'ont tué sous nos yeux, à coups de couteau, seize dans la poitrine et dans le cou. Au moment où ils partaient, l'un m'a regardée, et, avant de franchir la porte, il m'a taillardé le ventre avec son poignard. Ma mère a porté la main à sa bouche puis est sortie de la pièce avec mes sœurs. On m'a laissée avec une plaie béante; personne n'a voulu me conduire à l'hôpital au prétexte que personne ne m'y soignerait puisque j'étais une femme. Je me suis traînée dans la rue. J'ai frappé aux portes. Personne ne m'a ouvert. Au bout du compte, un étranger, un Turc, m'a trouvée par terre et emmenée à l'hôpital, où aucun médecin n'a accepté de m'examiner. Quelqu'un a fini par dénicher une doctoresse, qui m'a recousue. Les cicatrices sont énormes, affreuses, on dirait des cordes sales. Tu veux y jeter un œil?

Voyant mon mouvement de recul, elle ricana :
– Je pensais bien que non.

À la fin des cours de l'après-midi, j'allais souvent m'asseoir dans le parc avec Gloria ou prendre un thé ou un café avec elle. Nous étions vêtues à l'européenne. Pour peu qu'elle se maquille beaucoup, elle passait inaperçue. La burka a beau être un déguisement extraordinaire, offrant une vue impeccable derrière la grille, il était dangereux de se trouver dans la rue. Et je commençais à apprécier l'adresse avec laquelle Gloria maniait le couteau, même s'il était exclu que j'en porte un.

– Tu es une imbécile, protestait-elle. Fais attention de ne pas nous attirer des ennuis.

Un soir, après avoir bu un coup de trop, Gloria me proposa de l'accompagner dans le quartier où elle vivait. Elle vint me chercher dans une de ces carrioles couvertes réservées aux femmes confinées au purdah. À peine fûmes-nous montées qu'elle indiqua d'un ton brusque notre destination au conducteur tout en fermant les rideaux. Il nous fallut beaucoup de temps pour sortir de la ville et arriver aux enfers. L'atmosphère était assez paisible à l'intérieur. Gloria s'endormit sur mon épaule tandis que je prêtais l'oreille au tintamarre extérieur, m'efforçant de deviner la provenance des bruits. À un moment, je mis mon nez dehors pour voir pourquoi ça n'avançait plus : une charrette s'était renversée; des gamins couraient entre les véhicules, vendant à la criée des journaux et des bouquets de tubéreuses blanches, de narcisses ou de lis. Le jour déclinait. Puis la nuit tomba. Gloria n'ouvrait pas les yeux. Je comptai mes roupies à plusieurs reprises sans savoir combien coûterait le trajet. Lorsque la carriole fit halte, Gloria se réveilla. L'air perdu l'espace d'une seconde, elle retrouva aussitôt sa nervosité et sa vigilance. Elle sortit. Je payai. Et nous nous mîmes à marcher, la tête basse.

– Ce n'est pas loin, me précisa-t-elle. Ne parle à personne. Ne t'arrête pas.

Après avoir traversé un bazar, nous passâmes devant un petit temple où des hommes psalmodiaient. Le son monocorde émit par les prêtres semblait alourdir l'air, étouffant et poisseux bien que la lune fût levée. Des éclairs déchiquetaient le ciel. Nous continuâmes notre chemin, croisant une file de boutiquiers et de marchands, des chauffeurs en train de fumer dans un coin. Quelques buffles descendaient la rue en se dandinant. Des enfants pleuraient. Des femmes s'interpellaient au-dessus des toits. Les maisons en brique avaient deux ou trois étages; le rez-de-chaussée était généralement une échoppe au-dessus de laquelle familles, serviteurs, parents et amis vivaient ensemble. On les entendait rire ou se chamailler. Dans un magasin aux volets clos, des voix d'hommes s'élevaient et baissaient jusqu'à ce que la discussion dégénère en dispute. Un agent de police dormait appuyé contre une porte. On aurait dit que la ville fortifiée était en fermentation. Légumes, bêtes, êtres humains – tout pourrissait. Des rats se faufilaient entre des tas de détritus tandis qu'un vent fétide insufflait poisons et maladies dans l'air. Des hommes dormaient, le visage couvert, sur le sol blanc de la place devant la mosquée. Étaient-ils vivants ou morts? C'était difficile à déterminer. Des pigeons et des cerfs-volants étaient comme assoupis sur les coupoles. Une mélopée résonna dans le lointain : *Allahu Akbar* – Dieu est grand – à trois reprises en un profond baryton aussi beau que le son d'une vague nocturne se brisant sur un rivage. Les femmes de basse caste s'installaient pour passer la nuit avec leurs enfants sur les toits; celles des classes privilégiées s'allongeaient dans leur zénana aux fenêtres treillissées.

Quelqu'un nous poussa par-derrière en criant :

« Écartez-vous, écartez-vous ! » Me retournant, j'aperçus une bande de gamins qui se bousculaient, agitaient des épées en faisant des tourniquets compliqués en l'air. L'un enfourchait un manche à tête de cheval. Un autre léchait une sucette. Je vis tournoyer un chien décapité. Le sang coulait à flots dans le caniveau. Les gamins hurlèrent de rire.

— Ce sont des orphelins, m'expliqua Gloria. Les seigneurs de la guerre en achètent des centaines pour le prix de la solde d'un soldat britannique. En une journée, on leur apprend à décapiter, amputer, massacrer. Ils aiment ça, affirma-t-elle en s'engageant précipitamment dans une venelle.

Sa voix s'accéléra tandis qu'elle m'entraînait.

— J'ai rencontré le même genre de gosses plus au sud, murmura-t-elle. Je les ai attrapés dans la cave de ma maison. À l'époque, nous nous attentions à des représailles. On cherchait des musulmans à abattre et on formait des bandes de tueurs avec des petits garçons armés de bâtons, de machettes et de couteaux. Tantôt des soldats, pistolet au poing, les accompagnaient, tantôt ils étaient livrés à eux-mêmes. Ils entraient dans les maisons, obligeaient les habitants à sortir avant de les tuer dans la rue. Ils criaient et riaient, mais l'on se rendait compte qu'ils étaient fous avec leurs yeux rouges et le sang dont ils étaient couverts. Le sol était jonché de cadavres, qu'ils enjambaient et piétinaient comme s'il s'était agi de matelas. La nuit, on entendait des coups de feu. J'avais envie de m'élancer dehors et de marcher sous les balles tant j'avais peur qu'on ne m'écharpe à nouveau.

Son ton sec et monocorde m'était insupportable. Elle me racontait ses souffrances sans la moindre émotion. Ses histoires restaient gravées en moi des jours durant. Je ne savais trop ce que je faisais avec elle : une partie de moi était attirée par sa marginalité. Je me disais que j'essayais de découvrir comment se passait l'autre moitié de sa vie, alors que, en réalité, je cherchais à m'immiscer dans quelque chose de dangereux et d'illicite. Dans la salle d'étude, les femmes l'évitaient. Malgré la honte que j'en éprouvais, j'en vins à les imiter. Gloria vivait sur une frange extérieure, sous divers déguisements, mais elle se trahissait toujours. Je la voyais terminer folle furieuse.

Je retournai à mes études. J'avais pris du retard en chimie, et mes cours particuliers me servirent de prétexte pour passer moins de temps avec Gloria. Ses vêtements étaient crasseux. Elle avait perdu l'anneau de son nez. Elle reniflait en permanence. Elle n'avait plus aucun plaisir à suivre les cours. Elle fuyait les autres étudiantes. Elle refusait d'aller au laboratoire. Elle vomissait dans la salle de dissection. Elle avait égaré ou vendu ses livres. Quelquefois, elle s'asseyait par terre et se balançait. Elle travaillait dans un bas quartier de la ville et était persuadée qu'un des spectateurs venait de son village. Elle était tellement terrifiée qu'elle n'osait y retourner. Quand je lui donnai de l'argent, elle le prit. Elle se rongeait les ongles, en arrachait les envies jusqu'à ce qu'ils deviennent violacés et noirs. Puis elle paraissait se ressaisir pendant un ou deux jours. Elle assistait à un cours quelconque, me rejoignait de temps à autre à la bibliothèque ou au laboratoire, mais elle ne tardait pas à filer comme si elle venait de se rappeler qu'elle avait laissé un feu sans surveillance ou une casserole sur le fourneau. Elle ne voulait discuter de rien et n'acceptait plus mon aide. Lorsqu'elle parlait, elle tournait sans arrêt son briquet d'or dans sa main, dont elle polissait le haut avec son doigt. Puis il disparut, mais elle le tenait toujours, frottant l'or inexistant. Un jour, elle vint s'asseoir près de moi sur un banc où je fumais. Elle attrapa ma main.

– Continue, m'admonesta-t-elle avec désespoir. Fais ton internat dans un des hôpitaux purdah de Delhi, obtiens ton diplôme et va dans une maternité des collines. Occupe-toi des femmes et des enfants. C'est tout ce que je veux. Promets-le-moi.

À son départ, j'aperçus des croissants de lune dans mes paumes aux endroits où elle avait enfoncé ses ongles.

Au début des séances de dissection, je dus rassembler toutes mes forces pour le supporter. J'avais étudié *l'Anatomie* de Gray, lu attentivement les instructions à ce sujet, appris l'agencement précis des artères et des veines, la disposition des muscles et des ligaments, des organes dans leurs couches de tissus et d'os, celle du cœur protégé par le péricarde, celle des os dont l'utilité et le concept sont d'une perfection magnifique. Le premier jour, on apporta le cadavre d'une jeune femme trouvé dans la rue la veille au soir. Une intouchable. Étendue dans son sac, elle attendait d'être découpée et taillée en pièces, partie après partie, organe après organe, os après os. L'une de nous eut l'audace de demander au professeur Fordham quel effet cela faisait de voir un cadavre pour la première fois, et, de surcroît, de prendre un couteau pour l'écorcher et le découper en morceaux.

– Si je vomissais ou m'évanouissais ? Si je craquais à la vue de l'inéluctable fragilité humaine ?

– Une étudiante en médecine n'a pas de telles idées, répondit-il. Si vous êtes facilement dégoûtée, retournez à vos ouvrages de broderie. – Il nous parcourut du regard. – Qui veut commencer ?

À en juger par son expression et malgré ses yeux fermés, on eût dit que la femme intouchable avait été prise au dépourvu : l'ombre d'un sourire flottait sur ses lèvres dont les commissures étaient légèrement relevées. Une fossette creusait sa joue. Elle avait un teint d'une pâleur spectrale. On lui avait tranché les artères pour en vider le sang et recousu les bouts avec du fil épais. Lorsque l'on touchait sa peau embaumée aux pores petits et propres, on avait la sensation que c'était du caoutchouc. Elle avait un joli grain de beauté et un nez mutin. Comme on lui avait rasé les cheveux avec négligence, il subsistait quelques mèches et des coupures près de sa tempe. Après avoir jeté un tissu sur son visage, le professeur Fordham dénuda le reste de son corps.

– Le cœur n'est pas en bon état, déclara-t-il, on va en recevoir un du laboratoire des hommes. De toute façon, un cœur masculin sera mieux : plus gros, plus clair, certainement plus logique.

J'observais la femme. Mince et gracile, elle avait néanmoins des seins ronds et pleins. Qui les avait embrassés ? Un enfant a-t-il tété ses mamelons ? Ses épaules étaient constellées de bleus et de traces de contusions comme si on l'avait poignardée par-derrière. Son cerveau était en bouillie.

Je m'efforçai de rassembler mon courage, me disant qu'il était essentiel de disséquer un corps pour en comprendre le fonctionnement, et m'obligeai à la regarder comme s'il s'agissait d'un objet ou d'un produit jetable. Je lus les instructions avant de me risquer à effectuer la tâche : *Pour écorcher un cadavre, servez-vous d'un scalpel et enlever méticuleusement la peau, par petits bouts, sans toucher aux capillaires ni aux minuscules veines proches de la surface.* À mesure que l'on coupait les veines, un poudroiement de sang sortait de la peau meurtrie. Chacun reçut un morceau de la femme : un bras ou une jambe. On me donna une main, sur laquelle j'essayai de travailler comme si c'était du tissu ou du cuir tout en me répétant les noms – semi-lunaire, scaphoïde, métacarpe, phalanges. J'avais beau tenter d'émousser mes sens, de me détacher de la vue et de l'odeur, d'enfouir mes émotions, je me sentais défaillir. Puis, tout à coup, au lieu d'être dans le labo, je me retrouvai dans un paysage lunaire. Je marchais en somnambule dans un champ de bataille, enfoncée dans une tranchée jusqu'aux genoux, les yeux baissés sur mon soldat mort, les mains dans sa chair, mes incisions et entailles comme autant de coups de becs d'oiseaux, de dents et de griffes de rats, déchiquetant mon amant, qui avait connu le soleil et mon haleine. Comme j'en ôtais la peau, j'offrais au vent et à la pluie des doigts qui avaient écrit des poèmes, joué du piano, s'étaient attardés sur mon corps, avaient tenu une cuillère, lancé une grenade, s'étaient agrippés à la terre avant de mourir...

Lorsque la main est dépouillée de sa peau – au bout de huit heures – c'est toujours une main, même si ce n'est plus qu'un amas de barbaque, de muscles, d'os fins qui apparaissent, de vaisseaux sectionnés là où le scalpel a coupé trop profondément. Il faut enlever la graisse puis fouiller la chair pour dénicher des artères et des veines, disséquer des tendons et des muscles, scier les os. Au fil des jours, nous agissons à la manière de bouchers pour trouver des organes, que nous extirpons de leurs tranchées obscures, laissant le corps éviscéré et des membres éparpillés autour d'un torse réduit en morceaux. Tous les soirs, je sors du labo en me traînant, trop épuisée pour penser ou ressentir quoi que ce soit. Une fois à la maison, je m'assieds en grelottant dans le tub que Joseph ne cesse de remplir d'eau bouillante tandis que je me lave. Je frotte la peau et le cuir chevelu afin d'essayer de les débarrasser de l'odeur de formol, qui s'incruste dans les pores, de même que des fragments de tissu et d'os s'accrochent à mes bras, de même que la chair d'organes reste collée à mon corps, si bien qu'au milieu de la nuit je découvre une parcelle de foie ou de rein plaquée sur un bras ou prise dans mes cheveux. Je me réveille en hurlant que les morts rampent sur moi. Joseph accourt et me tient la main :

– Permettez-moi d'apporter plus d'eau, mem.

Que je touche des morts, que je sois en contact avec leur saleté et leur putréfaction, tout cela l'horrifie.

– Travail impie, mem, chuchote-t-il en frissonnant.

Le lendemain matin, je me retrouve face à des moignons, à une tête tranchée que l'on fait circuler pour que chacun l'examine, à une carcasse réduite à des articulations coupées, à des côtes sciées, à des bouts de cœur ou de cervelle jetés dans un seau ou à des os aussi décolorés et solitaires que ceux de la Somme.

La mousson arriva tard à Delhi. Les placards craquaient et les portes ne s'ouvraient plus à cause de l'humidité. Les journaux avaient la mollesse du tissu. Les pages de mes manuels étaient collées ou les tranches se dépiautaient. D'affreux insectes spongieux s'installaient sur les lampes ou rampaient sur le rebord des fenêtres. Les condiments se gâtaient. Les chutneys devenaient pelucheux et verdâtres. Des mille-pattes s'enroulaient au bout de mes souliers, et une sorte de boue couvrait mes sandales. Les murs suintaient. Les vêtements ne séchaient pas. Les coupures et les plaies ne cicatrisaient pas. La lingerie en soie moisissait. L'argent verdissait. Les assiettes glissaient des mains. Les draps étaient moites et visqueux. Le jardinet derrière la maison fut d'abord envahi de mauvaises herbes, qui ne tardèrent pas être remplacées par de la mousse.

Des jardinières en bois s'écroulèrent sous la pluie, qui ne cessait de tomber. On ne voyait personne dans les rues. Des nuages masquaient la lune. Cela m'exaspérait tellement que, un soir, j'ouvris la porte d'un coup de pied et invectivai la pluie. Joseph, qui passait son temps à faire sécher tout ce dont j'avais besoin, à essuyer les murs, à tuer chenilles et escargots, à mettre mes papiers près du feu, sortit pour voir si j'avais esquinté les gongs.

– Mem, la mousson, c'est la mousson. Elle fait ce qu'elle fait, déclara-t-il. Cela ne sert à rien de crier.

Le pire, c'était l'humidité suspendue jour et nuit au-dessus du corps comme une couverture. On avait du mal à trouver le sommeil. On ne pouvait pas sortir. Des corps grotesques, des cadavres, tourbillonnaient dans les fleuves en crue. Le déluge érodait la terre, éventrant les tombes peu profondes des cimetières. « Des maladies saisonnières, soupirait-on à l'hôpital. La famine. La fièvre. Le choléra. Venez jeter un œil dans les salles. Allez, mademoiselle Herbert, donnez-moi un coup de main. Mettez votre masque. Voyons, où allons-nous commencer? »

Il n'empêche que je le voyais partout – dans un profil, ou l'arrière d'une tête ébouriffée, une peau couleur de café frappé. Je courais dans la rue, pour découvrir que ce n'était pas lui. Apercevant une voiture qui ressemblait à la sienne, je posais un regard plein de désir sur le conducteur et réalisais que ce n'était pas lui. Si un homme s'approchait de la réception de l'hôtel où je déjeunais ou prenais le thé, je retenais ma respiration avant de ressentir l'inéluctable douleur parce que ce n'était pas lui. Je ne me rappelais que sa hanche contre ma cuisse ou son pied nu sur le mien. Sans lui, la moustiquaire se muait en un linceul qui se tordait sous le vent tandis que le souvenir de la sensation de lui en moi se perdait dans l'obscurité. Si seulement la vie pouvait être simple! Si seulement je pouvais boire son essence dans une feuille en cornet et éprouver la même griserie que lorsque je le regardais marcher sur le quai la tête levée, puis agiter la main quand je me précipitais vers lui! Si seulement... Il ne me restait que son absence. Et la peur. La peur des haines enracinées, du gouffre entre les cultures, de la mousson : une rivière derrière le portail blanc du jardin, où des poules noires trempées étaient incapables de voler, où des chacals se faufilaient plus près, où des serpents voguaient dans les flots. Bientôt, je me laisserais tomber de la berge à moins que je ne me laisse flotter jusqu'à la lune.

Un après-midi, la pluie s'arrêta. Au jardin, dans le clair-obscur de l'aube, je pris la mesure des dégâts, remarquant les bords meurtris et gonflés des glaïeuls sans quitter des yeux l'écoulement de l'eau tandis que tourterelles, perroquets et loriots faisaient des rondes dans le ciel bleu. Des souris galopaient entre les feuilles qui tombaient, des enfants jouaient dans les arbres, lorsque j'eus soudain la certitude que, dans mon dos, quelqu'un m'observait.

16

Je partis aussitôt de Delaware Street et pris un appartement au premier étage d'un immeuble pittoresque doté de persiennes, situé dans le quartier de la forteresse et baptisé Queen's Mansion. Je m'étais rendu compte que Delhi ne me plaisait pas vraiment. Noire de monde, bruyante, chaotique, elle était à mille lieues des espaces sans bornes des plaines du Nord. En proie à une extrême nervosité, je travaillais, lisais, faisais mes devoirs, passais des examens, terminais des expériences, déployant une activité fébrile ; la tension et les efforts inhumains à fournir pour devenir médecin m'épuisaient. En outre, il y avait la circulation qui ne s'interrompait jamais, les mendiants, les gens endormis sur le trottoir et les opiomanes, tous d'une crasse indescriptible, et l'insupportable bruit. La ville s'étendait, jour après jour semblait-il, à mesure que les villages étaient envahis par des taudis et bidonvilles, dont les bicoques en torchis aux toits de tôle et de chiffons s'entassaient les unes derrière les autres, où les eaux usées ruisselaient dans les rues remplies d'une végétation en putréfaction. J'en étais évidemment très éloignée. Ayant évacué Gloria et mon existence vagabonde, je me consacrais à l'acquisition de connaissances. Désormais, je me promenais sur de larges boulevards d'une grande propreté, bordés d'arbres et semés de fontaines, flânais dans les parcs ou passais des heures à la bibliothèque à m'émerveiller devant le prodigieux corps humain. Il m'arrivait aussi de longer en taxi des belles demeures en grès rouge, devant lesquelles des sikhs présentaient les armes, et des bungalows britanniques dotés de larges vérandas, de colonnades néo-classiques, de magnifiques pelouses. Devant des résidences d'une blancheur immaculée, une file de solliciteurs accroupis fumait attendant des heures l'occasion de voir des hommes politiques. Delhi vibrait d'excitation et d'intensité : cette ancienne ville surgie d'une plaine poussiéreuse piétinait d'une impatience frénétique. Nous n'en tenions pas moins toujours les rênes avec notre impassibilité légendaire, et les rumeurs de changement ne déboucheraient apparemment sur rien. De temps à autre, une petite scène se jouait sous la fenêtre de mon bureau : un groupe d'hommes au crâne rasé, vêtus de mousseline orange, avançant au son d'un doux roulement de tambour; une voix de femme qui psalmodiait; en tête de la procession, un écriteau où était écrit à la main : *Non à la violence! Quittez les Indes sans effusion de sang.*

À la suite de notre déménagement à Queen's Mansion, j'eus un accès de dépression. Il restait très peu de traces de Sam, hormis la courtepointe aux points noirs et le rang de perles autour de mon cou, sans oublier ses livres de médecine que j'avais emportés de Simla, rangés parmi mes manuels et cahiers. J'en ouvrais un parfois, remarquant les passages qu'il avait soulignés ou à côté desquels il avait griffonné des notes que j'examinais comme si elles recelaient un message pour moi, mais elles étaient uniquement médicales. Des lettres arrivaient. Je les lisais au compte-gouttes, d'abord un paragraphe puis l'autre, arrachant à leurs mots un sentiment d'existence jusqu'à ce que leur contenu soit épuisé. Où que j'aille, elles m'accompagnaient. Ce qui me marquait le plus, c'était leur ambivalence : *Pourquoi l'univers grotesque et pompeux du passé, dont les maîtres arrogants nous ont transformés en esclaves, me plonge-t-il dans une telle confusion? Gandhi n'a pas tort : mentalement, nous sommes toujours esclaves des Anglais. Parviendrons-nous à nous débarrasser de la férule étrangère par des boycotts et des marches pacifiques? L'expression même de « désobéissance civile » me reste en travers de la gorge tant elle évoque une impuissance puérile...*

Sans lui, les fleurs ne s'épanouissaient pas, la lumière aux fenêtres n'avait aucun éclat et la nourriture était du gâchis : à quoi servait mon corps ? Quel intérêt avait un bon livre s'il n'y avait personne avec qui en discuter ? Pourquoi me laver, me coiffer, nettoyer ma nuque ou me brosser les dents alors que je les serrais la nuit sous l'effet de ma solitude et que ma bouche était privée de baisers ? Un jour où j'étais étendue sur ma méridienne, la main sur les yeux, Joseph entra avec le plateau du thé qu'il posa à côté de moi :

– Pas la peine d'être allongée comme un poisson hors de l'eau, mem. Des problèmes à régler.

Je me redressai, le dos aussi droit qu'une baïonnette :

– Quoi encore ? Ne vois-tu pas que je suis épuisée ?

Sa dignité était inébranlable :

– Si memsahib accepte, je l'accompagne au marché aux puces. Des endroits parfaits. Tout dans nos moyens. Égayer le logement fera le plus grand bien à mem.

L'appartement de Queen's Mansion avait sans aucun doute des lacunes outrepassant mon vague à l'âme, notamment les communs, scandaleux.

– Ça ne va pas du tout, constatai-je après qu'il m'y eut emmenée.

– Le destin m'y a conduit, répliqua Joseph comme un homme sur le point de recevoir une balle dans la tête.

Il parcourut du regard les murs lépreux, le lit infect, le sol jonché de carapaces de scorpions.

– Cela n'a rien à voir avec le destin, affirmai-je en fermant la porte.

Il baissa la tête :

– Humilité est nécessaire. Trop monté sur mes grands chevaux.

– Foutaises !

La solution était très simple. L'appartement était composé de deux parties : la principale et une autre, plus petite, en haut d'un escalier où Joseph pouvait parfaitement s'installer. Lorsque je le lui suggérai, il répondit en bafouillant :

– Mem veut m'envoyer en prison ?

– Soyons raisonnables, je t'en prie, Joseph. Tu prends les choses trop au tragique. Nous occupons le premier étage de l'immeuble, et les deux parties de l'appartement sont complètement indépendantes avec deux entrées séparées. Le pire qui puisse t'arriver, c'est d'être obligé de déménager au cas où l'on soulèverait une objection, mais pourquoi le ferait-on? Aux Indes, il existe sûrement des installations plus bizarres.

– Memsahib dit : les yeux ne souffrent pas de ce que le cœur ne voit pas.

– C'est l'inverse.

Après quelques instants de réflexion, Joseph m'adressa un grand sourire :

– Mem, j'accepte proposition avec gratitude.

Apparemment d'accord, nous nous mîmes à discuter de la manière de rendre chaque partie privée et inviolable. Je taperais sur le mur trois fois si j'avais besoin de lui, trois coups si je voulais qu'il descende. Il frapperait deux fois et attendrait une réponse avant d'entrer chez moi. L'organisation protégeait davantage l'intimité qu'auparavant, où les domestiques ne cessaient de rôder dans vos parages, étaient au courant de tout et pouvaient pénétrer dans une pièce sans avertir. Nous décidâmes qu'il fallait engager une femme de chambre pour s'occuper de mes affaires.

– Seulement quand je serai à l'université, insistai-je. Il n'est pas question que j'aie quelqu'un dans les jambes.

En l'espace de deux ou trois jours, Joseph transforma notre logement en un lieu élégant et confortable. Nous avions couru antiquaires et marchés aux puces et acheté un bel assortiment de meubles indiens et anglais : une table et des chaises en tek, des dhurries clairs, des paravents sculptés, un jeu d'assiettes fabriquées à Derby, du linge de maison de Belfast, des bancs de Simla, une armée de coussins écarlates aux pompons d'or. À la fin de l'emménagement, le lit désuet que nous avions trouvé à notre arrivée dans l'appartement fut fait avec les draps irlandais, puis recouvert de la courtepointe du Cachemire, tandis que le tapis rouge de Sam était jeté à ses pieds.

Une fois le lilas replanté dans le jardin, tout fut comme cela devait être.

Nous avions terminé nos premiers examens, dont les résultats nous enchantèrent. Toutes les femmes qui les avaient présentés avaient réussi. Sauf Gloria. Quant aux hommes, plus de 1070, soit 70 %, ils s'en étaient sortis avec succès. Cinq étudiantes avaient des mentions, et l'une semblait vraiment capable de décrocher une médaille d'or à la fin de nos études. On avait vérifié nos capacités intellectuelles, lesquelles réfutaient le préjugé prégnant que l'acceptation des femmes abaisserait le niveau de la compétence médicale. Ivres de joie, nous avions quelques semaines de vacances avant de nous atteler à la tâche interminable de préparer l'examen scientifique initial. Et Sam rentrait. Il avait parfaitement choisi sa date, comme à son habitude. Il avait envoyé deux télégrammes : un pour m'avertir qu'il était arrivé à Bombay, un autre pour me prévenir qu'il serait à Delhi mercredi ou jeudi. Mon bonheur était complet.

Je commençai à m'apprêter pour lui. J'avais fait des essayages pour un tailleur. Gris perle. Une jupe longue et ajustée, se terminant dans le dos par un gros pli surmonté d'une patte qui s'attachait avec un bouton noir. La veste, courte, me moulait. Le col rehaussé de turquoise avait des boutons de cette couleur. Sans parler du superbe chapeau d'un noir brillant : serré au sommet de la tête, il s'évasait en un large bord souple tandis que sa voilette tombait jusqu'aux lèvres. La tenue reflétait ma métamorphose. C'était la première fois que je portais un vêtement pour montrer mon corps plutôt que pour le cacher. Au reste, il n'était plus celui que j'avais eu pendant une vingtaine d'années. Sam ne le reconnaîtrait sûrement pas. Il était parti depuis quatre mois et douze jours – 136 jours et nuits. Jadis je les aurais passés en me gavant. Cette fois, je n'avais rien mangé.

Le train arrivait à minuit. Il faisait froid. Une tempête se déchaînait. Et mon taxi était en retard. Une fois à la gare, le vent soufflait avec une telle violence que les gens tanguaient comme des voiliers, s'accrochant à leur chapeau, leur parapluie à l'envers. Des papiers tourbillonnaient dans les rues gluantes et se plaquaient contre les portes ou les murs. Je me précipitai dans la gare, secouai la pluie de mes vêtements tout en regardant autour de moi avec anxiété. Il était minuit passé à l'horloge. Il y avait moins de monde qu'à l'ordinaire. Un bruit chuintant résonna, suivi d'un hurlement de sifflet. Je ne connaissais pas le numéro de la porte, mais les volutes de vapeur qui s'élevaient vers la coupole m'indiquèrent l'entrée en gare d'un train. Les quais étaient vides. Quelques gardes déambulaient devant les grilles fermées. Plus bas, un essaim de soldats tapageurs entrait et sortait de restaurants ou de bars, leur barda empilé devant les portes.

Soudain, je l'aperçus. Le visage illuminé d'un sourire, je me mis à courir vers lui et, dans ma folle hâte, je faillis bousculer deux militaires. Sam avançait sur le quai désert. Complètement plongé dans ses pensées, il ne m'avait pas vue. L'air heureux, il marchait seul d'un pas nonchalant et semblait très décontracté. Il était chez lui. Il me revenait. Le bonheur me cloua sur place. L'espace d'un moment il croisa ses bras derrière le dos, un geste dont il est coutumier, mais il ne tarda pas à les remettre le long de son corps comme s'il se sentait trop vulnérable. Il était pâle. Ses boucles avaient été coupées. Avec ses cheveux plaqués en arrière, ses pommettes ressortaient, donnant à son visage un côté anguleux, sémite. Il était beau. Son costume en tweed d'un brun cuivré moucheté de noir, d'une extrême élégance, me rappela le jour de mon arrivée à Ferozepore où il avait traversé la place déserte, vêtu d'un complet en soie claire. Sortant de ma transe, je me dirigeai rapidement vers le portillon, pour l'y attendre, lorsque les deux soldats foncèrent délibérément sur moi, du moins en eus-je l'impression. Comme l'un me heurtait de côté, je perdis l'équilibre, tombai et mes mains cognèrent les dalles fissurées du sol. Sous le choc, le souffle coupé, je me relevai et examinai ma jupe déchirée. Un de mes talons s'était déboîté, le contenu de mon sac était éparpillé autour de moi tandis qu'un godillot écrabouillait mon petit chapeau. Des éclats de verre avaient entaillé ma main gauche.

Quand je levai la tête, je vis Sam se précipiter vers moi. Il se pencha et me prit dans ses bras. Je chancelai un peu dans mon soulier cassé et, avant que je ne réussisse à retrouver l'équilibre, les deux soldats se ruèrent sur Sam par-derrière, le bousculant avec une telle violence qu'il vacilla. Dès qu'il se fut remis d'aplomb, il les dévisagea – ces deux pugilistes aux visages semblables à des quartiers de bœuf – sans se départir de son sang-froid, ni d'une extraordinaire dignité. Mon cœur chavira d'amour. Il passa devant eux pour s'approcher de moi.

– Je suis médecin, leur expliqua-t-il d'un ton laconique. Écartez-vous.

L'un des soldats éclata de rire et s'élança vers lui.

– Non, fit-il, d'une voix pâteuse. T'es pas docteur, hein que tu l'es pas ? T'es rien qu'un sale coolie bien habillé, voilà ce que t'es !

Attrapant le revers de la veste de Sam, il poursuivit en un chuchotement lourd d'insinuations :

– Ne pose pas tes paluches grasses sur elle, coolie, ou je t'abîme le portrait.

Sam regarda l'ivrogne avec indifférence tout en reculant comme pour éviter une odeur infecte. En revanche, je perdis complètement la tête et me mis à hurler :

– Savez-vous à qui vous parlez ? Comment osez-vous, espèce de petit salaud ! Cet homme est le médecin personnel du vice-roi...

Le soldat eut l'air interloqué, puis il secoua la tête et ricana :

– Pour sûr, ma belle. Et le tien aussi, j'en doute pas.

Il avait beau fanfaronner, ma remarque l'avait secoué au point que son effronterie s'évanouit. Les deux troufions s'éclipsèrent pour rejoindre un groupe de leurs camarades qui ramassaient leur barda et se dirigeaient vers la porte.

Sam me prit par le coude, et je récupérai mes affaires.

– Laisse tomber, m'admonesta-t-il.

Nous nous frayâmes un chemin entre les spectateurs bouche bée, dont le regard passa de son visage à mon pied nu. Ils se détournèrent, nous rendant ainsi transparents. Nous continuâmes à marcher, sans regarder à gauche ni à droite. Sam était raide comme un bout de bois. La pluie qui tombait à torrents dehors parut chaude, purificatrice. Nous avançâmes sans nous en soucier et fûmes trempés en une seconde. Une auto l'attendait, où nous montâmes avec difficulté. À peine fûmes-nous assis sur la banquette arrière qu'il m'attira, me couvrant le visage et la gorge de baisers. Des gouttes de pluie et des larmes ruisselaient sur mes joues. Mes cheveux ressemblaient aux anneaux d'un serpent. Je grelottais. Il me serra fort contre lui cependant que la voiture se faufilait dans les embouteillages pour prendre la route du centre-ville.

– Tout va bien, répétait-il. Allons, ne t'en fais pas, tout va bien.

Mais, comme un tuyau cassé, je gémis en sanglotant :

– Je voulais simplement redevenir moi-même. Celle que j'étais avant... pas une Indienne, ni une Européenne... Je voulais simplement que ce soit comme lorsque je n'étais pas obligée de me cacher ou de me déguiser. Je voulais que mon accueil corresponde à ce que nous sommes vraiment.

– Ça va s'arranger, affirma-t-il.

– Ces soldats, braillai-je en secouant la tête. La façon dont les gens nous dévisageaient, leur expression haineuse, le mépris...

Il m'étreignit :

– Ils sont ignorants, ne leur accorde pas d'importance. Détends-toi. Calme-toi.

– Je n'y arrive pas... Ils peuvent nous attraper... Et nous n'avons nulle part où aller. Ne comprends-tu pas que je ne savais pas où t'emmener... J'avais envie de t'emmener dans un endroit sublime. Puis, je me suis dit : un hôtel, c'est exclu pour nous deux. Je ne peux pas entrer dans un hôtel avec toi. Je ne connais pas ceux où tu as le droit d'aller, de toute façon aucun établissement ne nous recevrait ensemble – c'est révoltant et triste.

Sur ce, je lui lançai d'un ton brusque :

– Merde, pourquoi restes-tu si calme ?

– J'ai davantage d'expérience que toi dans ce domaine.

En fin de compte, nous rentrâmes chez nous parce que c'était la seule solution. Une fois la porte refermée, je m'y plaquai comme pour empêcher les hordes de s'approcher tout en le fixant d'un regard malheureux. Il me prit par la main, m'attira, m'enlaça, m'embrassa le cou et m'installa dans la bergère avant de se rendre dans la cuisine d'où il revint avec l'inévitable bol d'eau. De sa sacoche, il sortit des tampons d'ouate et un flacon de Dettol qu'il versa dans le récipient. Au terme d'un moment de silence, je lançai :

– Il va me falloir être une Anglaise noire pour le restant de mes jours, c'est ça ?

Sa tête baissée avait la noirceur de la chevrotine. Je ne voyais rien d'autre puisqu'il extrayait les éclats de verre enfoncés dans ma paume. Il ne leva pas les yeux. Après avoir déposé chaque fragment sur une compresse, il enroula soigneusement une bande autour de ma main.

– La vie est courte, fit-il alors observer. Pourquoi te mets-tu dans un tel état ?

– J'ai peur que les choses tournent mal.

– Que t'imaginais-tu ? répondit-il avec un sourire empreint de son ironie coutumière. Que nous pourrions nous retrouver à la gare comme des amants ? Que je pourrais te prendre dans mes bras et te soulever de terre sans que personne ne me tabasse ? – Il défit le premier bouton de ma veste. – Ai-je la permission ?

Il glissa la main entre les boutons, soulevant chacun avec lenteur, se contentant d'entrouvrir le vêtement. Il introduisit ses mains, chaudes et expertes, dans les échancrures et atteignit, sous la soie, mes seins. J'étais saisie d'irrépressibles tremblements. Il décrocha mon kimono noir suspendu derrière la porte, et, une fois qu'il eut enlevé ma veste et mon caraco en soie, m'en enveloppa. Je me débarrassai de ma jupe abîmée, dont nous examinâmes les dégâts. Alors que je ne cessais de renifler et de geindre, il nettoya la longue estafilade de mon mollet avant d'y mettre un pansement blanc, une cigarette fichée au coin des lèvres.

Bien que Joseph fût au courant de la présence de Sam, il ne se manifesta pas. Les messages que je lui envoyai par notre code de coups sur le mur ne le firent pas venir. De guerre lasse, j'allai le trouver pour éclaircir la situation :

— Le docteur Singh s'installe ici.

— Vraiment? dit-il, lançant un regard au-dessus de ma tête comme s'il cherchait des toiles d'araignée ou quelque chose de cet ordre. Permettez-moi d'aller au marché, memsahib. Il y a des choses nécessaires maintenant que le docteur Sahib est ici.

Mon sourire n'atteignit que son dos. Plus tard, à son retour du marché, il vint s'incliner devant Sam avant de se rendre à la cuisine où il resta un certain temps. Lorsqu'il entra à nouveau, je remarquai qu'il nous avait préparé deux petits déjeuners différents. Pour moi : des œufs brouillés au bacon, des toasts et du thé; pour Sam, une *paratha*[1], du citron vert macéré dans du vinaigre et un verre de lassi. Ses œufs, qui paraissaient avoir plutôt été sautés que brouillés, étaient noyés sous les oignons, négligemment saupoudrés de cumin et de coriandre. Sam adressa à Joseph quelques mots que je ne compris pas.

— Qu'est-ce que tu lui as dit? lançai-je, à peine Joseph fut-il hors de portée de voix.

— Cela ne te regarde pas.

L'instant d'après, il reprit sur le même ton :

— Je suis allé voir ta mère quand j'étais en Angleterre.

— Quoi?

— En fait, je suis allé voir tes parents, même si c'était surtout ta mère qui m'intéressait.

— Tu ne crois pas que tu aurais pu m'en parler avant?

— Ta réponse aurait mis trop longtemps à me parvenir. De temps à autre, il faut prendre les choses en main.

— Et alors?

— Je l'ai trouvée charmante, irrésistible. Ton père aussi d'ailleurs. Ses attaches indiennes m'intriguaient, mais je n'ai, bien entendu, pas découvert la raison de son départ précipité : secret de famille... En revanche, il m'a fait visiter la mine, m'a emmené au pub et semblait très heureux d'être à nouveau en présence d'un Indien. Un

1. Galette feuilletée assaisonnée de cumin ou d'ail.

peu d'hindi lui est même revenu en mémoire, et il m'a raconté ses souvenirs de la plantation de thé. Il a aussi absolument tenu à savoir quel aspect avait Simla maintenant. Évidemment, ta mère te ressemble énormément, plutôt tu lui ressembles énormément, constata-t-il avec un sourire. Elle m'a invité à prendre le thé, puis a insisté pour que je reste dîner avant de me pousser à passer la nuit sous son toit. – Il tendit la main. – Cela t'ennuie si je prends le dernier toast?

Il me dévisagea :

– Inutile de m'en vouloir, j'essaie simplement de planter le décor pour toi.

– Dans ce cas, commence par le commencement. Tu as écrit ou prévenu d'une manière quelconque?

Il étala d'épaisses couches de beurre et de marmelade sur son pain.

– J'ai tout bonnement débarqué un après-midi, espérant la trouver seule. C'est une femme passionnante, qui a beaucoup de connaissances dans le domaine médical. Elle m'a parlé de ses méthodes pour la tuberculose, une maladie qui sévit dans la vallée. Les premiers symptômes de la pneumonie n'ont pas de secrets pour elle, alors que tant de médecins ne les remarquent pas du tout...

– Sam...

– Oui?

– Je me fiche de savoir par le menu ce que tu as raconté à ma mère, c'est ce qu'elle t'a demandé à notre propos qui m'intéresse. Je suis persuadée qu'elle ne t'a pas lâché au bout de quinze secondes.

– Reconnais-moi au moins une certaine aptitude à la dissimulation.

– Nous parlons de ma mère.

– Eh bien, tu sais comment ça se passe. Nous avons commencé par une conversation décousue. Je lui ai décrit notre rencontre à Simla et notre amitié. Cela a satisfait sa curiosité pendant un moment, mais elle n'a pas tardé à me poser des questions un peu plus précises. Le lendemain matin, après le thé et les harengs fumés, elle en a eu assez des banalités – c'est ta mère n'est-ce pas – et a abordé le sujet sans détour : « Docteur, puis-je me permettre de vous demander quelle est la nature exacte de votre relation

avec ma fille ? » Cela m'a un peu désarçonné – heureusement que tu m'as habitué à ce genre de réactions. C'est
le côté italien de ta mère que j'aime, sa façon de marcher
et de s'exprimer, son allure sans la moindre raideur. Elle
a beau avoir un accent, l'anglais de ses phrases est parfait. J'en conclus que la langue et l'emploi qu'ils en font
sont l'essence du tempérament britannique. Toujours est-
il que j'étais obligé de répondre. L'espace d'une minute,
j'ai perdu pied... Au nom du ciel, que pouvais-je dire ?
Écoutez, madame, je couche depuis des mois avec votre
fille dont je suis éperdument amoureux.

– Comment t'en es-tu sorti ?

Sam versa du lait dans son verre de lassi vide, qu'il
fit tournoyer.

– Je ne peux pas cacher l'amour que je te porte, répliqua-
t-il avec douceur. Alors, j'ai décidé, que ce soit opportun
ou pas, de ne pas essayer. – Il me dévisagea. – Je lui ai
avoué que nous avions l'intention de vivre ensemble, quel
qu'en fût le prix. Elle m'a longtemps regardé dans les yeux
avant d'examiner l'anse de sa tasse pendant un instant.
« Mon mari et moi, nous ignorons presque tout de la com-
plexité de ce genre d'unions entre cultures, fit-elle enfin
observer. En outre, il ne faut pas d'oublier qu'Isabel est
mariée, n'est-ce pas ? » À ces mots, j'ai éclaté de rire ; elle
a eu l'élégance de ne pas s'en offusquer. Son absence de
réprobation m'a étonné. Du coup, je me suis demandé si
tu ne tenais pas d'elle ton manque surprenant de racisme,
à moins que cela soit simplement parce qu'elle ne fré-
quente pas d'Indiens, ni de Noirs. De toute évidence, elle
me considérait comme un étranger, mais on aurait dit
que j'étais russe ou grec. Pour elle, la couleur n'entrait
pas en ligne de compte. Tu n'imagines pas à quel point
c'est exceptionnel.

Il tendit la main qu'il avait posée sur un côté de son
visage et m'effleura la joue.

– Il me semble qu'elle a très vite compris ce qu'il y
avait entre nous. Elle m'a assuré qu'elle appréciait ma
visite d'autant que ce dont je devais m'occuper était bien
triste – une allusion à Sammy. « Votre sincérité me plaît.
Ainsi que le sérieux de vos intentions en ce qui concerne
Isabel. » Je crois que sa réaction n'a pas été dictée par

les préjugés mais par sa nature profonde. Il n'empêche
que l'histoire la perturbait, la déroutait, l'effrayait même.
« Voyez-vous, m'a-t-elle expliqué. Je ne sais pas par quel
bout prendre ce genre de chose. Je ne connais pas les
Indes, où je ne suis jamais allée ; en revanche, je ne connais
que trop bien les Anglais, dont l'opinion sur une liaison
de cette nature – Oxford ou pas, médecin ou pas – ne fait
aucun doute. » Je lui ai demandé quel serait le point de
vue des Italiens. « Différent, a-t-elle répliqué. En Italie, on
se poserait plutôt des questions comme : quel serait votre
avenir ? Quels degrés de l'échelle sociale Isabel dévalerait-
elle, n'étant pas mariée, étant considérée comme une
femme entretenue ou même une… *putana*[1]… ? »

» Et voilà, poursuivit Sam, un grand sourire aux
lèvres. Ta mère voyait les choses sous l'angle de la morale
conventionnelle, non sous celui de la race. Lorsque j'y ai
fait allusion, elle a répondu : « Je ne peux juger le problème racial puisque je n'y connais rien, mais vous sera-
t-il possible de vivre ouvertement ensemble aux Indes ?

» – Non, absolument pas.

» – Naturellement, j'y ai réfléchi, a-t-elle ajouté. J'ai
essayé de vous imaginer entrant ensemble dans un restaurant ou une église ?

» – Une impossibilité.

» – Je vois. Alors, ce serait une vie recluse ? dans
l'ombre ? – Elle a bougé dans son fauteuil pour me regarder
en face. – Est-ce que ce serait plus facile ici, en Angleterre ?

» – Je crains que non.

» – Voilà qui est extrêmement décourageant. – Elle
a tourné son visage vers la fenêtre. – On a droit à si peu
dans la vie.

» – Madame Herbert, je n'ai aucune envie de vous
inquiéter, mais je ne voulais rien vous cacher non plus.
La dissimulation et l'obscurité ne m'intéressent pas, si ce
n'est pour trouver un moyen d'en sortir. Je dois aussi vous
dire qu'Isabel ignore que je suis ici.

» – M'auriez-vous fait cette révélation si je n'avais
rien demandé ?

» – Bien entendu. J'aimerais aussi en parler à votre

---

1. En italien dans le texte.

époux mais je tenais à ce que vous soyez la première informée.

» – Cela me fait plaisir. J'ai une autre question cependant, la plus importante : Et les enfants ?

– Voilà où nous en sommes restés, précisa Sam. En fait, la véritable question qui se pose, c'est la couleur des enfants ? Qui est capable d'y répondre ?

Qu'il soit allé si loin, jusqu'à décrire un avenir que nous avions à peine osé évoquer, me laissait sans voix. Au demeurant, j'en étais heureuse. On aurait dit que, séparés l'un de l'autre, nous étions parvenus à avoir une vision claire du futur et à l'accepter, chacun à notre manière. Nous glissâmes à nouveau dans le lit, où nous nous couchâmes côte à côte. Maintenant qu'il l'avait formulé à haute voix, tant à ma mère qu'à moi, il n'y avait plus la moindre hésitation. Nous parlâmes pendant des heures. Puis il s'endormit tandis que je continuais à réfléchir, projeter, m'agiter dans la pénombre. Lorsque le sommeil de Sam fut profond, je me levai furtivement pour aller prendre l'air. Comme nous avions besoin de cigarettes, je parcourus le kilomètre menant aux quelques magasins situés en bordure d'un minuscule parc – du genre de ce que l'on peut trouver à Chelsea, près de King's Road. Malgré le temps brumeux et l'atmosphère oppressante, je marchai vite jusqu'à une échoppe qui vendait des confiseries et des cigarettes. Après en avoir acheté quelques paquets, je me mis en route pour rentrer. À mi-chemin, je me rendis compte que l'on me suivait et je pressai le pas, ne tardant pas à sentir des fourmillements sur ma peau moite. Même s'il y avait suffisamment de monde autour de moi pour que je ne sois pas en danger, je me précipitai dans une boutique où je repris mon souffle tout en essayant de me calmer. Lorsque je recommençai à marcher, la sensation se renforça. Du coup, je renonçai à rentrer directement chez moi et fis un détour destiné à semer mon poursuivant. Était-ce lié à Gloria ? En nage, le cœur battant la chamade, j'accélérai alors que j'aurais dû, au contraire, ralentir. Puis je réalisai que l'homme me traquait sûrement depuis Delaware Street et que rien de ma vie ne lui était étranger : Queen's Mansion, mon travail à l'université, mes habitudes, mes trajets du matin et du soir, l'arrivée de Sam. Absolument rien. Cela faisait le même effet que de découvrir un cambrioleur caché dans une pièce depuis qu'on y est entré. Je pris un autre chemin menant à l'appartement, dont j'ouvris la porte avec des mains tremblantes, et je montai l'escalier au pas de charge, fonçant devant la voisine du dessus. Une fois à l'intérieur, je décidai de ne rien révéler à Sam. Pour ridicule que ce fût, j'étais prête – j'y tenais même – à croire que l'apparition du type provenait de ma paranoïa. Ne voulant ni y penser, ni lui donner de la réalité, je retournai dans le lit où je me pelotonnai contre Sam en gardant le silence. Tous mes efforts pour réfléchir aux propos de ce dernier sur l'avenir furent vains, je ne parvins pas à me débarrasser d'un sentiment de terreur.

17

Ma mère débarqua aux Indes. Avant d'arriver à Delhi, elle était passée admirer les splendeurs de Hyderabad.

– Oh, roucoula-t-elle, les mains papillonnantes, c'est d'une beauté indescriptible. Une civilisation complètement différente, aux réalisations exquises – enchâssée dans les bijoux. Savais-tu que les *nizams*[1] de Hyderabad portaient des rangs de perles constellées de diamants autour du cou et se nourrissaient d'une pâte de perles écrasées pour garder un teint pâle? Savais-tu que lorsque l'on offrit un diamant de la taille d'un œuf au dernier nizam, le pauvre homme, ne sachant qu'en faire, en réclama six autres dont il orna sa plus belle veste sous forme de boutons.

Assise au bord du lit au Ritz, aussi vaste qu'un bateau, elle tapota le satin crème pour m'indiquer de m'y asseoir. Puis elle fouilla dans un sac en cuir, ne cessant d'en sortir des cadeaux pour moi.

– Je suis allée assister à la fabrication de perles brutes, reprit-elle. On les trempe dans de l'eau oxygénée avant de les laisser sécher au soleil jusqu'à ce qu'elles acquièrent un orient chatoyant. J'en ai acheté un sac pour toi. – Elle en renversa le contenu sur mes genoux. – Tu pourrais peut-être en faire une ceinture où tu enfilerais ces merveilleux petits rubis – vraiment, on en mangerait, ils paraissent avoir la saveur exquise des grenades.

Des cadeaux d'Angleterre s'empilaient sur son lit : un

---

1. Dirigeants de cet État princier.

tailleur Chanel en lin crème, empesé et ourlé d'un liseré noir très chic malgré son côté suaire. Un chapeau cloche de chez Worth. Une magnifique paire de chaussures à nœuds et talons aiguilles. Un porte-cigarettes en ivoire, délicatement ciselé et incrusté de pétales en émeraude.

— L'amour t'embellit, constata-t-elle, tandis qu'elle drapait un châle en laine autour de mes épaules. Évidemment, ajouta-t-elle, en m'embrassant sur la joue, tu vas devoir faire reprendre les vêtements. Tu as tellement minci que tu as perdu au moins deux tailles.

Et elle ne tarissait pas d'éloges sur Sam, m'assurant que Père et elle éprouvaient autant d'affection pour lui que d'admiration, sans compter que son amour pour moi crevait les yeux :

— Isabel, il répétait à tout bout de champ que tu étais merveilleuse.

À l'en croire, Père aurait même demandé à Sam d'aller en Assam, vérifier si la maison de la plantation située en lisière de la jungle existait toujours, bien que la vente des terres remontât à des lustres. Le plus jeune frère de Père, qui s'était toujours imaginé qu'il pourrait se lancer dans le thé, sans jamais concrétiser quoi que soit, était évidemment devenu trop vieux. Mère voulait voir le plus de choses possible à Delhi. Je lui fis faire un tour de la ville, puis l'emmenai à l'université et à la faculté de médecine où elle passa la tête dans le laboratoire, reculant aussitôt à cause de l'odeur de formol. Elle trouva la bibliothèque plutôt impressionnante, pour les Indes. Elle posait mille et une questions. Elle lisait mes manuels comme des romans.

— Je regrette de ne pas avoir eu le courage de devenir médecin, me confia-t-elle. C'est de la faiblesse de ne pas avoir essayé. Il y longtemps que Maria y est parvenue.

Mère évoquait toujours Maria Montessori comme s'il s'agissait d'une amie :

— Quelle éloquence ! Quelle intelligence supérieure ! Sais-tu qu'elle a un enfant quelque part – illégitime paraît-il.

Pendant que Mère faisait du tourisme, je fréquentais à nouveau les amphithéâtres. Assidûment. Aussi n'avais-je pas beaucoup de temps à lui consacrer, suffisamment cependant pour que nous déjeunions ensemble dans les grands hôtels. Elle adorait les entrées spectaculaires, et davantage encore les sorties, laissant d'énormes pourboires. Où que nous allions, les *senora, senora* fusaient, et l'on s'empressait de nous conduire à la meilleure table. Elle s'adressait au maître d'hôtel dans son français impeccable. Elle était dans une forme éblouissante.

– Maman, lui dis-je une fois. Vous devriez rester aux Indes. Non seulement vous êtes superbe, mais vous donnez l'impression d'être chez vous. Vous pourriez suivre l'exemple de Maria et fonder une autre *Casa dei Bambini*, ici, à Delhi.

Bien entendu, je n'étais pas sérieuse, sauf qu'elle était tellement pleine de vie, gentille et enthousiaste que cela me traversait l'esprit. C'était une autre femme, moins nerveuse, moins portée qu'à l'ordinaire aux critiques incisives, aux remarques acerbes, aux coups bas auxquels Père, après des années de souffrance, réagissait avec détachement. Une attitude que j'étais toujours incapable d'adopter : maman pouvait m'écraser en une seconde.

Il m'arrivait de l'imaginer à mon âge. Pourquoi maman, qui avait toujours été une beauté, n'avait-elle rien fait de son intelligence ?

– Ce n'était pas facile, soupira-t-elle. À l'époque, je n'avais d'autre perspective que d'apprendre à soigner les bobos des ouvriers et à houspiller ton père pour qu'il accroisse la rentabilité de la mine – c'est de plus en plus difficile naturellement, vu que les syndicats réclament des augmentations de salaire à tout bout de champ. La vraie médecine, voilà ce qui m'aurait plu, à l'instar de ce que tu vas faire de ta vie ici, où les besoins sont tellement criants. Il aurait fallu que je retourne sur le continent pour étudier sérieusement, or il était exclu que je laisse ton père – c'était inconcevable. Comment tu arrives à t'en sortir ici dépasse l'entendement... Enfin, je suis sûre que ton côté non conventionnel vient de moi.

Assises à une table devant la fenêtre du restaurant de l'hôtel, nous buvions un café. L'envie d'une cigarette me tenaillait, mais ce n'était même pas la peine d'y songer. Nous évoquions le passé. Les quelques jours qu'elle avait passés dans une auberge située près de l'université, au cours desquels nous avions fait exactement la même chose que maintenant. Rien que nous deux. Sans papa. Ni Jack. À ceci près qu'elle n'était pas aussi libre. Comme elle s'enquerait du lilas, elle fut ravie d'apprendre qu'il avait tenu le coup, qu'il était en fleur. Puis j'eus envie de l'interroger sur la période – lors de la première permission – où elle était si malheureuse qu'elle fondait en larmes, fût-ce à la vue de la résistance du lilas. Elle me lança un regard étonné :

– Je ne croyais pas que tu l'avais remarqué. Tu avais tant de choses en tête, l'inquiétude au sujet de Jack et de Gareth, la révision des maths et de la physique pour entrer à l'université.

– Oh, cela ne m'avait pas échappé.

Elle tourna les yeux vers le petit lac symétrique du jardin oriental, au-delà des colonnes et des tapisseries dorées. L'eau réfléchissait la lumière aveuglante du soleil. À l'intérieur, les ventilateurs du plafond bougeaient silencieusement et, bien qu'il ne fût que deux heures de l'après-midi, on avait l'impression qu'il était déjà quatre heures.

– Eh bien, finit par reprendre Mère, je suppose que ce ne serait pas une mauvaise idée – vu les circonstances – de te faire une confidence. Mais je te demande de ne pas me poser de questions, Isabel. Pas une seule.

Là, j'eus droit à un de ses fameux regards incendiaires.

– De toute façon, pour te raconter les choses correctement, je devrais commencer bien avant la guerre, avant mon arrivée en Angleterre, or c'est impossible. Voilà, à dix-sept ans, je suis tombée amoureuse d'un éminent poète italien, et lui de moi. C'est tellement loin qu'il est difficile de déterminer lequel était le plus idiot. Dieu que c'est compliqué, constata-t-elle, détournant les yeux comme envoûtée par un bouquet d'iris bleu clair et de lierre, d'essayer de mettre en mots sur ce qui ne l'a jamais été.

Je versai un peu plus de café dans sa tasse, si risqué que fût ce geste puisqu'elle n'aimait pas que l'on touche à son café. Trop désorientée pour le remarquer, elle leva la main gauche.

– Le sentiment que nous éprouvions l'un pour l'autre était tellement passionné que nous nous sommes enfuis pour passer trois jours à Venise...

Elle baissa les paupières. Une expression se peignit fugacement sur son visage, que je n'y avais jamais vue auparavant mais que je reconnus aussitôt : l'extase. Comme je tentais de m'associer à l'émotion, celle-ci se dissipa aussi vite qu'elle était apparue.

– Mon père a tout découvert, poursuivit-elle. Il y a mis le holà... Et lui – le poète – a laissé faire. – Sa physionomie se durcit. – J'ai trouvé cela impardonnable. Je le trouve toujours. – Elle laissa échapper un rire bref. – J'imagine que je l'espérais prêt à mourir pour moi... Une absurdité de ce genre... Au lieu de quoi, ma famille l'obligea à rompre notre liaison. Elle aurait pu ruiner sa carrière – c'était une célébrité – et il a choisi celle-ci. On m'envoya me remettre à Londres.

Mère prit un petit-four, nappé d'un glaçage rose et orné d'une violette en sucre, qu'elle reposa aussitôt. Après l'avoir examiné, elle le saisit à nouveau et le cassa en deux en y mordant.

– J'ai rencontré ton père à cette époque. – Je ne voyais plus qu'une infime partie de son visage. – De toute façon, conclut-elle avec douceur, ce poète était l'amour de ma vie.

Elle releva ses yeux sombres. Ils étaient très écartés, ce qui me frappa comme toujours. De même que l'épaisseur de ses cheveux lustrés. Sa voix s'accéléra un peu :

– Comment aurait-il pu en aller autrement... C'était d'un tel romantisme, et puis la tragédie de la séparation ?

D'un ton tranchant, elle ajouta :

– Il a été tué à la guerre ; on m'a envoyé une notice nécrologique. Voilà pourquoi j'étais dans cet état... À l'époque, celle à propos de laquelle tu m'as posé ta question...

Levant les yeux, elle inclina la tête en direction de notre serveur.

– Voyons... Il est sûrement temps que tu t'en ailles, non ? Je t'ai retardée sans aucun doute... Quelle heure est-il... ?

– Mère, je vous en prie, attendez... Je peux rester aussi longtemps que nous en avons envie.

Elle refusa. À des moments pareils, j'aurais envie de la gifler parce qu'elle se fige, et c'est terminé. Comme la fois où je l'avais suppliée, dans la roseraie, de me donner son avis sur la maladie de Gareth. Je voulais tant qu'elle me dise qu'il guérirait, que le traumatisme dû aux combats passerait. Elle avait refusé. Comme le jour où le chien s'était enfui dans les bois avec un gigot qu'elle avait laissé mariner deux jours – elle lui avait lancé un regard avant d'assener : « Il doit partir, je ne garderai pas un animal qui se conduit de la sorte. » Malgré mes supplications, elle n'en avait pas démordu. Exactement comme maintenant : elle me tournait le dos, se faufilait avec grâce entre les tables nappées de blanc tandis qu'elle se dirigeait vers les rideaux encadrant la salle à manger. Elle avait claqué la porte donnant sur son intériorité.

Il était exclu qu'elle aborde à nouveau le sujet, et je savais qu'il était plus gentil de ne pas insister. Cela me fit cependant réfléchir sur la faculté de ma mère à rompre et à passer à autre chose. Sur la perfection de son anglais. Sur sa décision de garder dans l'ombre son sang italien, afin de passer pour une Anglaise. Bien entendu, elle avait des liens avec le Pays de Galles – son grand-père possédait la mine que Père avait reprise, même s'il ne s'agissait que d'une bricole puisque la plupart de ses véritables intérêts miniers se trouvaient en Afrique du Sud. Elle ne m'avait jamais confié qu'elle était arrivée en Angleterre, jeune fille, le cœur brisé. À présent, son mariage avec Père tombait sous le sens, ainsi que la façon dont ils se comportaient l'un envers l'autre – cette perpétuelle réserve, cette perpétuelle distance. Je me demandais s'il était au courant pour le poète et, si oui, à quel point il avait dû en souffrir. Il vouait à Mère un amour passionné qu'elle ne lui rendait pas, j'en avais toujours eu conscience. Comme cela avait dû être difficile pour elle, une étrangère, de vivre en Angleterre à une époque où il était évident que la guerre allait éclater. Davantage encore lorsqu'elle avait éclaté et que l'Italie avait d'abord été du mauvais côté. Qu'elle ait eu l'audace d'avoir cette conversation avec moi m'attendrissait, et je comprenais pourquoi elle ne m'avait pas chapitrée sur mon infidélité : son poète était marié. Évidemment.

Fidèle à son image, Mère mit ce moment de vulnérabilité et de chagrin de côté, redevenant elle-même : une forte personnalité. Une fois qu'elle eut la certitude que je resterais aux Indes, elle œuvra sans relâche – avec son efficacité coutumière – à stabiliser ma situation. Elle prit contact avec le directeur de l'Imperial Bank et donna des instructions concernant la maison en Assam. Elle fit virer de l'argent dans une banque de cet État, ouvrant un compte à mon nom de jeune fille. Elle avait réussi à obtenir un montant assez considérable des fonds en fidéicommis en assurant aux curateurs que c'était destiné à une clinique pour enfants indiens.

– En ce moment, les Anglais se sentent coupables par rapport aux Indes, m'expliqua-t-elle.

Et elle tenta de me convaincre d'acheter une petite maison à Delhi, à titre de sécurité. Face à mon refus, elle n'insista pas. Lorsque j'objectai qu'elle en faisait trop, elle me répondit :

– Tu connais mon point de vue, Isabel. Une femme doit être propriétaire de son toit. Si tu ne veux pas te conduire comme une personne sensée et acheter quelque chose à Delhi, au moins cette maison en Assam t'appartiendra.

Quand maman ne visitait pas la ville, elle lisait tout ce qui lui tombait sous la main sur les Indes. Au point de donner une petite conférence au Claridge sur la conservation des crevettes et de m'expliquer le sikhisme. Elle commença même à oser goûter un peu de cuisine indienne, se contentant toutefois la plupart du temps de *tandoori*[1] et de *korma*. Le week-end, je l'emmenais dans une voiture

---

1. Four traditionnel en argile qui a donné son nom à tous les plats cuits ainsi.

de location du Ritz voir encore plus de mosquées, de temples, de forts gigantesques, de tombes mogholes, de sanctuaires... D'innombrables jardins... Autant de coupoles et de monuments qu'il était possible de visiter en un jour. Ce fut à l'occasion d'une de ces excursions, au tombeau d'Humayun – un lieu d'une telle beauté et sérénité que nous y échangeâmes à peine deux mots –, que nous eûmes enfin notre première conversation sérieuse sur Sam.

Nous avions fait le tour du jardin ceint d'une haute muraille, ornée de « motifs islamiques » pour reprendre la définition de Mère. Elle désigna la tombe couronnée d'une double coupole en marbre blanc. Celle de l'intérieur forme un plafond en voûte, tandis que la coquille extérieure produit un effet de flèche s'élançant vers le ciel, très oriental.

– Splendide, fis-je en étouffant un bâillement. Je suis contente que nous soyons venues. Si on déjeunait maintenant, je meurs de faim.

Mère étala un tapis sur l'herbe. Perchées sur un promontoire, nous sentions la brise nous caresser, et étions entourées par le parc spectaculaire, d'une simplicité parfaite. Joseph avait préparé un repas exquis composé de poulet froid, d'œufs à la diable, d'une salade de pommes de terre, de concombres en gelée, de laitue accompagnée d'une sauce à la ciboulette, d'un petit quatre-quarts fourré de confiture et de crème. Et de champagne bien sûr, sans lequel un pique-nique était inconcevable pour Mère.

– Je comprends parfaitement pourquoi tu le trouves si séduisant, commença-t-elle, avec un débit précipité. Sa gentillesse, son raffinement, cette réserve timide – typique des élèves d'Eton –, moins distante cependant, sans la prétention, ni l'assurance. Ce qui m'a le plus frappée au demeurant, c'est son courage faramineux. On dirait un soldat de la Brigade légère, qui a décidé de se lancer à l'attaque en étant complètement conscient des conséquences.

– Mère, pourriez-vous être un peu plus précise ? lançai-je, partagée entre un étrange sentiment d'euphorie et la crainte. Nous allions enfin avoir une discussion sur ma

relation avec Sam, dont l'issue me paraissait impossible
à deviner.

– Oui, acquiesça-t-elle, en allant se mettre à l'ombre.
Ses joues étaient écarlates. Un bandeau de perles de
sueur lui constellait le front. Elle éventa son visage d'un
grand coup avec son chapeau de paille. Derrière nous se
dressait un rideau de grands arbres autour desquels s'en-
chevêtrait de la vigne, où résonnaient des chants d'oiseaux.
Devant nous s'étirait une vue d'une sérénité intemporelle
qu'elle contempla un long moment.

– J'ai beaucoup pensé à lui, continua-t-elle. Tu sais,
il a passé plusieurs jours avec nous, et je dois avouer qu'il
m'a manqué lorsqu'il est parti. Il m'a beaucoup, beaucoup
plu. J'ai toujours préféré les bruns, ils sont tellement plus
attirants que les blonds ou les roux. Naturellement, ton
père n'entre pas en ligne de compte, l'apparence n'a aucune
importance quand il est question de mariage. – Soudain,
elle s'empara de ma main. – Pour l'amour du ciel, laisse-
moi découper le poulet, tu le réduis en charpie ! Quoi qu'il
en soit, Sam et moi avons parlé de l'avenir, du moins de
ce qu'il pouvait s'en représenter. Sa franchise m'a impressionnée, constata-t-elle, en soulevant de fines tranches de
viande blanche avant de les déposer dans mon assiette.
C'est peut-être la raison pour laquelle je l'ai aimé, moi qui
suis une mystificatrice. Même si, contrairement à lui, je
ne peux considérer mon pays comme opprimé : il faut se
rappeler que l'Angleterre a été une colonie de l'Empire de
Rome. Je crois, reprit-elle, que la résistance de Sam va
prendre une forme très personnelle. J'ai eu l'impression
qu'il n'avait pas l'intention de mener une double vie avec
toi, que son opposition se situerait tant à un niveau personnel que politique. Ce qu'il y a de saisissant chez lui,
c'est qu'il ne fait pas de distinction entre les deux.

Elle attrapa une longue mèche noire qui s'était
échappée de son chignon, l'y attachant à nouveau avec
son index.

– Or, cette audace n'est pas dépourvue d'irresponsabilité vu l'ébullition qui sévit aux Indes : le terrorisme
religieux, les attentats à la bombe contre les commissariats

de police. J'ai lu avec attention des articles à ce sujet dans le *Times* et le *Scotsman*. Il semble que nous n'allons pas pouvoir rester ici tellement plus longtemps, que ce ne serait pas bien. La non-coopération de Gandhi est aussi morale que politique, comme si les Indiens avaient besoin de se purifier de la pollution d'une férule étrangère par une conduite faite de rigueur et d'austérité. Il est évident que Sam s'en inspirera dans sa vie, on dirait que cela lui insuffle un incroyable optimisme quant à l'avenir.

Après un sourire, elle poursuivit :

– Gandhi traite apparemment les Britanniques de démoniaques. Je reconnais qu'il est normal que nous leur donnions cette impression étant donné la place que nous accordons à la puissance et à la force. Sam, précisat-elle en me tendant un verre de champagne, m'a démontré l'intelligence de la croisade non violente : plus les Anglais recourent à la brutalité, plus les indigènes deviennent civilisés. Si cela continue, la rupture est inévitable : les Européens ne toléreront pas une violence impérialiste, fût-ce dans les colonies.

Puis, à brûle-pourpoint, elle me demanda :

– As-tu l'intention de rencontrer ses parents ? Je me pose la question maintenant que nous avons fait la connaissance de Sam.

Je mis un bout de temps à reprendre mon sangfroid :

– La mort de sa femme est encore trop proche. Nous voulons prendre notre temps.

– Ce n'est pas vraiment le cas ! lança-t-elle sèchement.

– Le père de Sam, ajoutai-je sans tenir compte de sa remarque, est farouchement antianglais. Je ne suis pas sûre de lui plaire.

– Sam ne fera rien qui te mette en danger, j'en ai la certitude. Tu n'en es pas moins, que cela te plaise ou non, insista-t-elle d'un ton sévère, l'épouse d'un membre de l'armée britannique. Comment Sam et toi pourriez vivre ouvertement ensemble ? – Elle prit une serviette amidonnée dont elle tapota le coin de sa bouche. – Sam est très sensible à ta situation, je l'ai remarqué lorsque je l'ai interrogé sur les conséquences de ta liaison avec lui en ce qui concerne ta position sociale. Et aussi quand je me suis demandé comment tu serais perçue, quel genre de femme. J'ai employé un terme italien plus que vulgaire – mon vocabulaire s'est détérioré en quelque sorte – pour exprimer ce que je voulais dire. À ce moment précis, il a décidé de s'adresser à moi en italien, en une version élégante de ma langue maternelle.

Mère s'interrompit et bougea.

– Cela lui ressemblait tellement d'élever le niveau de la conversation, comme pour me montrer à quel point il rejetait ce que je suggérais. Il ne veut pas prendre en considération l'image de lui que les autres tentent de lui imposer ; c'est pareil en ce qui te concerne.

L'espace d'un instant, elle frissonna.

– J'ai affreusement peur de son idéalisme, de l'idée dont il ne démord pas qu'il est capable de sauter par-dessus les préjugés en les refusant. Même s'il suscite mon admiration, j'ai peur pour lui. Pour vous deux. Cela me fendrait le cœur s'il devenait une figure tragique à cause de tout ceci.

Nous continuâmes à déjeuner en silence. J'avais la bouche pleine de quatre-quarts lorsqu'elle lâcha brusquement :

– As-tu oublié ton mari ? Crois-tu qu'il va te laisser t'enfuir avec un Indien ? Tu ne lui échapperas pas en disparaissant de Ferozepore, de même que tu ne peux te lancer dans des études de médecine sans que personne ne l'apprenne. Tu t'imagines invisible ? – Elle se servit du champagne. – Ayant beaucoup réfléchi et beaucoup lu à ce sujet, je comprends ce que tu dois affronter. J'admire autant ton courage que celui de Sam, souviens-t'en dans le futur.

Elle se tut. Et lorsqu'elle reprit la parole, ce fut avec gravité et douceur :

– Quand tu as insisté pour épouser Neville, j'aurais dû te l'interdire. J'ai eu tort de ne pas le faire. Sans ce mariage, peut-être qu'aucune de ces difficultés ne se serait présentée. Peut-être même que si Gareth n'avait pas si hor-

riblement souffert de la guerre, et n'avait pas été ensuite
tué au front, eh bien peut-être... Mais à quoi riment les
peut-être ou les si ?

Elle resta silencieuse plus longtemps qu'auparavant.
Moi, je cherchai du réconfort dans la vue qui s'offrait
à mes regards, mais l'obscurité l'envahissait, les ombres
s'allongeaient sur l'herbe éclairée et les rayons du soleil
traquaient l'eau. Au moment où j'ouvris la bouche, Mère
me prit la main et la plaqua sur le tapis.

— Isabel, souffla-t-elle. Je suis opposée à cette liaison.
De toutes mes forces. Tu commettrais un suicide social. Tu
t'avancerais de ton plein gré vers une lapidation publique.
Je dois te demander de rompre immédiatement.

18

Après le départ de Mère, je fus d'une humeur sombre, sans accepter pour autant aucun de ses interdits ou avertissements. Je continuerais malgré elle. Je finirais ce qui était exigé en anatomie. Je terminerais les épreuves et les examens, passant des heures tant à la bibliothèque qu'au laboratoire. Depuis Gloria, je ne m'étais liée avec personne. Je me sentais souvent coupable de ne pas l'avoir prise en charge, comme si cela aurait pu faire une différence ou changé quoi que ce soit à son destin. Je restais à l'écart, ne rejoignant les autres que lorsque c'était indispensable, avant de retourner à mes études solitaires. J'avais hâte d'apprendre tout en médecine. Parfois, je me réveillais à trois heures du matin, marchais une heure dans les rues et revenais étudier à la lumière lugubre d'une lampe à pétrole. Au cours de ces balades à l'aube, j'avais souvent la sensation d'être suivie, une sensation qui s'amplifiait à mesure que les rues s'emplissaient de gens qui se rendaient au travail. Si je pivotais rapidement, j'apercevais un mouvement derrière un mur ou une ombre se fondant dans la foule. J'avais beau m'obliger à ne pas céder à la panique, mon poursuivant – qui que ce soit – connaissait parfaitement mon emploi du temps et me traquait dans le moindre de mes déplacements. Certains jours, le dilemme m'obsédait : était-ce le fruit de mon imagination ? J'étais sûre qu'il s'agissait d'un homme, grand, au teint sombre, vêtu d'une manière si impersonnelle que j'étais incapable de deviner s'il était européen ou indien. Je devais éviter d'y penser parce que si je me laissais aller je verrais des détraqués partout et de la méchanceté sur tous les visages. Du coup, je pris conscience de ma tendance à me conduire d'une façon quelque peu aberrante. Ainsi, Mère m'avait donné beaucoup d'argent, sous forme de beaux billets flambant neufs, que j'avais rangés dans une boîte à chaussures au pied de mon placard. De temps à autre toutefois, j'ajoutais des roupies dans la boîte, jusqu'à ce qu'il y en ait énormément. Et je les comptais souvent, sans savoir pourquoi. Au cas où – au cas où quoi ?

Sam avait mis un terme à sa relation avec l'établissement psychiatrique de Ranchi ainsi qu'à ses recherches sur les traumatismes dus à la guerre. Comme il travaillait à l'hôpital de Lahore, nous étions une fois de plus séparés, en raison de la distance. Je n'avais d'autre compagnon que Joseph. Vu ma nouvelle résolution de me concentrer sur l'essentiel et fuir le ridicule, je lui avais proposé que nous dînions ensemble les soirs où je ne m'attardais pas trop. Il avait donné son accord, lançant d'ailleurs quelques piques :

– Mem va se servir de ses doigts ? Manger dans une feuille de banane ? C'est la fin des saucisses à la purée ?

Nous nous asseyions à la table de la cuisine encombrée des manuels de cours par correspondance de Calcutta de Joseph, qui étudiait ce qu'il appelait l'anglais supérieur. Je lui demandai s'il songeait à s'enrôler dans la fonction publique. Après réflexion, il répondit :

– Serait-ce mon objectif, mem, il me plaît de penser que ce ne serait pas complètement absurde.

– Tant mieux, dis-je en piquant dans un plat de poulet et m'emparant du dernier feuilleté au cumin avant qu'il ne le prenne.

– Mem, poursuivit-il, j'ai besoin de votre avis sur un sujet qui me semble digne d'intérêt. Je viens de lire *Roméo et Juliette*. Je n'avais pas compris que les Feringhis avaient imité le système indien des castes. Cela m'a dessillé les yeux.

Un jour qu'il était affaibli par une forte fièvre, ce fut moi qui m'occupai de Joseph. Au début, vexé, il essayait de sauter au garde-à-vous dans sa tunique froissée, sur son lit en fer surélevé, ne sachant trop comment réagir en ma présence. Quand je lui prenais le pouls ou sa température, il ne me regardait pas tandis que, les yeux rivés sur son poignet ou le thermomètre, je tentais de l'apaiser.

– S'il te plaît, Joseph, cesse d'imaginer que tu seras mort demain matin. La pneumonie se soigne très bien, pour peu que tu restes couché jusqu'à ce que la fièvre tombe.

Une directive qu'il était incapable de respecter. À mon retour de l'hôpital, il avait soit rangé mes papiers, soit remis en place les coussins et le fauteuil, soit préparé un savoureux repas. Non seulement, je dus lui promettre de tout laisser pour qu'il s'en occupe une fois qu'il aurait repris des forces, mais je dus le menacer de l'enfermer dans sa chambre.

– Tu es un malade insupportable, le grondai-je.

– Des malades de ce genre sont les seuls qui feront de vous un grand médecin, répliqua-t-il du tac au tac.

Lors de sa convalescence, je fus stupéfaite de découvrir à quel point son teint s'était éclairci. Voilà qui parut l'enchanter.

– Plus noir comme de la suie, mem. Aussi clair – il sourit timidement – qu'un Kashmiri maintenant.

Je lui faisais un peu de cuisine parce qu'il avait maigri. Comme il adorait les coings, j'allai lui en acheter au bazar, choisissant les plus gros et les plus mûrs. Ensuite, je les épluchai et découpai la chair semblable à de l'écorce, l'écrasai et la fis revenir jusqu'à ce qu'elle se transforme en une purée crémeuse et dorée. Je la lui donnai dans un petit plat en verre. Il la regarda, prit la cuillère et commença par en manger les contours.

– C'est tellement parfumé que j'ai l'impression d'être au paradis ! s'exclama-t-il.

Après qu'il eut tout avalé, jusqu'à la dernière miette, il me dit avec une profonde émotion :

– Aucune femme n'a fait la cuisine pour moi depuis bien longtemps, mem.

Je prenais mes repas avec lui dans sa chambre parce que rien n'est plus désolant que de se nourrir seul surtout quand on est malade. À l'une de ces occasions, il me confia :

– Mem, toute ma vie, j'ai eu envie de connaître Londres.

– Ah bon ?

L'espace d'un moment, il eut l'air embarrassé.

– Dans l'école de la mission où j'étais enfant, des religieuses venaient nous apprendre à prier. Je priais sans cesse pour l'une d'elles – jour et nuit. Pendant que j'étais à genoux, mes yeux et mon cœur se logeaient dans son voile, je ne parvenais pas à me détacher d'elle.

– Tu étais amoureux d'une religieuse, Joseph ?

– Comme un garçon de dix-huit ans peut l'être.

– Est-ce que c'était réciproque ?

– Peut-être que mem a la réponse ?

– Oh oui, elle t'aimait aussi. Bien entendu, affirmai-je.

Il rayonna de joie. Puis il se tut, baissa la tête, les mains posées à plat devant lui.

– Un jour, reprit-il doucement, je me suis approché de la religieuse qui, à genoux, plantait des choses dans le jardin. Quand elle m'a vu, mem, ses yeux ont dansé pour moi avant de tomber par terre et se cacher sous sa robe où ils vivaient leur autre vie. Elle appartenait à Dieu. C'était l'épouse du Christ. J'avais beaucoup de mal à m'en souvenir, même si je savais qu'elle ne gâchait pas sa beauté pour Lui.

– Elle est partie ?

Les yeux de Joseph étaient noirs.

– Il y avait un pont au-dessus de la rivière, répondit-il en roulant une boule de riz avec ses doigts et en la trempant, et après le départ de son train – je pouvais le voir de l'endroit de l'église où les cloches sonnent –, quand il eut franchi l'eau, je suis allé sur ce pont avec l'envie de me suicider.

Je posai ma main sur la sienne. Alors, il me regarda avec une intensité que je ne lui connaissais pas. On aurait dit que sa peau avait pris feu. Je touchai son front, puis sa joue.

– Ta fièvre baisse, Joseph, lui assurai-je. Je vais te

recouvrir de couvertures pour la faire tomber, afin que tu puisses aller mieux.

Il dormit un jour et demi, au cours desquels je le réveillai parfois pour lui donner de l'eau avec une paille ou lui essuyer le visage. Lorsqu'il fut guéri, une tendresse différente était née entre nous.

Seule l'arrivée du courrier la troublait. Il apportait mes lettres sur un plateau d'argent, et je lui demandais :

– C'est tout ce qu'il y avait aujourd'hui, Joseph ?

Il percevait la déception dans ma voix. Aussi revenait-il plus tard :

– Je n'avais pas vu celles-ci, mem. Elles étaient sûrement tombées dans la poussière.

Sam et moi, nous nous écrivions tous les jours, tantôt quelques mots, tantôt des pages griffonnées à trois heures du matin ou entre des cours. Mais c'était douloureusement insuffisant. Son absence m'était intolérable. Allongée sans dormir dans le noir, je rêvais de lui, de la même manière qu'à Ferozepore, sous le figuier sacré. Juste avant de sombrer, lorsque l'esprit est en demi-sommeil, je pensais à la couleur de limon de son corps nu comme s'il était couché sur moi, tout en bougeant à un rythme que nous étions les seuls à connaître. On aurait dit que, enlacés, nous nous embrassions d'abord doucement puis passionnément ; la rencontre était si réelle que je le sentais en moi et jouissais. Lorsque je le lui raconterais lors de nos retrouvailles, il s'exclamerait en souriant : « Il va falloir que tu m'apprennes ! »

À des moments d'impatience irrépressible, nous nous envoyions des télégrammes. *Viens immédiatement, je ne peux plus attendre.* Il répondait : *Je viendrai samedi.* Sachant toutefois qu'il devrait refaire l'interminable trajet jusqu'à Lahore le lendemain matin, je lui télégraphiais à nouveau : *Ne bouge pas. Sois fidèle au pacte. Il ne reste plus que sept semaines.* Je m'efforçais de me convaincre que la séparation nous était profitable, vu que nous devions mener nos carrières respectives. Je savais aussi que le processus d'une métamorphose intérieure s'approfondissait dans la solitude. Je me persuadais que je réfléchissais plus clairement sans lui, comme à l'époque où il était à Londres. Mes études se passaient bien; je supportais mieux les longues heures de travail. Mais il y avait trop de sujets dont nous devions parler, et seul un contact physique pouvait combler la béance. Aussi lorsqu'une interruption des cours survint, demandai-je à Sam si nous pouvions nous retrouver à Peshawar – une primauté accordée délibérément au cœur sur la rêverie, au corps sur la raison, à l'urgence sur la prudence. Il m'envoya un télégramme d'un mot : *Oui*.

À la lisière du quartier du bazar de Peshawar, nous buvions du thé vert à la cardamome et au citron vert, appelé *quwa*. Assis le plus près l'un de l'autre que nous l'osions, nos pieds se touchaient et nous parlions très peu. Peshawar, qui sépare les Indes de l'Afghanistan, de la Chine et de la Russie, est une ville de bazars et de fortifications, étrangement surréaliste, comme le sont les agglomérations frontalières. Nous avions prévu de passer le week-end dans une petite maison située dans les faubourgs, qu'un ami de Sam mettait à notre disposition. Pour nous y rendre, nous devions trouver un moyen de transport, une entreprise compliquée parce que l'endroit bourdonnait d'activité et d'intrigues. Une race agressive d'officiers britanniques de la frontière arpentait les rues, tandis que des officiers russes, anglophobes et hautains, paradaient parmi les Afghans, se livrant à des transactions, échangeant des renseignements. Un autre incident s'était produit, et les représailles étaient imminentes. La moindre boutique vendait poignards, mitrailleuses et munitions; l'opium changeait de main dans des échoppes; des gamins faisaient les commissions d'avocats; sur la chaussée jonchée d'excréments, des maquignons poussaient au trot des chevaux de Kaboul et des étalons d'Abyssinie, vantant leurs qualités pour une vente rapide; des silhouettes louches fumaient dans des coins. À deux pas du dispensaire de la Croix-Rouge et du fort anglais, on avait l'impression que justice expéditive et décapitations prédominaient. Que l'armée britannique fût aux commandes semblait tenir du canular, tant la situa-

tion paraissait sur le point de se détériorer d'une minute
à l'autre. Vêtus de tuniques noires, arborant barbes et
turbans, les yeux ourlés de khôl, les guerriers afghans se
déplaçaient dans les venelles, aussi beaux et arrogants
que des acteurs. On racontait qu'ils étaient capables de se
passer de nourriture et d'eau des jours durant et de marcher
des semaines, ne s'arrêtant que pour se nettoyer le visage
et les mains avec de la poussière, une purification destinée à la prière. Le bar de l'hôtel délabré baptisé le Deans
grouillait d'agents politiques et d'espions. Sur la pelouse
devant la façade, on servait du thé et des sandwiches au
concombre. Des commerçants russes discutaient avec des
Indiens. Un homme en manteau rouge promenait un teckel
attaché à une chaîne en or. Les inévitables vaches chance-
laient dans la rue, de même que des nomades baloutches
conduisant des chameaux bâtés de superbes tapis. Il n'y
avait aucune femme, hormis deux prostituées couvertes
de burkas poussiéreuses, postées dans des embrasures de
portes, les yeux brillants de fatigue, de faim, de tristesse,
qui me firent penser à Gloria. L'espace d'un instant atroce,
j'eus l'impression de la voir accroupie dans la crasse près
d'un magasin de fusils. Comme je m'approchais, je surpris un regard tellement vide dans les yeux de la femme
que je la crus aveugle. Elle bougea et tendit la main pour
une aumône, découvrant le bébé qui se trouvait sur ses
genoux. Sam lui donna de l'argent. Le visage crispé, il
m'expliqua.

– Ici, il a toujours été question de terres, d'or et de
femmes. À présent, il s'agit de guerre, de terrorisme et
d'expropriations. Quel que soit celui qui mène le jeu, à la
fin des combats, une fois que les gens du cru sont morts
ou estropiés, tout le monde attend l'argent pour reconstruire. Il ne vient jamais.

En proie à un accès de paranoïa, je m'imaginais
Neville tapi parmi la foule tapageuse des soldats d'un
café ou dans l'une des venelles. Il était venu à Peshawar
pendant la troisième guerre afghane deux ans auparavant.
Lorsqu'il m'avait quittée à Ferozepore, il se rendait au
sud-ouest de la frontière, dans la région de Quetta et de
Kandahar. Mais comment pouvais-je être au courant de

quoi que ce soit? Trop de temps s'était écoulé. Il m'était impossible d'avoir une idée de l'endroit où il se trouvait.

Derrière le pont Jail, nous apercevions le terrain de manœuvres du cantonnement, les casernes du régiment, le mess, le club, les pelouses vertes et les imposantes demeures en brique – symboles du gothique anglo-indien. Des gardes sikhs faisaient les cent pas devant les grilles. L'Union Jack pendait mollement dans la chaleur. Ce petit bout d'Angleterre, perché en lisière de tant de violence et de misère, des bazars pestilentiels, des fioritures exotiques d'une ville démente et magique conduisant tout droit en enfer, était complètement incongru. Au-delà s'étiraient les plissements de granit de la Khyber Pass. Des troupes d'orphelins de neuf ans, le teint aussi clair que des écoliers d'Eton, défilaient dans les rues; enrégimentés dans une fraternité militaire, ils marchaient vers les steppes du Nord et l'Hindu Kuch. Pour apprendre à tuer.

Nous nous rendîmes à pied jusqu'au bout de la ville, avant que la route n'amorce son virage spectaculaire en direction de l'Afghanistan et de la désolation des plateaux de l'Asie centrale. Nous restâmes un moment à la porte de Khyber. Les échos répercutés par des grandes vallées désertes – le cri mélancolique d'un aigle, un coup de feu, le rugissement de torrents dévalant dans des gorges escarpées – avaient quelque chose d'inhumain. Là-bas s'étendait une contrée désolée bien différente des Indes tropicales et luxuriantes.

Nous déjeunâmes dans un boui-boui miteux en compagnie d'une bande de personnages singuliers, qui me rappelèrent les espions trafiquants du Grand Jeu de Kipling : un Anglais décati s'exprimant dans un magnifique ourdou lisait Milton tout en engloutissant du cari et du riz; un Russe, dont le sang n'était plus que de la vodka, couché par terre dans un état comateux. La nourriture était exquise : du poulet à l'ail et à la cardamome, de l'agneau relevé avec cent vingt épices, un *biryani*[1] parfumé au safran, des

---

1. Plat de fête, typiquement musulman, à base de viande ou d'œufs et de riz, accompagnés de safran et d'épices.

petits feuilletés cuits et servis dans une casserole noire – tellement sucrés, dorés, craquants qu'ils fondaient dans la bouche. Je commençai à me remettre. Sam, lui, était aussi agressif qu'un scorpion.

Une fois que nous eûmes payé un prix exorbitant pour un cheval et une carriole, on nous annonça que la plus grande partie du trajet serait effectuée sur une route stratégique construite par les Anglais pour relier Kaboul, Peshawar et Rawalpindi. Le grand barbu qui la décrivit à Sam était froid et hautain.

– En parfait état, sahib, protecteur des pauvres, assura-t-il, une pointe de mépris dans la voix. Je vous le garantis. Sans ornières. Idéale pour voyager. Pas de brigands. Pas de voleurs. Rien pour alarmer le sahib.

Nous réservâmes le véhicule, dont les roues étaient, Dieu merci, en caoutchouc, que nous fîmes charger de provisions et de bouteilles d'eau.

– De quoi s'agissait-il ? demandai-je à Sam. Il avait presque l'air de te détester.

Sam jeta son sac dans la carriole et répondit en haussant les épaules :

– C'est le cas. Je suis un hindou. Ces gens-là nous trouvent faibles et efféminés. Ici, on est un homme ou on ne l'est pas, c'est aussi simple que ça.

Nous nous mîmes en route, contents d'être enfin seuls. Malgré mon envie de parler pour combler les vides laissés dans nos lettres, je me contentais pour l'heure d'être près de lui. C'était un bonheur inouï de pouvoir l'embrasser ou lui tenir la main. Comme nous avancions rapidement, je me rappelai le long périple jusqu'à Simla, qui me semblait remonter à des lustres. La route, une simple piste, allait jusqu'aux montagnes. Autour des hameaux disséminés tout du long, des buffles erraient à travers les rizières lumineuses, tandis que les effluves de fumier et de cuisine épiçaient l'air. Les gamins qui jouaient au cricket en plein milieu de la voie s'écartaient à la dernière minute exactement comme à Delhi. Puis la piste se dégageait, pleine de virages et de nids-de-poule, parfois dangereuse à cause de l'instabilité de la carriole, toujours poussiéreuse et épuisante. J'avais du mal à me concentrer. En outre, le cheval, un animal entêté, tirait à gauche comme s'il ne songeait qu'à rebrousser chemin. Le paysage changeait, devenant luxuriant et doux. Des vergers de pommiers, d'abricotiers et de cognassiers s'étageaient sur des planches d'une terre noire. Des champs de blé s'étendaient dans les vallées, où surgissait de loin en loin l'oriflamme rouge perché sur une longue tige d'une fleur de pavot carmin. Nous progressions. Sam se prélassait en fumant et me donnait des instructions pour arriver à la maison.

J'étais partagée entre l'envie de lui parler de la visite de Mère et celle de la passer sous silence. Le jour où elle avait pris le train pour Bombay, nous avions gardé le silence pendant le trajet en voiture jusqu'à la gare. Sur le quai, nous avions échangé les plus absurdes banalités.

Moi :

– Tu donneras à Père la robe de chambre que je lui envoie ?

Mère :

– Veille à garder la trace de l'argent versé en Assam, et exige toujours un relevé de compte à la fin de chaque trimestre. Je me félicite que nous n'en ayons jamais parlé à Neville.

Moi :

– Maman, à votre retour, pourrez-vous au moins m'écrire un peu.

Elle rejeta la tête en arrière. Le train approcha en vrombissant et en sifflant avant de ralentir comme un serpent noir furibond tandis que nous pleurions de conserve. Elle me donna un baiser rapide sur chaque joue, puis tourna les talons pour monter dans le train sans – voilà qui me brisa le cœur – jeter un regard derrière elle, ni agiter la main, ce que nous faisions toujours, toujours. J'eus envie de l'appeler : revenez, revenez. Ne soyez pas en colère contre moi. Et je pensais avec effroi : est-ce que je la reverrai ? Me pardonnera-t-elle jamais ? Debout sur le quai, les bras noués sur ma poitrine, j'attendis qu'elle apparaisse à la fenêtre et me fasse signe. J'attendis jusqu'à ce que train ait pris le virage avec un ultime crissement de sa queue, jusqu'à ce que le dernier wagon ait disparu de mon champ de vision, ne serait-ce que pour apercevoir son visage ou un geste de sa main gantée d'agneau. Rien.

Niente. Kuch Nahi[1]. Je rentrai à la maison en pleurant toutes les larmes de mon corps.

Je n'avais pas écrit à Sam à ce propos parce que je savais que non seulement il en serait terriblement blessé mais que, pire encore, cela détruirait l'image qu'il avait de Mère. Pour elle, il existe des vérités absolues. Pas pour Sam. En outre, je refusais d'admettre que nous étions seuls au monde. Aussi le lui cachai-je, de même que mes soupçons que quelqu'un me suivait à Delhi. Mon unique désir, c'était de tout oublier et de l'aimer. Au bout de quelques heures en sa compagnie cependant, je me rendis compte que lui aussi ne me disait pas tout. Bien entendu, rien de précis que j'aurais pu relever : « Tu me dissimules quelque chose. » On aurait dit qu'il s'était livré à un inventaire de son âme, y découvrant des sujets qu'il n'était pas encore capable d'aborder. Il m'annonça qu'il voulait me présenter à ses parents. Il avait passé quelque temps avec son père, dans un lieu situé à l'extérieur de la ville de Jammu, qu'il refusa de nommer. Son insistance m'inquiéta. Peut-être mon expérience avec Mère m'avait-elle davantage secouée que je n'en avais conscience. Je m'attendais à être rejetée, à ce qu'on me batte froid avec courtoisie mais avec une netteté interculturelle.

L'accueil que me réserverait sa mère m'obsédait. J'imaginais qu'elle avait été très liée à la femme de Sam, même si j'avais entendu dire que ce n'était pas le cas. J'imaginais qu'elle n'approuverait pas ma carrière, même si elle était médecin. J'imaginais qu'elle scruterait mes vêtements, ma peau, mes cheveux. Nul doute qu'elle vérifierait ma classe et ma position sociale, mon niveau d'éducation, et poserait des questions sur mes parents. Elle m'examinerait pour voir si j'étais assez sévère avec les domestiques et parvenais à suivre le débit de leur jargon moitié hindi, moitié anglais. Elle parlerait de son petit-fils, à l'affût de ma réaction. Elle refuserait de croire que nous nous étions rencontrés par hasard à Simla, et se douterait sûrement que nous étions amants.

Dès le début, je m'étais promis de risquer n'importe

---

1. En français, italien et hindi dans le texte.

quoi plutôt que d'accepter les demi-vérités avec Sam. Je tenais néanmoins à ce qu'il commence, voulant savoir ce qu'il me confierait de sa première entrevue avec son père après l'incendie du train à Rawalpindi. Je posai ma main libre sur son genou.

– Tu es abattu depuis que tu as fait allusion à ton père. Que s'est-il passé?

Comme toujours à ces moments-là, Sam chercha une cigarette. Je l'enlevai de sa bouche et la lui tendis. Éclatant de rire, il m'arracha les rênes et arrêta le cheval pour embrasser mes lèvres, puis le sillon frémissant entre le cou et l'épaule, puis mon front moite. Le cheval s'écarta de la route pour gagner l'ombre, mais j'avais déjà la tête vide et les jambes flageolantes.

– Pourquoi ne pas avoir une petite réunion? lança Sam, tendant déjà le bras au-dessus du siège. Je vais prendre mon manteau et l'étendre pour que tu t'y allonges.

Je parcourus les lieux du regard. Autour des cèdres et des épicéas, les hautes herbes grouillaient de serpents, de bêtes sauvages et d'insectes meurtriers. Je me représentais sans peine un tigre bondissant des frondaisons.

– Je ne suis pas vraiment une amoureuse de la nature, répliquai-je. Je préférerais que nous arrivions sains et saufs à bon port.

Nous nous réinstallâmes donc dans la carriole pour continuer notre trajet comme un vieux couple, cahotant sur la piste jusqu'à notre maison, au bord de la rivière.

Évidemment, Sam ne me ferait pas un rapport circonstancié de ce qui était arrivé avec son père. Quand je voulais des détails, je ne les obtenais pas. En revanche, si j'étais prête à me contenter d'un tour d'horizon, il ne m'épargnait aucune nuance sur la décision de Gandhi de s'allier au parti *Khilafat*[1], ou m'entraînait dans les significations précises du jihad, politique et spirituel, ou plaidait en faveur du martyre. Je n'en finis pas moins par avoir une idée, grâce à mes questions posées mine de rien à l'heure du thé ou lorsque nous contemplions la lune, allongés sur le lit. Puis, un soir, très tard, il m'embarqua

---

1. Parti musulman orthodoxe fondé par les frères Ali en 1919, en Asie du Sud-Est.

dans une conversation fondamentale qu'il avait eue avec
son père, comme si, ce faisant, il cherchait à m'indiquer
sa position par rapport aux Indes.

– Dès l'instant où je suis entré dans l'ashram, commença-
t-il, nous nous sommes disputés. Mon père, qui déteste
toute forme de vie primitive, n'était là que parce que la
police surveillait sa maison. Il voulait aller plus au sud,
mais ce n'était pas prudent à cause des barrages rou-
tiers. Le Cachemire et Jammu sont en ébullition – un
foyer de sédition, d'après les Anglais, aussi dangereux
que l'était Calcutta naguère. Non qu'il vivait inconfor-
tablement, fit observer Sam en riant. J'ai remarqué sa
Mercedes garée dans une remise, loin des yeux du *sadhu*[1]
en train de prier sous un arbre, et il ne mangeait pas
de riz blanc. Il donnait toutefois l'impression de se sentir pris au piège. Cela me perturba parce qu'il a beaucoup vieilli l'an dernier, si bien que son bandeau sur son
œil abîmé lui donne moins l'aspect d'un pirate que d'un
borgne. Quoi qu'il en soit, il était d'une humeur massacrante notamment parce qu'il a perdu toutes ses illusions
sur Gandhi, dont il ne cessait de parler : « Ces inepties
qu'il débite sur la paralysie de l'autorité britannique aux
Indes sont dérisoires. Rien n'a réussi à arracher les policiers et les soldats indiens à l'emprise des Anglais. Ils
continuent d'aller aussi docilement au charbon : cette
pitoyable loyauté envers la couronne dépasse l'entendement. Nous devons faire sauter les toits au-dessus de leurs
têtes. La campagne contre l'alcool est un désastre, dont
les conséquences sur les recettes sont catastrophiques. Les
flagorneries de Gandhi déboucheront sur un massacre de
notre communauté par les musulmans. Par-dessus le marché, je soutiens que le Congrès reste l'organisation des
élites et des gens instruits, où les masses ne figurent pas.
Les Indes s'acheminent vers l'anarchie, non vers la liberté,
et je refuse de m'associer à cette histoire de filer à la
main – une absurdité qui nous mènera à notre perte. »

» Mon père, ajouta Sam avec regret, est un homme
complètement déboussolé. Il a beau mépriser l'argent, il

---

1. Ascète.

estime que son existence d'homme d'affaires est au-dessus de ça. Il a l'arrogance intellectuelle des Indiens de haute caste, qui peut être extrêmement déplaisante. Voilà un homme qui n'a jamais mis les pieds dans un village, ce qui ne l'empêche pas de déblatérer, assis dans la saleté d'un ashram, sur la cérébralité des Indiens, leur inaptitude aux travaux manuels, sans songer aux millions de ceux qui sont et ne seront jamais autre chose que des paysans. À l'en croire, l'avenir serait dans les usines : il faudrait développer l'industrie textile sur une grande échelle. Pour reprendre sa diatribe : « Les Britanniques nous ont donné la démocratie, un système judiciaire indépendant, des canaux d'irrigation, des routes, des chemins de fer, des latrines pourvues de chasse d'eau, mais le Raj est économiquement incompétent. Les Britanniques sont venus piller et se sont incrustés pour faire du commerce, ils n'ont toujours pas compris la nécessité d'éduquer les masses. »

» Je suis resté avec mon père, poursuivit Sam avec lassitude, dans une cabane qui sentait le moisi, l'écoutant discuter et se disputer avec ses amis toute la nuit. De temps en temps, il regardait autour de lui l'air complètement désarçonné : « Pourquoi ne sommes-nous pas aussi riches qu'à l'époque de l'Empire moghol ? Pourquoi sommes-nous à la traîne ? Ce n'est pas parce que nous avons financé la révolution industrielle britannique, ni parce qu'il fait trop chaud, ni parce que nous sommes un pays de fainéants. Alors qu'est-ce qui empêche les Indes de retrouver leur splendeur ? » Comme personne n'avait la réponse, cela signifiait que nous n'allions pas couper à son histoire personnelle. « Depuis l'âge de quinze ans, a-t-il commencé, j'ai refusé de consolider mes affaires par une association avec les grandes maisons de commerce des Indes, les Birla ou les Tata. Au lieu de quoi, j'ai brisé le monopole anglais sur le coton et le jute, tranquillement et obstinément, négociant en catimini avec les maharajas. Puis, lorsque les fortunes ont quadruplé grâce aux besoins en textile provoqués par la guerre, j'ai investi mon argent dans l'achat de fusils. Du coton en échange d'armes. Pour l'amour du ciel, il y a un bon bout de temps que notre coton – de meilleure qualité que tous les autres – a transformé l'habillement des Européens. Ils portaient des culottes en tissu rêche, raide, gaufré, avant que le coton indien n'introduise beauté, couleurs et souplesse. Nous étions de grands fabricants : on se disputait les étoffes indiennes. Alors, grand Dieu, que s'est-il passé pour que la plupart de nos compatriotes soient vêtus de coton fabriqué à Manchester ? » Il a été interrompu par un des participants dont la remarque l'a exaspéré : « Ce ne sera jamais respectable de gagner de l'argent aux Indes, Hari, crois-moi. N'oublions pas qu'à l'époque des Moghols, la famine sévissait du nord au sud. La solution n'est vraiment pas de tisser à la main. Nous devons nous procurer de nouvelles machines et nous servir de teintures locales, non des chimiques en provenance d'Allemagne. Nous devons nous intéresser au Japon, où l'on trouve des moyens de redéfinir la classe des commerçants. Je vous garantis que c'est ce pays qui nous tirera hors de l'eau, non les Britanniques. » L'allusion à la menace japonaise a poussé mon père se taire, en suçotant son cigarillo.

» Puis il s'en est pris à moi : « Et qu'as-tu à dire toi qui écoutes des vieillards dans ton coin, sans te mouiller – toujours au milieu, toujours neutre ? »

» Lorsqu'il m'agressait de la sorte, les autres, mal à l'aise, battaient en retraite, et nous ne tardions pas à nous retrouver tous les deux tandis que le vent mugissait dehors. Il a une manière déplaisante de passer de la politique au personnel et d'aborder tous les sujets qui ont le don de m'exaspérer. Ce soir-là, il n'a pas mâché ses mots : « Ton alliance avec le colonel Pendleton m'a presque coûté ma réputation.

» – Je ne suis pas allié au colonel Pendleton.

» – La visite que tu lui as rendue après l'incendie du train était une erreur tactique d'une extrême gravité.

» – Je l'ai fait parce qu'il me l'avait demandé. Vu que j'étais compromis en un sens, je n'ai pas voulu refuser.

» – Comment peux-tu être aussi aveugle ? – Il a commencé à bafouiller. – C'est inadmissible d'y être allé à un moment pareil, après ce qui s'était passé.

» – Je n'étais pas au courant des événements de Rawalpindi.

» – Il n'empêche que de te rendre chez les Britanniques,

qui cherchaient à te soutirer des informations, a fait très mauvaise impression.

» – Je ne leur en ai fourni aucune. N'oublions pas que tes activités ont tué beaucoup de gens. Je l'ignorais, mais tu étais impliqué dans les représailles et directement responsable de la façon grotesque dont cet homme a été assassiné dans le champ de piments.

» – Je n'étais pas impliqué.

» – Tu parles ! On reconnaît ta trace.

» – Je proteste. On ne m'avait pas prévenu. Ils n'ont eu que ce qu'ils méritaient, tous autant qu'ils sont. Ça me dégoûte que tu n'aies pas assez de sens de l'honneur pour réaliser que les représailles étaient nécessaires.

» – La vengeance me révolte.

» – Moi, c'est la lâcheté. Même si ton copain Pendleton ne t'a pas ligoté à un arbre ni arraché les ongles, il n'en voulait pas moins des renseignements – sur moi et ceux avec qui j'étais associé. Cette entrevue avec lui a scellé ton sort et le mien. Il sait qu'il ne peut te ramener dans le giron des Britanniques. Tu as perdu ton immunité, moi aussi, mais Dieu sait quelle est ta position dans tout cela.

» – Je la connais. Quant à Pendleton, il sait que je ne participe pas à tes activités.

» – Il sait aussi que tu ne te rangeras pas du côté des Anglais contre nous. Ne comprends-tu pas que tu n'as plus d'autre choix que de changer de camp.

» – Ce n'est pas la peine puisque je n'ai jamais pris parti. C'est un de tes petits jeux de toujours : changer de camp ou le feindre, aimer les Anglais puis en être déçu, jouer sur les deux tableaux. La vie m'a donné les deux côtés. Je n'ai jamais eu tes illusions, je les ai perdues à Eton. Je ne m'associerai pas davantage avec toi qu'avec eux ou avec Gandhi. Le pacifisme de ce dernier génère une violence religieuse que les Anglais exploitent sous notre nez. Je ne m'engagerai pas dans cette voie. Mais je ne considère pas que refuser l'activisme violent fait de moi un lâche.

» – Neutralité rime avec lâcheté. Regarde la violence des événements du Pendjab. Les atrocités que commettent les musulmans : massacres, émeutes, conversions forcées des hindous. Les Britanniques vont bientôt imposer la loi martiale à tout le pays, ce qui marquera le début de la véritable sauvagerie. Puis-je te demander quelle sera alors ta position ? »

» Je lui ai rappelé qu'il avait voulu par-dessus tout que je sois un Anglais. Il souhaitait maintenant que je poignarde les Britanniques dans le dos à la première occasion. « Je ne pense qu'à leur départ, lui ai-je dit. Et je trouverai un rôle à jouer pour que cela arrive. Faire sauter des postes de police remplis de Pendjabis n'est pas un bon moyen, et mettre le feu à des hommes en uniforme kaki pour les encourager à passer de ton côté ne me paraît pas d'une grande noblesse. »

» – On t'en a déjà attribué un, a-t-il rétorqué tristement. En fait, tu as cru aux idéaux de la civilisation et pensé que tu pouvais le vivre jusqu'au bout. Eh bien, les Anglais t'ont fourni l'occasion de moucharder sur tes compatriotes. Tu as refusé. Tu ne t'en tireras pas. Tu es pour ou contre eux. Dans les deux cas de figure, tu seras toujours un singe en complet – à rayures – ou en blouse blanche, le résultat est le même. À ton sourire, je constate que tu n'as aucune illusion là-dessus. Les Britanniques commencent à montrer leur vrai visage aux Indes. S'ils savent forger un homme, ils savent encore mieux le briser. En ce moment précis, des centaines de nos compatriotes, sont enfermés dans des geôles et des caves et torturés selon une méthode propre aux Britanniques. Un corps brun leur inspire un mépris glacial ; pour eux la noirceur est synonyme de sous-humanité, d'où la dextérité et la cruelle précision avec lesquelles ils torturent un nègre, faisant fi de toute humanité. « Leur truc, c'est d'aller en prison. Eh bien nous allons leur en donner pour leur argent quand nous les rosserons », ai-je entendu un officier fulminer. Samresh, il est trop tard pour choisir un camp : on l'a choisi pour toi parce que tu es mon fils.

» Rien n'est plus épuisant, conclut Sam avec douceur, que de parler à mon père ou plutôt de l'écouter. À la fin, on a la sensation d'avoir effectué dix rounds sur un ring. Les paroles que je lui adresse ne signifient rien pour lui.

J'en arrive à courber l'échine sous les insultes personnelles et à lui dire que sa façon d'exercer son propre pouvoir, de s'en servir pour brutaliser, le rend plus semblable aux Anglais que je ne le suis. Alors, il m'agresse : « C'est ainsi que tu me parles maintenant. Malgré ton éducation qui est hors de ma portée. N'as-tu pas honte ? Voici comment tu t'en prends à moi quand je te demande de me respecter, moi qui ai honoré ta femme ? C'est moi qui ai vengé sa mort pendant que tu recousais des musulmans à l'hôpital. »

Je voyais les sombres saillies que dessinaient ses vertèbres. Posant ma joue sur sa colonne vertébrale, je le sentis frissonner. Sans se retourner, il ajouta :

— Mon père me met en rage, tant par son agressivité que par ses obsessions. Je n'ai jamais été capable de m'entendre avec lui, maintenant moins que jamais. C'est la raison pour laquelle je tenais à ce que tu le rencontres, que tu le connaisses un peu avant qu'il ne soit trop tard. On va l'arrêter ou le pendre avec d'autres sur la route d'Amritsar, ou l'attacher à la bouche d'un canon à la manière anglaise d'autrefois. Il en est conscient. Il refuse de s'arrêter. Il a la ferme intention de tailler en pièces un Empire ignominieux qu'il admirait plus que tout. Il ne comprend simplement pas que, plus il les hait, plus il demeure à leur botte.

Je lui massai le dos :

— Pourquoi as-tu envie que j'aille le voir avec toi alors qu'il est dans cet état d'esprit ?

— Tu trouves ça ridicule. Je crois que c'est une façon d'essayer de le confondre, de lui montrer que je suis capable de tracer mon propre sillon. Tu as raison, ce n'est vraiment pas le moment. Il ne parvient pas à dissocier la question raciale de la morale, en quoi il est très anglais.

Je l'avais écouté presque sans l'interrompre, tout en pensant que le changement amorcé par la mort de Nalini s'approfondissait. Le temps qu'il avait passé auprès de Pendleton, qu'il n'avait pas évoqué, l'avait poussé du côté indien, quelle que soit sa résistance à prendre parti. Il resta debout toute la nuit à marcher et à fumer; le matin, il fut très tendre avec moi :

— Tu m'aides, m'assura-t-il, à cesser de ressasser. Je pense trop.

L'intimité de ces journées, toujours si courtes et indiciblement poignantes, m'incita à tout lui raconter. Lorsque je lui décrivis la réaction de Mère, je le dévisageai et remarquai une petite contraction autour de ses yeux. Il eut beau ne faire aucun commentaire, je savais qu'il se sentait trahi. Une opinion que je ne partageais pas. Je crois qu'elle s'était vraiment efforcée d'accepter ce que nous faisions, sans y réussir.

Quand je lui parlai du type qui me suivait, il concassait des grains de poivre, assis à la table.

— Tu ne m'as pas tout dit, constata-t-il calmement.

— Il n'y a rien d'autre. Il me semble parfois que c'est le fruit de mon imagination. Je n'ai pas vraiment vu quelqu'un, il s'agit davantage d'une sensation. J'aurais dû le garder pour moi.

Après un long silence, il lança :

— C'est Neville.

— Non, sûrement pas. J'en ai la certitude parce qu'il ne peut pas revenir de la frontière. Il n'a pas droit à une nouvelle permission. L'armée ne le laissera pas partir. De toute façon, je le reconnaîtrais.

Il leva les yeux :

— En tout cas, cela n'a aucun rapport avec Gloria.

Les épaules détendues, il repoussa ses cheveux d'une main, tout en continuant de concasser le poivre sur le marbre de l'autre, réduisant les grains en poudre. Il étala une rangée de piments verts, qu'il épépina et coupa avant de hacher l'ail avec son habileté chirurgicale. Puis il me sourit, se pencha et embrassa le sommet de mon crâne.

— Nous devrions chercher quelqu'un qui mène une petite enquête, tu ne crois pas?

Il avait la voix chaude et pleine d'amour des moments où il n'est pas sous tension. Du coup, je compris que mon appréhension de me confier à lui, que mon souci de le protéger ne rimaient à rien. Il avait employé le pronom *nous* intentionnellement. Il avait beaucoup de délicatesse dès qu'il s'agissait de prendre en charge, d'imposer une solution ou d'être unilatéral dans les affaires d'autrui. Au bout du compte, c'était à moi de prendre une décision à propos de ce type. Cela me plaisait beaucoup.

Tôt un matin, nous traversâmes les bouquets d'arbres en lisière des collines et tombâmes sur ce qui ressemblait à un sentier. Après une heure de marche, nous découvrîmes les ruines d'un temple magnifique, entourées de banyans. De gigantesques racines s'étaient frayé un passage à travers l'enceinte extérieure et installées au centre du temple. Les murs étaient envahis de lichen et de mauvaises herbes. Les colonnes étaient effondrées ou ployaient sous le poids des racines luisantes et marbrées. Les frises de danseurs célestes avaient été arrachées, tandis que les pierres du remblai écroulé s'effritaient. Le temps avait épargné une des belles tours ajourées, vierge de toute invasion, dont chaque pierre était disposée avec la même symétrie que des siècles auparavant. Comme nous aimions tous les deux les ruines, nous restâmes des heures, en silence, à écouter le passé dans le souffle du vent.

Une brume épaisse se levait. Nous retournâmes vers la rivière au bord de laquelle nous aimions nous asseoir, et où nous aimions nager. Le calme régnait. Il n'y avait ni baigneurs, ni femmes tapant du linge sur les rochers, ni enfants en train de lancer des cailloux. Les fleuves reléguaient la mer de Porthcawl dans un passé lointain, alors que je croyais qu'elle surpasserait toujours à mes yeux n'importe quelle étendue d'eau. Ici, ils sont immuables dans leur amplitude, leur souffle, la beauté sereine de la vie qu'ils font éclore autour d'eux. Ce sont les artères qui gardent la terre verdoyante, les affluents et canaux d'irrigations fécondant un pays toujours au bord de la sécheresse et de la famine. Les orchidées et les hibiscus asphyxient le sol noir des vallées tropicales. Du gibier d'eau descend en piqué. Des perroquets et des tourterelles jacassent dans les mûriers, tandis que des nuées de cormorans font onduler l'air miroitant. Nous aimions nous asseoir près d'un petit sanctuaire et regarder danser les fleurs rouges sur l'eau brune. Une cigogne à col noir avance à pas feutrés dans les roseaux. Un batelier en pantalon bleu lève la main, puis continue à naviguer avec sa perche. Si proche que soit la fin de ces quelques jours ensemble, elle ne gâche pas la paix idyllique du moment.

19

Tout était plongé dans le silence, comme à l'ordinaire à deux heures du matin, fût-ce à Delhi. D'abord je crus qu'il pleuvait, ou que l'institutrice anglaise du deuxième étage s'était levée et, marchant au-dessus de moi, se préparait une tasse de thé ou parlait à son chat. Le vent soufflait. J'entendis un léger frottement qui me tracassa parce que nous avions eu des souris lorsqu'il avait commencé à faire froid. Une à deux heures auparavant, des voix m'étaient parvenues de la rue : la maîtresse d'école, de retour d'un dîner ou du théâtre, bavardait avec ses amis. Au loin, les derniers trams retournaient au dépôt. Par intermittence, des rafales balayaient les briques, fouettaient les vitres, puis un silence absolu s'étirait indéfiniment. Incapable de dormir, je songeai à me lever pour travailler. Inscrite à un cours sur les maladies infectieuses, j'avais tant de choses à apprendre – dans des livres en provenance d'Angleterre, d'Europe et des facultés de médecine des Indes, sans compter les expériences de labo à venir – que j'étais submergée.

Toujours couchée, je pris soudain clairement conscience de mon isolement. Ici, dans cette chambre, ma vie était coupée de tout contact humain, consacrée uniquement à l'étude. À moins que je ne rêve du passé ou d'un éventuel avenir ; cela n'arrivait que lorsque j'osais me souvenir ou me projeter. Or je m'efforçais de l'éviter, me bornant à travailler, à bourrer mon emploi du temps de cours exigeants, d'expériences en labo, de conférences supplémentaires, d'exercices de dissection de cadavres. Incapable de fermer l'œil malgré ma fatigue, je sortis de mon lit et, sans crier gare, je lui rentrai dedans. Une main se tend, m'attrapant par les cheveux, dont je lui laisse une poignée quand je me mets à courir. L'autre main s'empare du haut de mon bras et le tord derrière mon dos, comme une brute. Si seulement je parvenais à monter sur le toit puis à descendre par le petit passage qui longe Queen's Mansion et débouche sur Lancaster Road ou à atteindre le mur qui sépare le logement de Joseph du mien pour y tambouriner ! Mais il m'est impossible de bouger d'un centimètre. Je refuse de hurler. J'essaie de mordre la main qui me tire la tête jusqu'à mon épaule gauche. En vain, elle resserre sa prise. Je m'efforce de me servir de mes jambes. Peine perdue, il anticipe ma tentative et donne un coup de pied derrière mes genoux.

Je ne vois toujours pas son visage. Debout dans mon dos, il ne dit rien et ne donne pas l'impression de respirer. Au fond de moi, j'ai la certitude qu'il ne s'agit pas de la personne qui m'observait dans le jardin de Delaware Street. En revanche, je suis sûre que c'est un soldat, un homme sachant s'approcher d'un adversaire à pas de loup, le traquer dans une jungle infestée de sangsues, de maladies, de bêtes sauvages, et le tuer sans un battement de paupières. Un homme capable de planter une baïonnette dans une poitrine aussi facilement que de trancher la tête d'un cobra ou d'incendier une bicoque pleine d'enfants. Un homme qui obéit aux ordres parce que ceux-ci le dédouanent. Les paroles de Neville me reviennent en mémoire, de même que l'odeur de l'océan le jour où il les avait prononcées : « J'aime tuer, je suis doué pour ça. Je le fais depuis que je me suis enfui à seize ans pour m'enrôler comme trompettiste dans l'artillerie royale. Mes ancêtres ont tous été soldats, des hommes avec du sang sur les mains, des tueurs professionnels... »

Il approche son visage de ma joue :

– Il vaudrait mieux céder. Maintenant que je t'ai, je ne te laisserai pas filer.

Je sens son haleine chaude ; la proximité me révulse. Je ferme les yeux, bloquant mes sensations. Il me tire les cheveux. Il les tord. Je suis forcée d'aller où il m'entraîne. Nous sortons du bureau. Nous entrons dans la chambre. Je regarde les draps qui pendent sur les côtés du grand lit, l'éclat de la courtepointe écarlate piquetée de points noirs, le petit tapis rouge par terre où mes pieds se sont posés un instant auparavant, en me demandant si je les reverrai jamais ou si l'image de cette pièce austère, solitaire et silencieuse s'évanouira avec le couteau qu'il plongera dans mon cœur. La main lâche mes cheveux avant de me pousser violemment. Ma hanche cogne le pied en fer forgé du lit, et je m'effondre. Il traverse lentement la chambre. À présent je le vois très bien, mon soldat de mari, mon amant du voyage aller, mon billet pour les Indes. Pliant les genoux, il s'accroupit devant moi à la manière d'un indigène : les pieds nus, le corps légèrement renversé en arrière :

– Pourquoi m'as-tu épousé, alors que ta mère et toi me méprisiez ?

– Je ne te connaissais pas assez pour te mépriser, maintenant si.

C'est de la folie de le provoquer, mais cela m'est égal : je veux en finir comme si je ne pouvais imaginer aucune autre solution en ce moment précis. Il se penche un peu en avant :

– Je crois qu'il serait possible de te convaincre de m'aimer à nouveau, non ? – Il sourit. – Même si tu as été souillée.

La lueur de la lampe balaye le lit et tombe à nos pieds. Il y a quelque chose de terrifiant dans son visage sombre aux paupières lourdes. Les traits émaciés sont empreints d'une haine sourde qui remonte à beaucoup plus loin qu'à l'époque de notre rencontre.

– Quelquefois, reprend-il, nous capturons des femmes sur la frontière du Nord-Ouest, des Pathanes ou des Afridis – ça nous coûterait nos couilles – des femmes d'autres tribus, celles qui sont le moins protégées. On les baise pour goûter à la chair noire, aux seins aux tétons violets, aux cheveux emmêlés. Rien que par curiosité, on leur écarte les jambes et le sexe. Mais tu connais tout ça, pas vrai ? – Il me lance un regard dégoûté. – Sauf que, contrairement à toi, on ne peut pas les traiter n'importe comment, ce serait trop dangereux parce qu'un Pathan fera n'importe quoi pour venger le moindre manque de respect envers sa femme : un coup d'œil, un homme qui s'attarde en lisière d'un champ et tourne la tête pour regarder... L'ancien code qu'ils suivent est bien mieux que nos lois : la vengeance brutale. Quand cela concerne l'honneur d'une femme, ils l'appellent *tor*, ça signifie noir. – Neville ricane. – C'est plutôt extraordinaire, non ? Vois-tu, seul le sang lave la honte.

Les yeux sur mon visage, il ne change pas de position.

– Ils sont très protecteurs, comprends-tu, envers les femmes qu'ils chérissent.

Il sort un petit couteau, dont il déplie lentement la lame jusqu'à ce qu'elle soit ouverte dans sa main. Il l'approche de ma figure, de ma joue avant de la retourner du côté tranchant, posant l'acier sur ma peau, sous mes yeux, juste en dessous de mes cils.

– Je ne vais pas te faire ce qu'ils font, chuchote-t-il. Je ne suis pas un sauvage, d'autant que, selon leur coutume, ce devrait être ton plus proche parent qui te tue, ton père ou ton frère Jack. Vu qu'aucun n'est ici, c'est pas pratique, hein ?

Neville soulève mes paupières et déplace la pointe de son couteau au niveau de mon œil.

Peut-être que la terreur me rend folle. En tout cas, je dois parler, tenter n'importe quoi pour me soustraire au métal qui menace mon globe oculaire :

– D'après ce que tu m'as raconté, ton père admirait beaucoup les Afridis, toi aussi apparemment.

Il est stupéfait par ma phrase, qui le ramène à notre passé commun, aux conversations nocturnes lors de la traversée en bateau, au voyage en train dans les provinces au cours duquel il m'avait brossé les cheveux. Il s'écarte. Je recommence à respirer.

– Des Pathans, lâche-t-il avec nostalgie, ont combattu pour nous pendant la guerre. Seuls des hommes de cette trempe ont été capables de sourire à Passendale ou à Gallipoli. Seuls des hommes de cette trempe ont été capables d'en rire à leur retour au pays : dix mille Feringhis prêts à mourir pour quelques misérables arpents de terre. Ça les a énormément amusés. Le sauvage fait bien les choses, d'accord. L'armée est devenue molle. Le prix du sang...

Avec un sourire, Neville s'entaille le bras avec la lame.

– Le prix du sang a trait à l'honneur.

Le sien ruisselle. Instinctivement, je bouge et attrape un drap, que je déchire pour en faire un garrot afin d'arrêter le sang qui inonde sa main et le plancher. Il n'y jette même pas un coup d'œil.

– Eh bien, voila le médecin, ironise-t-il. Sans aucun doute, tu pourrais soigner mes blessures. Comme c'est touchant de ta part d'y penser en ce moment, sauf que c'est ton sang qui nous intéresse : le tien et le sien. L'armée s'occupera du sien, ça ne pose aucun problème; vu que son père s'est jeté dans la gueule du loup, il ne reste que toi.

Il se penche sur mon visage, sourit lorsque je tourne brusquement ma tête d'un côté et murmure d'un ton doucereux :

– Comment as-tu pu me faire ça? Me tromper ainsi? Je t'aurais accordé plus de liberté que la plupart des hommes, je ne t'aurais pas cassé les pieds, mais tu n'es pas fichue de le comprendre, hein? Tu crois que tu peux mener ta propre vie, agir comme bon te semble.

Je sens la pointe froide de la lame sous mon œil, et, reprise d'un accès de folie, je m'entends lui lancer :

– Toi, tu as pourtant estimé que tu pouvais faire ce que tu voulais avec une jeune musulmane au point de compromettre son honneur et même sa vie! Évidemment, pour toi, la situation est différente et tu t'en tires à bon compte...

Je remarque son trouble, auquel succède une colère qui lui empourpre le visage, contracte sa mâchoire et relève son menton en une saccade grotesque.

– Elle est venue me voir, ajouté-je. On lui a tranché les mains.

– La connasse!

Sous l'effet de la panique, je transpire. Je regarde le couteau. Malgré sa longueur, son impitoyable tranchant, il ne parviendrait pas, n'est-ce pas, à couper des muscles et des os ? Au bord de la syncope, je grelotte, tandis que je me rappelle que son père – à l'instar des Pathans – aimait prendre son temps pour taillader un membre, séparant un os du muscle et des tendons, lentement, par petites étapes. Une image du poignet s'impose à moi. Je me représente l'emplacement des os, et la terreur me fait perdre la raison. Devinant mes pensées, il reprend la parole avec un sourire :

– Mon ordonnance, qui se trouve dehors, pourrait me fournir une arme plus appropriée...

Comme je me relève avec difficulté, il se met debout et, avant que je ne parvienne à trouver un équilibre, me donne un coup de poing dans la mâchoire comme si j'étais un homme.

Lorsque je reprends connaissance, il est toujours là, accroupi par terre, le couteau à la main. Incapable de le regarder, je coince mes mains sous mes aisselles pour qu'elles cessent de trembler. L'eau qu'il m'a jetée se mélange à son sang sur le plancher. La couleur blanche du drap qui recouvre la flaque a viré au rose.

– Ça fait un bail que j'attends de te revoir, susurre-t-il. D'après un vieux proverbe pathan, la vengeance est un plat qui se mange froid. J'ai donc pris mon mal en patience et t'ai fait suivre jusqu'à ce que je connaisse le moindre de tes mouvements depuis ton arrivée à Delhi. Croyais-tu qu'une nouvelle tenue vestimentaire te cacherait ? Ne t'es-tu jamais doutée que quelqu'un t'épiait où que tu ailles ? Fouille un peu dans ta mémoire. La scène avec les deux soldats à la gare, tu t'en souviens ? Le bateau romantique sur le lac Dal, toutes les fois où tu te croyais seule, lovée dans une étreinte noire ? Toutes les nuits où tu t'imaginais coupée du monde, tu te rappelles ? Figure-toi que tes cris franchissaient le lac et parvenaient à un Pathan qui, assis dans l'obscurité, écoutait tes accouplements et fumait en souriant. Il t'a pistée jour et nuit. Quand tu grimpais la colline à cheval, quand tu marchais dans ton jardin de Delaware Street, quand tu te promenais dans la rue de Peshawar, quand tu partais à l'hôpital et en revenais, quand tu te baladais avec cette traînée voilée, il ne te lâchait pas des yeux. Il est loyal à ce point. Il mourrait pour moi. Et moi pour lui. Ainsi, j'étais avec toi en permanence ; je ne t'ai jamais quittée et, quel que soit le moment où je lui en aurais donné l'ordre, il aurait brisé ta jolie nuque ou tranché la gorge de ton amant nègre lorsqu'il dormait à tes côtés. Tu te souviens de lui, n'est-ce pas ? Mon ordonnance. Vous n'avez jamais accroché, tous les deux, pas vrai ?

– Je me rappelle qu'il t'habillait le matin.

Neville se rapproche, centimètre par centimètre. Puis il se penche en arrière et m'observe. Il place à nouveau le couteau sur ma figure, l'examine avant de le faire lentement remonter comme s'il me rasait les joues. Il s'arrête juste au-dessous de mon œil droit. D'un coup analogue au jaillissement d'une flamme, la lame entaille et s'enfonce. Un geyser de sang me remplit l'œil, m'aveugle, ruisselle sur ma joue, coule en gouttes écarlates sur ma chemise de nuit blanche.

– Je n'en ai pas encore fini avec toi, lance-t-il avec désinvolture par-dessus son épaule avant de claquer la porte.

Lorsque Joseph m'apporte le thé le lendemain matin, je suis assise bien droite dans mon lit. À peine m'a-t-il lancé un regard qu'il laisse presque tomber le plateau. Il se fige, secoué de tremblements, puis réussit à atteindre la table où il pose le plateau avec fracas. Il se précipite vers moi en se tordant les mains. Il se courbe en poussant d'étranges gémissements. Je pose ma main sur le lit et tapote l'endroit où il doit s'asseoir. Il ne le peut pas. Il se contente de trembler près de moi, le visage inondé de larmes. Il me regarde, ne me regarde plus, me regarde à nouveau, jusqu'à ce qu'il découvre par terre le drap et la flaque de sang. Il murmure :

– Qu'est-ce qui s'est passé, mem ? Qui a fait ça ?

Je le fixe. Il écarquille les yeux lorsqu'il comprend. Il s'approche davantage du lit, me prend la main et la remet sous la courtepointe, qu'il tire tendrement sur moi, me bordant jusqu'à ce que je sois couverte. Je cesse de grelotter. Aucun de nous deux, moi assise, lui debout, ne prononce une parole.

Sur ma joue, sous mon œil, un épais tampon carré en gaze a absorbé le flot de sang. Saturé, il sèche en formant des taches noires. Le souffle court, Joseph en soulève très soigneusement le bord. Il prend une inspiration et se redresse.
 — Permettez-moi de me rendre à l'hôpital, mem.
Je m'empare de sa main :
 — En aucun cas.
On dirait que ma voix vient du fond d'un puits.
 — Nous ne pouvons aller nulle part. Son limier est devant notre porte.
Joseph me dévisage, puis détourne les yeux, les lèvres tremblantes :
 — Mem, mon cœur est brisé.
Il revient avec une tasse de thé au lait. Il met sa main droite sur ma nuque et, de sa gauche aussi ferme qu'un roc, il porte la tasse à ma bouche. Je bois à petites gorgées comme une communiante.
 — Rien qu'un peu, mem, recommande-t-il précipitamment. Avalez du côté gauche, où bouche pas cassée.
Tandis que je lui obéis, il murmure tristement :
 — Comme j'ai pu dormir ? Comment ne pas me réveiller ? Comment c'est possible ?
Quittant la pièce pour se ressaisir, il revient avec un bol d'eau chaude et du coton hydrophile. Il commence doucement à nettoyer ma joue, sans toucher l'œil en piteux état. Je parviens à peine à respirer quand l'ouate effleure ma peau autour des pommettes. Une fois mon visage propre, il sort mes mains du couvre-lit pour les laver aussi. Au début, je refuse de desserrer le poing sans savoir pourquoi. Il déplie lentement mes doigts. Mes cils se trouvent au creux de ma paume, alignés en une rangée – on dirait un mille-pattes tombé d'un arbre.

À la tombée de la nuit, Joseph revint m'aider à dîner. Il me nourrit à la cuillère, versant de la soupe dans ma bouche cassée dont il essuyait les bords avec soin. Il me tendit des petites mouillettes de pain blanc moelleux. Puis il mit le plateau de côté.

– Assieds-toi, Joseph, lui dis-je.

Après s'être perché au bord du lit, il changea d'avis et s'accroupit sur le tapis, levant les yeux vers moi, son visage d'une pâleur inquiétante. D'une voix calme, je poursuivis : ·

– Réfléchissons à la situation, Joseph. Le Pathan de Neville surveille la maison. Si tu regardes par la fenêtre, tu le verras sur la droite, sous les arbres. Je ne peux aller voir la police. Neville est mon mari, à l'en croire il est libre d'agir à sa guise, et il a sans doute raison. Je ne peux pas aller à l'hôpital, ni même essayer d'appeler une ambulance. En fait, je ne peux aller nulle part. Il est exclu de nettoyer mon visage couvert de contusions parce que la gaze s'arrachera et que cela se remettra à saigner. Il y a bien la burka pour me dissimuler, sauf qu'elle m'empêcherait de me déplacer seule, même si je parvenais à sortir d'ici. Il sait tout. Il m'épie depuis notre arrivée.

J'avais passé en revue toutes les possibilités ; je recommençai avec Joseph.

– Nous pourrions nous échapper par le petit passage à l'arrière. Neville est sans doute entré par le mur du fond et monté par l'escalier d'incendie, mais il a sûrement remarqué qu'il y une sortie par la ruelle. Ou descendre par l'escalier d'incendie, mais le Pathan nous attraperait au pied. C'est impossible, gémis-je, incapable de pleurer.

– Mem, si je sortais par la porte d'entrée, il me suivrait et vous vous enfuiriez par-derrière.

– Nous devons partir ensemble puisque je dois mettre la burka. Il faut que tu viennes à la gare avec moi. Ensuite, nous nous séparerons, nous ne prendrons pas le même train. Nous disparaîtrons tous les deux pendant un certain temps.

Dehors, les tourterelles roucoulaient tristement – un son synonyme de paix et de sécurité qui me remémora le point du jour au Pays de Galles. Mon réveil qu'une douce brise accompagnait alors que j'attendais que Milly m'apporte le thé, tire mon édredon, m'encourage à aller prendre le petit déjeuner. La fragrance du lilas de Mère flottant du jardin. Le vert tendre des collines basses. La voie de chemin de fer qui serpentait dans la vallée. Les bancs de truites au ventre argenté. Les moutons dans les prairies. Le bruit sur les pavés des godillots des mineurs, qui s'arrêtaient au pub Miner's Arms pour purger leur gorge de la poussière avant de rentrer dîner et dormir chez eux.

Joseph me réveilla au cœur de la nuit :

– Mem, le Pathan dort. Levez-vous tout de suite. Courez.

20

Je tente de lire un article du *Delhi Times*, que le chef de train a apporté dans mon compartiment, mais je relis sans arrêt le même paragraphe, relatant l'explosion d'une bombe à l'opéra de Lahore – un attentat dont le vice-roi s'était tiré de justesse –, la déclaration de l'état d'urgence qui avait succédé à un bain de sang entre hindous et musulmans, la vague d'arrestations massives pour cause de sédition... Je suis incapable d'en retenir quoi que ce soit... Mes mains tremblent, et je ne cesse de m'attendre à voir quelqu'un planté sous les lumières du quai ou dans l'ombre sous l'horloge. J'imagine un visage couvert regardant par la fenêtre ou un couteau lancé vers mon œil. Serrant mon voile noir, j'essaie de me convaincre de me détourner de ce gouffre. Sans succès... Après que Joseph et moi nous fûmes échappés de Queen's Mansion et précipités vers la gare, j'étais montée dans le premier train au départ de Delhi dont la destination était Madras. Je ne connais rien de Madras, si ce n'est que c'est à l'autre bout des Indes, et que c'est là où je veux aller. Joseph prend un train qui le ramène au Pendjab. Mon désespoir de le quitter était si profond que j'avais sangloté derrière ma burka. Et il m'avait regardée, malheureux comme les pierres, sans proférer une parole jusqu'au moment où il avait fini par me pousser :

– Partez maintenant, memsahib, avant que mon cœur se brise à nouveau.

Je tire les stores et ferme la porte à clef. Je souffre

atrocement. Mon esprit est en pleine confusion. J'entends la voix de Neville – un écho qui siffle dans mon cerveau, s'insinuant dans la moindre de mes pensées : « Je n'en ai pas fini avec toi. » Mes doigts tremblent comme ceux d'une fillette, mes dents claquent et mes jambes flageolent tellement que je tomberais si je me levais. Le train s'ébranle. À mesure que le fracas diminue, je m'efforce de laisser ma peur derrière moi, à Delhi, et de croire en la sagesse de Joseph selon qui tout est terminé : Neville ne m'approchera plus jamais car je suis devenue intouchable pour lui. En vain, elle me submerge. Je ressens le besoin impérieux de me cacher, de m'éloigner le plus possible de lui pour ne plus risquer de sentir son haleine sur ma joue. Les heures passent, et je sais que j'ai un peu perdu la raison. Je fouille ma valise, songeant à avaler le chloral qui me plongerait dans le sommeil et l'oubli. J'ai aussi le choix entre le véronal, la digitaline ou un flacon d'herbes chinoises distillées, autant de potions qui me calmeraient. Il n'en est pas question. Si je ne suis pas en permanence sur le qui-vive, une main pourrait passer à travers la vitre, une lame s'ouvrir, du sang jaillir de mon œil... Suis-je aveugle ? Je ne me rappelle pas vraiment ce que le couteau m'a fait. Après quoi mes idées s'éclaircissent sans raison, tandis que mon cœur paraît s'emplir de lumière. Ma peur se dissipe en l'espace d'un instant, ce qui me surprend au-delà de toute explication. J'ai le sentiment qu'il est possible que je sois démente, mais ce que d'aucuns prendraient pour de la folie n'est peut-être qu'un état fébrile analogue à celui provoqué par la tuberculose, ou à une crise de paludisme au cours de laquelle la température grimpe, où l'esprit est tellement libéré que les étoiles basculent dans le soleil et que la lune dort à l'ombre de la terre. Mes souvenirs me hissent sur le toit d'argent de l'Himalaya, puis jusqu'aux petites cavernes où les combattants d'Allah rêvent des vierges du paradis qui les emporteront quand leur corps sera devenu lumière. Je n'en ai qu'un simple aperçu avant que le rideau ne se tire à nouveau et que la nuit de velours ne tombe. Nous n'avons jamais droit à davantage, n'est-ce pas ?

Je me blottis dans le coin du compartiment, barrica-
dée derrière mes bagages; le panier de provisions achetées
par Joseph à des vendeurs sur le quai de Delhi attend le
moment où je recommencerai à pouvoir avaler quelque
chose. Lorsque le chef de train frappe, je lui tends mes
nombreux billets tout en marmonnant qu'il n'y a pas
d'autres voyageurs. Je serre encore plus étroitement mon
voile et me rencogne davantage. Il ne lance qu'un vague
coup d'œil au tissu noir d'une longueur interminable qui
m'enveloppe. Je bouge et dors à peine la nuit. J'ai la sensation d'avoir les yeux grands ouverts, même s'ils sont tous
les deux fermés, même si l'un risque de ne jamais revoir.
Peut-être n'est-il plus qu'un fantasme parce que, aveugle ou
pas, des images défilent derrière lui comme des chauves-
souris au crépuscule. Le visage de Neville. Une lame serrée entre des phalanges. Le sang giclant de son bras, et
répandu sur ma figure...

Le matin, la lumière est aveuglante. Un voyage vers
le sud dans une chaleur mortelle, oscillant sur des rails en
métal brûlant, à une vitesse folle. La douleur du côté droit
de mon visage est insoutenable. Je m'efforce de l'intégrer
à mon corps plutôt que d'en isoler les élancements. Les
cahots du train qui tangue ainsi que la lourde odeur de
suie me donnent la nausée, mais je suis seule, mais je res-
pire. Je ne regarde pas par la fenêtre de la même manière
que lors de mon premier périple, et je ne pense pas non
plus aux Indes de la même manière que la première fois
qu'elles m'avaient interpellée par un staccato dur : *In-dee.*
Elles sont devenues *A-shi-ya,* une sonorité assoupie : une
berceuse, un retour au rythme celte, riche d'une sorte de
paix. Le train glisse lentement dans la chaleur. Le vert
et l'or des rizières étincellent. Un lac submergé offre des
fleurs de lotus. Comme le train freine avant de s'engouf-
frer dans un tunnel, je n'en ai qu'une vision tronquée
cependant qu'il continue de rouler à grande vitesse, traînant rivières, forêts, soucis dans son sillage.

Il fut un temps où prés, rivières et bosquets,
Et tout le spectacle familier de cette terre,

M'apparaissaient
Parés de lumière céleste...[1]

Encore un interminable périple après les jours exquis de Simla. Après le départ de Sam. Après l'affreuse nouvelle. Où se trouve-t-il à présent? N'y pense pas. Il est couché dans un lit à moins qu'il ne traverse les salles d'un hôpital, tenant le bras de quelqu'un, posant sa main sur un front... Joseph va sûrement m'envoyer une lettre. N'y pense pas.

La gentillesse d'un chef de train anglo-indien aux cheveux d'un roux flamboyant et aux yeux verts rend les choses supportables. Bien sûr, la présence d'une femme qu'il prend pour musulmane dans un compartiment vide, aux stores soigneusement tirés jour et nuit, l'intrigue. Une femme qui parle à peine, bouge encore moins, ne lève même pas les yeux chaque fois qu'il gratte à la porte. Il entre avec sa clef :

– Je viens juste vérifier si tout va bien, mademoiselle, dit-il avec un sourire. Alors comme ça vous parlez un peu anglais?

Il remarque un pansement taché de sang; je l'observe derrière ma résille, mais heureusement il ne s'attarde pas. Plus tard, il revient avec un panier de fruits et des serviettes propres :

– Avec les compliments de la compagnie de chemins de fer, mademoiselle.

Je refuse tous les journaux. En revanche, je garde le premier, où figure la nouvelle de l'attentat à la bombe de Lahore. Je voudrais le lire correctement. Pas maintenant. La douleur permanente consume toutes mes forces. La peur d'une éventuelle cécité me met dans un état de nervosité telle que le moindre bruit me fait sauter au plafond, comme si la terreur d'être aveugle amplifiait mon ouïe.

Le chef de train entre en tirant un bloc de glace, qu'il pose à mes pieds.

– Il fait de plus en plus chaud dehors. Si vous avez besoin de quoi que ce soit au prochain arrêt, prévenez-moi.

---

1. Tiré de l'ode de Wordsworth : « Pressentiment d'immortalité venant de la petite enfance ».

Il apporte des draps et propose qu'on fasse mon lit le soir. Sa présence a beau me dérouter, elle me réconforte aussi parce qu'au bout d'heures de solitude, ou d'un jour entier passé assise sur le siège visqueux, j'ai parfois l'impression que mon âme perd le nord et que je risque de m'égarer dans un crépuscule intérieur sans espoir de retour. Lorsqu'il sort du compartiment aujourd'hui, il me demande :

– Aimeriez-vous que je vous apporte un autre oreiller?

Comme je secoue la tête, il s'en va. Je sors mes mains qui sont sous mes cuisses.

J'essaie de tout occulter, comme je l'avais fait pour Neville. Malgré les multiples avertissements de Joseph : « Il vous lâchera pas, mem, il faut pas le sous-estimer. » Et les mises en garde de Mère : « As-tu oublié que tu as un mari ? » L'occultation avait commencé avec la guerre, époque où j'avais tout chassé de mon esprit. La dernière fois, c'était sur la route de Simla où j'avais réussi, des jours durant, à complètement oublier la jeune musulmane. Ce n'était pas une bonne solution, je le savais. J'avais eu ma période freudienne et lu Janet, notamment, l'*État mental des hystériques*. J'en étais même arrivée à la conclusion, ayant passé un bref moment aux urgences à la suite d'une catastrophe, que la souffrance provoquée par un traumatisme chez les femmes et les enfants est identique à l'expérience des soldats brisés par la guerre. Je reconnaissais en moi les symptômes et mécanismes de défense pour les avoir vus chez Gareth. Je pourrais passer des jours dans un état de catatonie, sans recourir à mes sens, étrangère à mon corps, puis la réalité exploserait comme un obus.

Le deuxième matin, dès le lever du soleil, j'ouvris un des stores, relevai la burka et sortis mon miroir. Le sang de mon œil droit, bleu et noir, s'était coagulé en un pointillé noir. J'étalai le journal sur le siège, où je posai une serviette et un haricot en émail. Dans ma trousse de secours, je pris deux petits tampons de coton hydrophile que je trempai dans de l'eau salée. Rassemblant mon courage, j'en appliquai un sous mon œil, sur la peau violette. Je l'y laissai tandis que j'examinais mon visage. Ma mâchoire allait beaucoup mieux. Elle avait dégonflé grâce au mouchoir plein de glace pilée que j'avais appuyé dessus. Je m'étais aussi servie de l'onguent que Sam m'avait donné pour ma cuisse couverte d'ecchymoses après l'incident de la gare. Sous l'action des extraits de violette et d'airelle les traces bleu et mauve s'estompaient rapidement, cédant la place à une teinte grise plus plaisante. Une fois que j'aurais ouvert mon œil, il faudrait qu'il guérisse sans que je le ferme et je ne réussirais pas à dormir. La douleur était intense, semblable à celle que l'on ressent lorsque l'on se déchire un muscle, un ligament ou un tendon. Je tentai de me représenter mon œil sous forme d'un schéma : du nerf optique à la cornée en passant par le cristallin. La perspective d'un dégât irréparable me terrifiait. Comme je laissais le tampon humidifier le sang noir, je me rappelai la façon dont nous avions soigné un homme souffrant d'un œil ulcéré. Nous maintenions celui-ci ouvert quelques minutes en enfonçant une aiguille dans sa joue et en la faisant remonter à son niveau. Il supportait ce traitement hebdomadaire, se calmait en tenant sa souffrance à distance grâce à la respiration. Lorsque je lui avais demandé comment il y parvenait, il avait murmuré : « Je m'adresse à Dieu. »

Étais-je capable de l'imiter ? Je pressai le coton humide sur la paupière fermée et nettoyai doucement le sang coagulé, essayant de séparer ma paupière supérieure de la rigole sanguinolente en dessous. Je dus mordre une lime à ongles pour m'empêcher de hurler. Je continuai à tamponner cette paupière jusqu'à ce qu'elle s'ouvre. Il fallut deux heures et beaucoup de profondes respirations avant qu'une partition ne se produise. Je n'avais plus de paupière inférieure. Elle avait été coupée net. Mon canal lacrymal n'existait plus. Du sang suintait à nouveau d'une longue plaie profonde et ouverte. Mais je voyais ! Je me bouchai l'autre œil pour m'en assurer. Je retrouvai mon souffle. J'éclatai de rire. La douleur, atroce, disparut et, pour la première fois, la morphine ne me tenta pas.

Cette nuit-là, un étrange défilé d'images s'imposa à moi. Des souffrances physiques et psychiques du passé. Une obscurité trouée de gerbes de lumière. Des pensées

profondes. De nouvelles prises de conscience. À l'aube, je
m'essuyai le visage tout en regardant le soleil se lever de
la terre endormie. Pour je ne sais quelle raison, je récupérai le numéro du *Delhi Times*, quelque peu éclaboussé
à force d'avoir servi de table chirurgicale, et relus l'article
sur l'attentat à la bombe de l'opéra de Lahore. Cette fois,
je le terminai. Une liste de suspects arrêtés au motif de
sédition ayant un rapport avec l'attentat figurait à la fin.
Le nom de Sam s'y trouvait.

La peur qui m'envahit tout d'abord était d'une telle
intensité que je crus que je n'y survivrais pas. Puis, je me
mis à grelotter au point que je pensai à une nouvelle crise
de paludisme. Cela me parut durer une éternité. Après
quoi, j'eus l'impression d'entendre une voix me sommer
de descendre du train et de retourner à Rawalpindi. Au
début, je la pris au pied de la lettre, m'imaginant qu'on
me demandait de tirer la sonnette d'alarme afin de sortir sur-le-champ. Mais je ne le fis qu'à l'arrêt suivant. À
Nagpur. Et ce très calmement, sans y accorder la moindre
pensée, mue par un automatisme aussi machinal que la
marche. J'achetai un billet à destination de Rawalpindi,
en passant par Delhi et Lahore. Sans éprouver la moindre panique. Une certitude tranquille avait remplacé ma
peur. Seul m'importait le moyen d'atteindre l'endroit où
je devais me rendre. Je voulais chercher la mère de Sam.
Je savais qu'elle travaillait dans un hôpital réservé aux
femmes de Rawalpindi, que j'étais sûre de trouver. Pendant
le trajet de plusieurs jours, mon œil aurait le temps de
guérir et les ecchymoses de mon visage auraient presque
disparu. J'avais mis un sari en coton rose pâle, bordé d'un
liseré écarlate, que j'adorais. Je l'avais tellement porté que,
sans les plis, on aurait vu à travers. Assis sur le tapis
rouge, Sam avait déclaré : « Même le premier jour, dans ta
robe trempée moulant tes seins, tu as vu à travers moi. »
Couvrant mon visage du voile, je balançai la burka par la
fenêtre : elle dansa dans l'air comme un fantôme avant de
disparaître dans la fumée.

Mon esprit était sorti de sa cage. Du coup, je m'obligeai à me remémorer tout ce que Neville avait dit à pro-

pos de Sam, ce soir-là à Delhi : « On le chopera, et on le jettera en taule. Ce ne sera pas une prison pour politiques. Rien de luxueux. Il sera logé à la même enseigne que les assassins et les voleurs. Il bouffera du riz dégueulasse, boira de l'eau de rivière, chiera dans une cour infecte et cassera des pierres dans la carrière avec d'autres nègres. » Il avait beau m'infliger des tortures réservées aux femmes, il me décrivait avec précision la façon dont on torturait les hommes. Mais existe-t-il une différence d'intensité entre les souffrances et les chagrins que nous subissons ?

Ce fut sur le chemin du retour vers le nord, à proximité de Delhi, quand le train entra dans la gare miteuse d'un trou perdu, que je cessai d'être prudente. J'avais envie de marcher. Mes blessures guérissaient, le voile me couvrait suffisamment, aussi quittai-je le compartiment pour faire quelques pas sur le quai. Je demandai du thé à un homme coiffé d'un turban d'un vert lumineux. Comme je le buvais, je vis du coin de l'œil la silhouette sombre d'un barbu qui, posté à l'autre bout du quai, m'observait. Laissant tomber la tasse, je remontai dans le train. C'était impossible ! J'avais tellement veillé à ne pas bouger de mon compartiment pendant tout ce temps. On ne pouvait m'avoir suivie. Le Pathan dormait lorsque nous étions partis. À nouveau complètement ébranlée, les images revenaient m'obséder. Je repassai mes actions dans ma tête, afin de vérifier si elles avaient modifié ma destinée. J'aurais dû continuer vers le sud. C'était de la folie de remonter au nord. À quoi avais-je pensé ? Il n'y avait plus d'issue. C'était le Pathan. Même si je l'avais à peine aperçu, j'en étais certaine. Puis l'idée s'imposa à moi : j'avais été suivie depuis le moment où nous avions fui l'appartement. Il ne m'avait pas lâchée d'une semelle. Exactement comme auparavant. Il nous avait laissé le champ libre et prenait simplement son temps. Je me sentais tellement idiote que j'en aurais pleuré.

Je résolus de m'en débarrasser coûte que coûte. Delhi était le prochain arrêt. Pour rattraper son retard, le train oscillait dans les tournants et s'approchait des ponts à une vitesse terrifiante. À l'évidence, le Pathan savait parfaitement dans quel compartiment je me trouvais. L'envie de sauter me taraudait. Du train, lorsqu'il ralentissait avant un tunnel. Du toit dans les rizières. D'une porte ouverte dans le fleuve. En fin de compte, la seule solution, c'était de mettre des vêtements européens, d'aller en première classe et d'attendre notre arrivée à Delhi pour sauter.

21

Je vis une ambulance, deux ordonnances, une infirmière vêtue de blanc. J'eus envie de courir. Cela ne rimait
à rien puisque les deux militaires s'avançaient déjà vers
moi. Mon esprit se bloqua tandis que je me revoyais sur
le plancher éclaboussé de sang, avec Neville accroupi en
face de moi. Le contenu précis de ses menaces me revint
en mémoire comme si je les entendais pour la première
fois :
    – Je vais te faire enfermer, sans aucun problème. Il
existe un lieu pour les femmes qui se conduisent mal,
baptisé Ranchi. Peut-être que ton amant t'en a parlé, sauf
qu'il n'y est plus maintenant, pas ? Dommage. Ranchi est
situé dans la plus lamentable province de la planète, un
dépotoir appelé Bihar, où sévissent la poussière et les
mouches, où les gens vivent dans des masures, survivent
en se nourrissant de rats et de sauterelles.
    Il s'était approché de moi pour chuchoter :
    – Il suffit d'une signature pour te faire interner défi-
nitivement, celle du toubib militaire : ce sera facile comme
bonjour parce que c'est un pote à moi, nommé Lawson. Il
m'a soigné deux fois pour la chaude-pisse. Il signe pour
confirmer que t'as une araignée dans le plafond ; je signe
à côté et le tour est joué. Te voilà avec les cinglés derrière
des portes closes. Point final.
    Lorsque j'avais protesté que c'était impossible sans
preuves, il avait souri :
    – Mais on en a, non ? Lawson a simplement besoin

qu'on lui confirme que t'as eu une petite crise de démence ou de violence, ça lui suffira. T'as l'air troublée. T'es pas aussi futée que tu voulais le faire croire, hein ? – Il avait pris une voix doucereuse. – Tu vois cette égratignure sur mon bras, c'est toi, pas vrai ?

Puis il avait ajouté en fredonnant presque :

– Tout ce que je décide de te faire ce soir, je peux dire que tu te l'es fait, pas vrai ? Qui te croirait ? Une femme qui a perdu la tête ? Personne, je te le garantis, Lawson moins que quiconque.

Même si je savais que l'ambulance et le personnel médical n'étaient venus que pour moi. Même quand les choses arrivèrent, je n'y étais absolument pas préparée. Je ne m'attendais en aucun cas à ce que deux aides soignants s'approchent de moi, posent les mains sur moi, chacun d'un côté et me tiennent par les coudes. Lorsqu'ils me forcèrent à marcher sur le quai, je les fixai d'un regard hébété. Quand je me ressaisis et me débattis de toutes mes forces, ils me soulevèrent pratiquement du sol pour me traîner vers l'ambulance. L'infirmière se tenait près des portes ouvertes. Ce fut à ce moment-là que je me mis à hurler et à lutter comme une femme ayant complètement perdu la raison.

Un sourire triste aux lèvres, le médecin tendit le document signé à mon mari tout en me lançant un regard en coin :

– Je regrette que vous ne nous ayez pas laissé le choix, madame.

Une fois qu'il eut ajouté sa signature agrémentée d'une fioriture, mon mari enchaîna en ricanant :

– Plus question de vadrouiller, Isabel. Cette époque est révolue. Un dernier voyage en train, puis l'enfermement.

Il joua une petite comédie, eut un reniflement navré et porta la main à sa bouche en un geste de détresse.

– Il me semble t'avoir prévenue que les femmes ne se baladent pas aux Indes sans chaperon, sans avertir qui ce soit de l'endroit où elles vont et de ce qu'elles font... Quant au reste – il eut un haussement d'épaules affecté – j'évite de m'y appesantir tant c'est révoltant.

Le docteur feignit de m'ignorer comme si j'étais une domestique, se tourna vers l'infirmière à qui il recommanda de me mettre sous sédatif. Dès que je serais plus calme, on pourrait me conduire à destination.

Un périple vers l'est. Ma tête est aussi vide que celle d'un escargot. Le désespoir me fragilise. Et cette femme en face de moi, assise l'air complètement coincé, qui feint de ne pas être sur le qui-vive, qui ne porte pas d'uniforme parce que son âme est empesée. Elle a reçu l'ordre de m'emmener. Figée comme une statue, voilà comment je dois être. J'ai trop d'imagination. C'est la raison pour laquelle je vois déjà le couloir, la porte verrouillée dotée d'une seule vitre carrée à travers laquelle un œil regarde. Des murs capitonnés. Des belligérants troussés comme des dindes, bras noués sur la poitrine, mains derrière les oreilles, vestes blanches attachées dans le dos. Ne posant pas de problème. Plus aucun. Pas moi. Et je ne peux m'empêcher de penser que sans cet accident de parcours, j'aurais passé un mois dans le service psychiatrique d'un hôpital pour étudier la folie, sans en être atteinte.

Annie la Revêche – en réalité, elle s'appelle Ginny – est toujours polie :

– C'est l'heure du déjeuner, madame Webb. N'auriez-vous pas envie de manger un morceau ? Nous pourrions descendre au prochain arrêt et nous rendre au wagon-restaurant.

– Allez-y, je vous en prie. Je suis très bien là où je suis.

Sa bouche est figée dans un rictus froid. Ses souliers marron à lacets claquent comme une langue.

– Madame, puis-je me permettre de vous signaler que c'est mauvais pour la circulation de rester assise trop longtemps sur ses mains.

– Très juste, votre remarque sur mes mains s'entend, acquiescé-je, consciente d'avoir ce problème.

Annie la Revêche baisse soigneusement les stores

pour qu'on ne pense pas qu'elle voyage en compagnie d'une Indienne. Elle ne cesse de tripoter son corset et ses bas, sans juger que c'est de la folie d'en porter par une chaleur de quarante degrés. Ses épais cheveux châtains, tirés de façon à ce qu'aucune mèche ne s'échappe de son chignon à torsade lustrée, sont magnifiques. Le soir, elle les lâche mais elle s'empresse de les fourrer sous un bonnet après les avoir brossés. Les miens sont détachés – comme si j'étais en deuil. D'ailleurs, c'est ce que je ressens puisque je me dirige vers l'est alors que Sam subit sa propre incarcération quelque part dans le Nord.

Mon infirmière est mal à l'aise chaque fois qu'elle me regarde. Mon sari la chagrine. C'est la seule chose qui me reste pour me rappeler qui j'étais. On m'a tout pris à l'exception d'une affreuse robe grise. On a jeté mon sari dans une poubelle d'où j'ai réussi à le sortir sans que personne ne le remarque. Voilà à quoi je suis réduite : un sari, une robe, un sac en velours. Je suis amusée par l'exaspération que provoque ma tenue indienne chez l'infirmière, qui détourne la tête dès qu'elle traverse son champ de vision. Saisie par l'envie d'essayer de l'aider à surmonter son étrange obsession quant aux vêtements qu'il fallait porter, je lui raconte que, d'après les récits de la vie des Anglaises aux Indes au XVIIe, il était tout à fait normal de mettre un sari, même de se marier vêtue de la sorte :

– Comme la comtesse était belle dans son sari blanc constellé de perles, et Lord W. dans son superbe uniforme, avec ses médailles qui scintillaient au soleil. Malgré la chaleur accablante, tous les invités de la réception de mariage évoluaient avec une grâce élégante, certains étaient allongés dans l'herbe du jardin du vice-roi, d'autres tenaient des ombrelles en soie au-dessus de leur voile, d'autres buvaient du champagne tandis que des petits garçons indigènes agitaient des éventails en plumes d'autruche et se moquaient des membres de l'orchestre sanglés dans des uniformes rouges, transpirant sous la tente.

Le tableau se trouve à Delhi. J'insiste pour que l'infirmière Briggs aille le voir à l'université.

– Vous racontez des histoires scandaleuses, soupire-t-elle.

Évidemment, je n'aurais pas boudé le déjeuner si j'avais cru que cela me permettrait de prendre la tangente, de me faufiler dans la foule bigarrée, d'éviter les marchands de bonbons et de fruits, les mendiants boiteux, et de me ruer dans le premier rickshaw. Mais la dernière fois que nous avons marché sur le quai à Mathura, elle a passé à mon poignet un bracelet en cuir m'attachant à elle aussi intimement qu'une ceinture de chasteté. Si je prends mes jambes à mon cou, je l'entraîne. Elle s'est répandue en excuses :

– Je ne crois pas qu'il soit raisonnable, madame, de vous demander votre parole d'honneur, étant donné votre fébrilité et votre nervosité. Vous comprenez sûrement – n'est-ce pas ? – que je ne peux pas risquer que vous vous échappiez. J'ai la mission de vous emmener à Ranchi, et c'est loin. Je vous détacherai dès que nous serons parvenues à la table.

En fait, j'évite de l'embêter parce qu'elle m'émeut. Un regard à ses yeux ternes emplis de lassitude ôte toute envie de traiter avec cruauté une femme si jeune et déjà pétrifiée. Que se passerait-il pour elle si je n'arrivais pas à Ranchi ? En quoi cela me concerne-t-il de toute façon ? Si ce n'est que, pour l'heure, je ne réussis pas à être indifférente à son sort. Malgré moi, une certaine affection me lie à elle. Je lui suis reconnaissante d'avoir eu une réaction courageuse quand cet imbécile de médecin recommandait le traitement habituel pour les fortes fièvres et insistait pour qu'on m'emmène chez le dentiste : « Docteur, puis-je suggérer que nous essayions d'abord autre chose. L'extraction des dents me révulse davantage encore que les sangsues et ne fait pas toujours tomber la fièvre. » Du coup, le médecin avait sorti sa seringue. Je lui dois ma dent.

Comme de juste, étant des femmes, nous commençâmes à parler. J'avais une envie folle de lui confier mes craintes au sujet de Sam, ce qui était évidemment exclu. Au lieu de quoi, je lui racontai l'histoire de la jeune musulmane, éclairant ainsi sa lanterne sur mon mari.

– Madame Webb, me dit-elle alors, pourquoi ne pas essayer de vous délivrer de cette tendance à vous asseoir sur vos mains. Peut-être pourrais-je attirer votre attention chaque fois que vous le faites ? Il me semble que c'est le moyen de chasser la phobie et d'atténuer l'effet traumatisant de la vision des mains amputées. Bien sûr, murmura-t-elle, il doit y avoir d'autres raisons qui vous poussent à vous identifier de la sorte à l'horrible destin de cette jeune femme.

Elle me regarda, mais je ne tombai pas dans le piège.

Quant à moi, je m'interrogeais à son sujet. J'avais remarqué que lorsqu'elle évoquait le médecin qui m'avait fait interner et lui avait confié la mission de m'accompagner à Ranchi, elle en parlait d'un ton étrange où vibrait de la souffrance ainsi qu'un sentiment de solitude. Lorsqu'une chaleur trop intense ne nous réduisait pas à l'immobilité, elle adorait faire des smocks. Elle sortait un plastron de robe d'enfant, fronçait la batiste blanche en petits triangles et plis avec des points serrés festonnés de roses. À l'en croire, la robe était destinée à une parente lointaine qui vivait à Hyderabad. J'aimais la regarder coudre, parce que sa tête baissée révélait la perfection de la raie blanche séparant ses cheveux et la forme sombre et lisse de son crâne. En outre, elle était alors capable de répondre à certaines des questions que je lui posais. Ainsi, nous fîmes quelques petites incursions dans le continent silencieux de son passé où aucun explorateur ne s'était aventuré.

– Je suis aux Indes depuis longtemps, déclara-t-elle. J'y suis née. Ma famille s'est installée à Amritsar en 1785. Mon grand-père a été blessé à l'époque de la Mutinerie – non pas en tant que soldat, en fait, il occupait un poste important au sein de l'East India Company – mais il a participé aux atrocités anglaises qui ont suivi la rébellion.

L'espace d'un instant, son expression se durcit.

– Je regrette le rôle que nous y avons joué, la débâcle, notre soif de vengeance ; la Mutinerie a été un épisode abominable, qui a tout changé aux Indes. La compagnie a naturellement cédé son pouvoir peu après à la couronne. Mon grand-père s'est lancé dans le commerce des clous de girofle et ses affaires sont devenues relativement florissantes. Sa fille, ma mère, a épousé le Résident d'Amritsar. Aussi faisait-elle partie du gratin tandis que mon grand-père tournait mal – le whisky; d'ailleurs, il n'a pas réussi à s'arrêter jusqu'à en être empoisonné. C'était si grave qu'on l'a retrouvé une fois dans le harem d'un noble moghol, en plein delirium tremens, fou à lier, sur le point d'être massacré. Cela provoqua un incident entre les musulmans et nous, lequel aurait pu avoir d'horribles conséquences. Grâce à des actions menées dans l'ombre toutefois, il n'y a eu comme par hasard qu'une escarmouche entre musulmans et hindous à laquelle les Anglais ont été obligés de mettre un terme.

Levant les yeux, elle sourit :

– Vous avez sans doute remarqué, madame, que votre obstination à vous habiller en Indienne me surprend parfois. Or, ce ne devrait pas être le cas. Mon grand-père et ma mère parlaient couramment l'hindoustani ensemble; en outre, ma mère tenait énormément à ses idoles. Pour tout vous dire, elle a porté un sari à une ou deux reprises et s'est même promenée dans le parc dans cette tenue. Mais les choses ont changé, c'est inévitable. J'avais sept ans lorsque ma mère est rentrée en Angleterre avec mon père. Ils ne m'ont pas emmenée, contrairement à mon frère, qui a repris plus tard la propriété familiale du Devonshire et épousé la fille d'un général français.

Avec les dents, elle coupa le bout de son fil.

– Vous vous demandez peut-être pourquoi je ne suis pas partie avec eux et comment j'ai terminé infirmière psychiatrique au service de l'armée.

J'eus besoin de me livrer à une activité quelconque pendant qu'elle cousait. La broderie n'étant pas mon point fort, je me retrouvais en train de la croquer au dos des menus. Malgré la profondeur de son regard, malgré son joli teint, ce n'était pas une beauté. Son nez était trop pointu et ses yeux marron trop enfoncés. Elle ne se formalisait pas que je la dessine, d'autant que cela l'aidait à parler si je ne la fixais pas. Elle aborda de nouveau le sujet de son grand-père :

– Pour peu que l'on adopte le point de vue freudien, je suppose qu'il est normal que j'aie choisi cette spécialité puisque mon grand-père a fini ses jours à l'asile de Ranchi.

Elle me lança un coup d'œil. Face à mon absence de réaction, elle poursuivit :

– Moi aussi j'ai eu maille à partir avec l'alcoolisme, et j'ai eu de la chance que le docteur Lawson m'ait embauchée.

– Quand êtes-vous devenue sa maîtresse ?

Ma question la plongea dans un état proche de la panique. La broderie fut mise de côté. Elle se leva et s'approcha de la fenêtre qu'elle entrouvrit. Cela ne fit qu'intensifier la chaleur. Elle la referma, nous livrant à l'air plus clément du ventilateur, et se rassit sans reprendre son ouvrage.

– Madame Webb, commença-t-elle d'une voix sévère. Dans les asiles, j'ai découvert que ce sont souvent les femmes fortes et audacieuses qui y échouent. J'en ai fait un sujet d'étude, et il me semble que les non-conformistes, celles qui franchissent les frontières culturelles, religieuses ou sexuelles, payent cher leurs transgressions. La façon la plus simple de régler le problème qu'elles posent, c'est de les cacher afin d'effacer à jamais de leur mémoire ce genre de révoltes et de bêtises. Grâce à ces méthodes, les Indes sont restées à la traîne, coupées du mouvement des suffragettes et de l'agitation qui a progressé en l'Europe avant la guerre.

La chaleur qui régnait dans le compartiment avait beau être accablante, je sentis un frisson me parcourir. Comme j'avais fini par repérer que cette réaction était une sorte de présage, je prêtai une grande attention aux paroles de Ginny.

– Mon grand-père était un cas exceptionnel, reprit-elle. On enferme très rarement des Européens : il aurait été plus normal de l'expédier au pays, ce que l'on a fait au bout du compte, mais il y avait d'autres raisons...

Elle hésita avant d'ajouter précipitamment :

– Il se trouve que certaines informations sur mon grand-père étaient en possession du docteur Lawson. Le père de celui-ci était le médecin responsable de l'internement de mon grand-père. Après sa mort, le jeune docteur Lawson a hérité des papiers de notre famille, aussi, au bon moment, a-t-il pu me conseiller sur certaines questions à propos desquelles je ne m'étais jamais interrogée. Cela remonte à neuf ans. Depuis, je suis, ainsi que vous l'avez si brutalement formulé, la maîtresse du docteur Lawson.

— Existe-t-il une Mme Lawson?

— Elle est morte il y a quatre ans.

— Ah.

Ginny, qui avait repris son ouvrage, travaillait avec une certaine fébrilité. Elle se piqua le doigt. Obligée de s'interrompre et de s'adresser à moi sans protection, elle en fut chamboulée. Et cela lui donna l'audace de défricher une nouvelle clairière dans la jungle :

— Madame Webb, tant de choses se sont passées entre nous pendant ce voyage que j'estime devoir vous prévenir que votre liaison avec le docteur Singh vous causera les plus grandes souffrances. Vous êtes surprise que je sois au courant, n'est-ce pas? Et vous ignorez qu'une raison particulière me pousse à vous mettre en garde, n'est-ce pas?

— Ginny, il y a manifestement une similitude entre votre situation et la mienne, répondis-je. Expliquez-moi, parce qu'il me semble — après tout, celle qui va finir chez les fous, c'est moi — que je risque de payer les pots cassés pour bon nombre de gens ici, dont vous, si je puis me permettre.

Très perturbée, mon infirmière fondit en larmes comme si son cœur se brisait. Elle sortit précipitamment du compartiment et disparut pendant plusieurs heures. Je me lançai à sa recherche, inquiète au point de frapper aux portes et de me ridiculiser. Peine perdue, elle était introuvable. Je n'imaginais pas qu'elle s'était jetée du train, n'ayant pas l'impression que c'était son genre. Aurait-ce été le cas qu'il se serait arrêté en hurlant. Il n'empêche qu'elle mit un temps fou à revenir s'asseoir avec moi dans la pénombre du compartiment aux stores baissés.

Pâle, l'air grave, elle avait pleuré de toute évidence.

– Madame Webb...

– Pour l'amour du ciel, ne pouvez-vous pas m'appeler Isabel comme une personne sensée ?

– C'est par courtoisie professionnelle.

– Laissez tomber la courtoisie professionnelle.

– Je vais essayer.

Je la priai de m'excuser pour ma brutalité, puis insistai pour qu'elle continue son récit si elle le pouvait.

– Il est très difficile de parler de choses qui sont restées si longtemps cadenassées, commença-t-elle. Je n'ai pas de preuves pour étayer ce que je m'apprête à vous confier, parce qu'on a supprimé les faits les plus ignobles des documents de l'East India Company ainsi que du testament de mon grand-père. Malgré tout, c'est suffisamment clair. – Elle se ressaisit. – Je tente de vous faire comprendre que j'ai résolu de vous accompagner parce que je suis convaincue que, si affreux que soit votre sort, si mauvaise que soit la décision de vous enfermer, je crois que les futures générations s'en porteront mieux.

– Ginny, lançai-je d'un ton brusque, pouvez-vous s'il vous plaît être plus explicite !

– Pardonnez-moi.

Après avoir repoussé davantage son ouvrage loin d'elle, l'infirmière regarda par la fenêtre.

– Il m'est extrêmement pénible, murmura-t-elle, de dissocier mon passé de votre avenir.

Le visage toujours détourné, elle bredouilla :

– En termes simples, voici les faits : il y a neuf ans, le docteur Lawson m'a révélé que je n'étais pas partie en Angleterre avec ma famille, pour qu'on m'y marie convenablement, parce que ma mère avait une aïeule indienne. Mon grand-père avait épousé une femme moitié indienne moitié russe. – Ginny me regarda avec une expression de défi. – Je peux affirmer qu'il lui vouait un amour passionné et que c'était réciproque, mais le secret s'est ébruité, et on lui a rendu la vie tellement impossible qu'elle s'est enfuie. On ne l'a jamais revue. Ainsi que je vous l'ai laissé entendre, mon grand-père ne s'en est jamais remis. On a caché la vérité à ma mère pratiquement jusqu'à la veille de notre départ pour l'Angleterre. Dès qu'elle a appris notre métissage, elle a décidé de n'emmener que mon frère – il était blond. Avant de partir, elle m'a prise à part afin de m'expliquer qu'il m'était interdit d'avoir des enfants car, si j'en avais, ma vie et celle de mon petit ne seraient que souffrances.

Ginny se leva, s'approcha de la fenêtre et contempla le paysage. Lorsqu'elle eut maîtrisé son émotion, elle continua :

– Dans son premier testament, mon grand-père avait pris des dispositions en faveur de ses enfants et de ses petits-enfants. Mais une fois ma mère partie, le nom de l'épouse hindoue et sa descendance a été effacé, et un nouveau testament a été élaboré. Le vieux docteur Lawson était l'exécuteur de ces deux testaments. Il s'est occupé de moi, veillant à ce que je fasse des études d'infirmière pour que je sois capable de me débrouiller puisque je n'avais pas de ressources. Sans doute ai-je inspiré de la compassion à son fils qui avait grandi avec moi. Il m'a traitée avec gentillesse parce qu'il savait que je ne pourrais jamais me marier... Mais uniquement à cause d'un malheur, d'une erreur...

Comme le train s'approchait d'un pont, je n'entendis plus rien et sa cadence irrégulière, le martèlement de ses roues, m'empêchèrent de parler. Il ne me restait qu'à ne pas quitter des yeux Ginny, qui, l'air égaré, fixait la portière du compartiment. Je m'avançai pour pouvoir l'attraper au cas où elle tenterait de foncer dessus, de l'ouvrir et de se précipiter dans la rivière. À l'idée qu'elle venait, non sans perversité, de me transmettre le message que sa mère lui avait transmis, la compassion m'envahit et je m'emparai de sa main qui n'avait pas lâché l'aiguille. Une fois que le fracas fut atténué, je pris la parole :

– Ginny, vous faites allusion à celle à qui la petite robe est destinée... Votre fille peut-être ?

Ses lèvres tremblèrent. Saisie d'accès de rage désespérée, elle attrapa le tissu blanc, faisant une boule des fronces, volants, adorables manches ballon, smocks, roses brodées, et, la bouche tordue de douleur, courut à la fenêtre pour la jeter dans les remous fuligineux de la rivière.

L'instant d'après, elle se retourna. Par un acte de

volonté digne d'admiration, elle baissa les mains des tempes à sa nuque. Puis elle s'installa en face de moi à la manière d'une sentinelle :

— Madame Webb, vous êtes à nouveau assise sur vos mains.

Cette nuit-là, Ginny et moi ne parlâmes pas beaucoup. Nous n'allâmes pas non plus dîner au wagon-restaurant. Je commandai des sandwiches auxquels ni l'une ni l'autre ne toucha. Je passai une bonne partie de la nuit debout, tenaillée par l'envie de descendre à la prochaine gare. De la laisser dans le train. Je ne parvenais pas à réfléchir à son histoire, même si elle m'avait effrayée, mise en garde, bouleversée. Je devais me concentrer afin de trouver un moyen de retourner à Rawalpindi. Le moindre kilomètre dans ce maudit train m'éloignait davantage. Aussi, à la première lueur du jour, allai-je secouer Ginny sur sa couchette. Elle se réveilla vite, à la manière des infirmières instantanément sur le qui-vive :

— Au nom du ciel, que se passe-t-il, madame Webb, le train a-t-il pris feu ?

— Non, répondis-je, laconique. Mais je compte descendre à Allahabad, et je vous recommande de m'imiter.

Soulevant son visage de l'oreiller, elle appuya sa joue sur sa main.

— Je me demandais combien de temps vous mettriez à vous décider, et je suis flattée que vous songiez à m'inclure dans votre projet. — Elle sourit. — J'ai pensé vous laisser vous échapper en ne bougeant pas le temps que vous vous fondiez dans la foule d'un quai bondé, ou quelque chose dans ce goût-là. En réalité, je suis étonnée que vous ne l'ayez pas fait. Il me semble que c'est votre genre, ce qui est un compliment de ma part.

— Vraiment ! m'exclamai-je stupéfaite. Vous m'auriez laissée filer ?

— Je n'en suis pas sûre, plus maintenant en tout cas. D'une part le voyage m'a fait changer d'avis, de l'autre votre vulnérabilité m'a sauté aux yeux pendant que je vous racontais mon histoire. Il se peut que vous soyez plus en danger en liberté qu'enfermée à Ranchi, si affreux que

cela paraisse. J'ai eu des cauchemars toute la nuit à ce
sujet, assura-t-elle en rattachant ses cheveux.
— Ginny, avez-vous jamais pris un risque au cours
de votre vie ?
— Je ne suis pas en situation de le faire. J'ai dû me
prendre en charge depuis l'âge de sept ans.
— Je m'en doute. C'est en partie la raison pour laquelle
je ne vous ai pas laissée tomber.
— Vous vous souciez de mon gagne-pain ?
— Bien entendu. Du coup, j'ai essayé d'imaginer un
moyen de m'évader sans vous mettre dans le pétrin par
rapport à Lawson. Je ne veux pas que l'on vous rende
responsable de ce que je m'apprête à faire.
Elle sortit du lit dans sa chemise de nuit blanche :
— C'est impossible. Si vous vous échappez, on me
mettra ça sur le dos.
— Et vous perdrez votre boulot.
— Très vraisemblablement. Le docteur Lawson n'est
pas disposé à me traiter avec indulgence, surtout depuis
la naissance de l'enfant. Il l'a complètement refusée. Aussi
idiot que cela puisse paraître, je me croyais capable de
l'élever comme une petite Anglaise quelque part. Grâce
à elle, j'aurais eu l'air anglaise ou, au pire, j'aurais feint
d'être son ayah pour rester auprès d'elle. Mais un regard
à l'enfant... la pauvre petite s'est révélée être beaucoup
plus foncée que moi... a suffi à ce que l'on prenne des
mesures. Dès que le docteur Lawson l'a vue, on me l'a
enlevée. J'ai mis des mois à la retrouver ; elle vit à Bareilley
chez un couple d'Indiens payé pour la garder. J'avais l'intention de m'y rendre pour m'assurer qu'on s'occupait au
moins d'elle lorsque vous êtes apparue.
Elle examina ses longues mains vigoureuses.
— Les relations entre races débouchent toujours sur
des situations d'une infinie tristesse. Pourtant, nous espérons que l'enfant aura la peau claire et sera béni par le
monde plutôt que rejeté. Je n'ai réussi qu'à coudre une
robe, qui se trouve à présent au fond de la rivière, conclut-
elle avec un sourire malheureux.
— Ginny !

Il me semblait que la réverbération du soleil tapant sur le toit noir du compartiment s'emmagasinait dans le moindre bout de ce métal qui nous encerclait et envoyait des vagues de chaleur par la fenêtre.

– Ginny, si nous regardions les choses autrement? Vous êtes infirmière, je suis sur le point de devenir médecin, nous avons ou aurons bientôt le docteur Singh : pourquoi ne pas créer une clinique. Nous avons ce qu'il nous faut : l'argent, la compétence, la jeunesse... Nous ne sommes pas piégées. Nous pouvons faire quelque chose. Vous pouvez récupérer votre enfant. Tout est possible...

Elle me dévisagea avant de prendre sa brosse :

– Nous sommes tous prisonniers du Raj, rétorqua-t-elle. Ne vous leurrez pas.

Soudain, je chancelai et m'accrochai au siège pour retrouver l'équilibre. Elle se leva aussitôt. S'approchant de moi, elle me demanda :

– Qu'est-ce qui se passe, Isabel? Qu'y a-t-il? Vous êtes pâle comme un linge.

– Un vertige simplement. Ce n'est rien. Ginny, c'est la première fois que vous m'appelez par mon prénom, ajoutai-je, en m'obligeant à sourire.

– C'est la première fois que vous montrez un brin de vulnérabilité, si je puis me permettre. Bon, jugez-vous utile de m'indiquer votre destination au cas où, pour une raison quelconque, on m'arrêterait et m'interrogerait?

– Cela ne me paraît pas une bonne idée. En revanche, j'aimerais savoir si vous allez retrouver Lawson?

Après avoir longuement réfléchi, elle répondit :

– Je ne suis pas sûre d'en être capable, même si l'idée de tout recommencer à zéro me terrifie. En un sens, j'ai été protégée depuis l'âge de sept ans, qui sait comment je vais me débrouiller toute seule? Sans doute réussirai-je toujours à passer pour une Européenne; à ceci près que c'était au sein de la famille où j'étais réfugiée, parmi des gens aux yeux desquels ça coulait de source.

– Vous avez vos diplômes d'infirmière.

– Et des économies. Je pense que je m'en sortirai. Après tout, je n'ai rien à perdre, constata-t-elle avec douceur. Alors que ce que vous avez ou aurez est tellement désirable que je risquerais moi aussi ma vie.

– Nous venons de loin, Ginny, ne trouvez-vous pas ?

– Si, absolument. J'ai peine à croire que je vous aie confié tous mes secrets. – Elle se pencha vers moi. – Malgré la souffrance, je ne peux pas dire que je regrette d'avoir violé les interdits de ma mère. Si j'ai éprouvé un amour véritable dans ma vie, c'est en découvrant l'adorable visage de ma fille que je tenais dans mes bras pour la première fois. Isabel, vous réussirez là où j'ai échoué parce que vous êtes plus forte et plus déterminée que moi. Ne perdez surtout pas courage. Peut-être l'asile vous effraye-t-il plus que nécessaire. Il est possible de déverrouiller les portes de Ranchi. Un nouveau dossier peut être constitué. Le docteur Singh y jouit d'une excellente réputation. Je suis certaine qu'il sera capable de vous aider, vous y avez sûrement pensé, non ?

– Le docteur Singh ne se trouve plus à Ranchi.

– Je l'ignorais.

– Le docteur Singh est en prison, précisai-je. On l'a arrêté après l'explosion de la bombe à l'opéra de Lahore.

Ginny resta longtemps silencieuse.

– Ma chère Isabel, finit-elle par murmurer, vous savez, n'est-ce pas, que si c'est le cas, les chances qu'il soit toujours en vie sont infimes.

22

J'avais beau refuser de croire le pronostic de Ginny au sujet de Sam, je fus extrêmement agitée durant tout le voyage vers Rawalpindi. Les nerfs à vif, je ne cessais de me ronger les ongles, piquant presque des crises de rage lorsque le train restait trop longtemps dans une gare ou qu'il y avait du retard ou que des voyageurs mettaient trop de temps à monter. À mon arrivée à Pindi, j'étais folle d'inquiétude. Aussi, lorsque l'on m'introduisit dans le cabinet de la mère de Sam, l'apostrophai-je :

– Sam est vivant, n'est-ce pas ? Dites-moi qu'il est vivant.

Elle me sourit, s'empressant de répondre :

– Oui, il l'est. Je me demandais quand vous débarqueriez ici.

Elle m'indiqua une chaise où je m'assis, serrant les plis de mon sari sur mes genoux, aussi méfiante et pétrifiée que l'avait été la jeune musulmane avec moi. Je regardai celle qui me faisait face. Cette femme, la mère de Sam, qui figurait sur le tableau représentant son mariage, qui m'avait obsédé, mise à l'épreuve, réprimandée, disqualifiée, affirmé que la situation était sans espoir, que tout se terminerait tragiquement et dans les larmes, elle était là. À présent que je me trouvais avec elle, tout ce que je m'étais répété pendant le long trajet en train partit en fumée, et je fus capable de la voir telle qu'elle était : une femme douce, grande et élégante, vêtue d'une blouse blanche sur un sari crème à liseré bleu imprimé de motifs géométriques dorés.

Me sentant soudain ridicule, je lançai :

– Pardonnez-moi de m'être exprimée de la sorte, j'étais morte d'inquiétude.

– Je comprends parfaitement.

– Alors, il va bien ?

Son sourire s'évanouit.

– Il y a toutes les raisons de le croire, mais nous avons malheureusement très peu d'informations. La répression sévit dans cette région des Indes, et tout le monde a peur. On déplace mon fils d'une prison obscure à une autre et nous ne l'apprenons généralement qu'après son départ, ce qui est terriblement frustrant. – Elle pressa ses phalanges. – Il faut essayer de ne pas vous inquiéter. Nous avons beaucoup de forces à notre disposition. En outre, Samresh a une extraordinaire faculté d'adaptation. Les épreuves qu'il traverse ne l'affecteront pas autant qu'un autre. Il était très jeune la première fois qu'on l'a mis entre les mains des Anglais. – Je tressaillis. – Je suis désolée, c'était maladroit de ma part, je m'en sors mal aujourd'hui. Mais passons aux sujets personnels si vous le voulez bien. Mon fils m'a confié avec beaucoup de franchise les sentiments qu'il éprouve pour vous, je respecte ce qui s'est passé entre vous deux : ce doit être bien, sinon ce ne serait pas arrivé. À mes yeux, il va colmater sa fêlure intérieure ainsi; j'imagine que c'est pareil pour vous. Je suis tellement heureuse, ajouta-t-elle gentiment, que vous portiez des vêtements indiens, que vous adoptiez notre culture au lieu de la fuir.

Elle me regarda dans les yeux. À ce moment-là, je reconnus quelque chose de Sam dans son sourire.

– Je tiens à ce que vous sachiez que je ne vous tiens pas pour responsable de l'incarcération de mon fils. En aucun cas. À mon avis, son arrestation est liée aux activités politiques de son père. Les choses sont en train de changer aux Indes, c'est une période dangereuse.

Elle avança la main et la posa sur la mienne.

– Ne vous laissez pas gagner par la panique ou le désespoir.

Puis elle me laissa pour aller nous préparer du thé dans une pièce voisine, d'où elle rapporta un petit plateau garni d'un gâteau au miel et d'une assiette de loukoums. Après avoir pris la théière, elle proposa :

– Vous m'appellerez maman, d'accord ? Nous avons tellement assimilé les références anglaises, les petites phrases, les petits gestes, qu'il est difficile de distinguer ce qui nous appartient ou pas. Avons-nous eu raison d'envoyer Sam en Angleterre pour son éducation ? Ces questions surgissent en des moments tels que ceux-ci. Je crains qu'en raison de ses attaches à l'Angleterre, il ne souffre davantage, pas moins – ce qui me semble inhumain. Après tout, les Britanniques ont fait de lui l'homme qu'il est, et il doit payer pour cela. Enfin – elle laissa tomber les mains des deux côtés de son siège, en un geste plus serein qu'impuissant –, comment aurais-je pu savoir m'y prendre avec un enfant tellement doué ? L'Angleterre paraissait le mieux pour lui. Or mon mari est maintenant déboussolé et ambigu à ce propos au point qu'il accuse son propre fils d'être du côté des oppresseurs britanniques. La haine a tellement envahi sa vie que j'ai peur que cela ne le détruise. En revanche, Samresh n'est pas dérouté. Il ne l'a jamais été. Son esprit fonctionne avec clarté et honnêteté. Il est très conscient, vous le savez évidemment, de la difficulté de votre situation qui l'inquiète plus que ses propres épreuves d'autant qu'il n'est pas capable de s'occuper de vous.

Elle me scruta.

– Puis-je vous demander ce qui est arrivé à votre œil ? Voulez-vous qu'on l'examine ici ? Nous avons d'excellents chirurgiens.

Je secouai la tête et murmurai.

– Merci, il va mieux.

Elle attendit, puis, se rendant compte que j'étais au bord des larmes, elle revint à Sam.

– Comme nos avocats sont descendus dans la rue et que les libertés civiques n'ont plus cours, nous ne pouvons utiliser ce moyen. – Un petit sourire ironique se dessina sur ses lèvres. – Je suis même considérée comme suspecte à cause de mon mari.

Elle rapprocha son siège du mien.

– Nous n'en avons pas moins des renseignements parce que mon mari à des informateurs dans toutes les localités et que nous suivons Sam à la trace, alors je vais vous dire exactement ce que nous savons. Sam a été arrêté au service des urgences de l'hôpital de Lahore le soir de l'attentat à la bombe de l'opéra. Cela n'a pris que quelques minutes. Quand le personnel médical a compris ce qui se passait, on l'avait menotté et embarqué. Personne n'a eu le temps de venir à son secours. Il était en train de soigner les blessés : l'explosion avait estropié et rendu aveugles beaucoup d'écoliers ainsi que des membres de la garde du vice-roi.

Elle se leva pour aller fermer la porte de son cabinet.

– Je devrais ajouter que mon mari fait surveiller Samresh depuis la catastrophe de Rawalpindi. Ainsi, nous le suivons pas à pas depuis son arrestation. Nous savons qu'il a passé la première nuit dans une prison de la banlieue de Lahore. – Elle me regarda. – Voulez-vous connaître les détails, parce que je puis aisément vous les épargner ?

– Je vous en prie, racontez-moi tout.

Elle acquiesça, puis d'une façon évoquant tellement Sam que c'en était douloureux, elle se pencha en avant, laissant pendre ses mains entre ses genoux :

– C'est une vieille prison, dont la construction remonte au début du Raj, où les méthodes sont standards. On déshabille les prisonniers, que l'on laisse nus dans une cellule sans fenêtre située dans un sous-sol sordide au sol infect. Il n'y a pas de lumières.

Elle ne cessait de me lancer des coups d'œil pour voir ma réaction, mais je l'écoutais intensément tout en remarquant que sa voix devenait de plus en plus froide et précise au fil de son récit :

– On ne nourrit pas les prisonniers pendant plusieurs jours dans le but de les plonger dans la confusion en brisant la routine, la notion de la continuité du temps, laquelle nous permet de garder la raison. Nous n'avons pas de renseignements précis sur ce qu'il y a enduré... Mais c'est un lieu de tortures et d'humiliations où l'on pratique les méthodes traditionnelles du Raj, comme je l'ai précisé. Il y est resté deux jours. Ensuite, on lui a bandé les yeux et fait monter dans un camion avec d'autres prisonniers, une dizaine : médecins, hommes politiques, avocats, le genre de personnes qui constituent le gros du mouvement de Gandhi et sont soupçonnées de rébellion. On les a emmenés dans la campagne, puis obligés à descendre du camion et à marcher plusieurs jours d'affilée. Quelques hommes de mon mari les ont suivis. Sam n'avait sûrement aucune idée de l'endroit où il se trouvait vu l'absence de routes ou de villages dans ce coin monotone et vallonné. Le soir, les gardes confisquent les vêtements des prisonniers dont ils attachent les mains et les pieds. Les nuits sont glaciales dans cette région – elle frissonna – et Sam déteste le froid...

Son ton se durcit :

– Le corps finit par être assailli de spasmes nerveux, de tensions musculaires tandis que les contractions assiègent le cerveau, créant une agitation frisant l'hystérie. – Son regard se posa sur mon œil abîmé. – J'ai l'impression que vous avez peut-être une connaissance intuitive de ces états, dont il est possible que vous ayez eu l'expérience, n'est-ce pas ?

J'étais trop bouleversée pour lui répondre.

– Je vous en prie, enchaîna-t-elle, si quoi que ce soit dans mon récit vous trouble, prévenez-moi et je m'arrêterai aussitôt.

– Non, continuez s'il vous plaît.

– Vous êtes comme moi, vous préférez les faits.

– Ils m'empêchent de laisser mon esprit vagabonder trop loin.

– Je comprends. D'après ce que j'ai appris, ils ont marché dans des forêts pendant plusieurs jours, puis traversé un village qui venait d'être le théâtre de représailles de musulmans contre des hindous : une vision d'horreur, même pour qui a assisté à toutes sortes d'atrocités.

Elle s'interrompit un instant.

– De là, on l'a conduit plus au nord, dans une nouvelle prison dont nous ne connaissions pas l'existence, cachée au milieu de nulle part dans les collines. Les bâtiments sont flambant neufs. Il y a un poste de guet surmonté d'une tour et une porte verrouillée encastrée dans un mur très haut hérissé de pointes. Les officiers parlent ourdou et les soldats indiens ont tous été rigoureusement formés au travail des services de renseignement. Un des bâtiments est réservé aux prisonniers politiques. Mais il paraît que tous les détenus sont décharnés et en piteux état, si bien que tous les nouveaux arrivants entrent dans une zone de contagion. Il n'y a pas d'infirmerie. La maladie sévit. Quiconque en attrape une succombe. Les cellules d'isolement se trouvent au niveau supérieur de l'édifice. C'est dans l'une d'elles que l'on a jeté Samresh, qui a sans aucun doute – une inflexion maternelle vibra dans sa voix – pris les mesures de la pièce et vérifié toutes les possibilités d'évasion. Il a immédiatement exigé de voir les officiers de renseignement britanniques et été puni pour son impertinence. On nous a informés que les cellules d'isolement contiennent un lit placé contre le mur, sans matelas ni oreiller, sans pot de chambre ni eau. Une corde pend d'un crochet fixé au plafond, trop haut toutefois pour d'éventuels suicides. Il n'y a qu'une seule ampoule qui ne s'éteint jamais. Les prisonniers sont enchaînés, les bras ligotés jour et nuit, ce qui provoque une douleur permanente et, en fin de compte, d'irréparables dégâts. Nous devons la plupart de ces informations à un des hommes de mon mari, qui a réussi à se faire recruter comme garde. D'après lui, on a interrogé Sam sur-le-champ, le battant avec des baguettes en bambou plusieurs fois par jour et… Enfin, j'ignore les détails car je n'ai pu me résoudre à en demander…

Comme ses traits se tiraient et qu'elle devenait livide, je lui demandai si c'était trop pénible de continuer.

– Non, non.

Balayant du geste ma sollicitude, elle reprit :

– Il est impossible de trouver le sommeil parce qu'un hurlement strident rompt le silence de la cellule toutes les dix minutes. Au fil des jours, le cerveau se débrouille pour que le corps dorme malgré la sirène et la lumière aveuglante. Sauf qu'il n'y a aucun moyen d'évaluer l'écoulement du temps, et que rien dans les cellules d'isolement

n'indique un mur ou le sol – elles sont dépourvues de
tout. Sam a dû passer des heures à tenter de résoudre
ce problème, mais son cerveau était sûrement ramolli et
fébrile à son arrivée. À cause du manque de nourriture et
de sommeil, qui nous emmène en enfer ou au nirvana :
cela dépend de la volonté de Dieu. Parfois, la lumière
du générateur central s'éteint brutalement, et l'obscurité
ajoute à la confusion. Aucun bruit ne résonne hormis la
sirène ; aucun chant d'oiseaux. Rien ne distingue le jour de
la nuit. Comme il fait soit un froid glacial soit une chaleur
étouffante dans les cellules, les prisonniers sont de plus en
plus déroutés et effrayés, isolés et en suspens, en dehors
du temps ou de l'espace. Tout est fait pour perturber la
routine. Tantôt on pousse la gamelle dans l'entrebâille-
ment de la porte à minuit, tantôt à midi. Elle est parfois
pleine, parfois vide. Lorsque les gardes cessent leur ronde,
l'impression de désolation doit être insoutenable...

Une infirmière frappa, passa la tête par la porte :

– On vous demande au service des urgences, docteur
Singh.

La mère de Sam se leva aussitôt. Quand elle revint,
elle était livide et bouleversée.

– Je crains qu'il n'y ait de très mauvaises nouvelles.

Elle s'assit précipitamment.

– Quelque chose de grave est arrivé, mais je n'ai pas
de précisions. Samresh est vivant.

Elle se mit debout et arpenta la pièce dans un état
de grande agitation.

– Les renseignements ne sont cependant pas clairs.
En outre, je ne peux pas parler à mon mari : il a disparu
dans les collines et j'ai horriblement peur qu'il ne prenne
les choses en main.

Elle me communiqua instantanément sa terreur, que
je sentis m'envahir. M'avançant vers elle, je la suppliai :

– Je ferai n'importe quoi pour aider. Ne me laissez
pas en dehors de ça, je vous en prie, dites-moi tout. Je suis
capable de supporter n'importe quoi dans la mesure où je
sais de quoi il s'agit. C'est ainsi – ma voix se brisa – que
nous étions ensemble. Il donnait quelquefois l'impression
d'être beaucoup plus âgé que moi, comme s'il avait des

pressentiments, comme si sa vie le préparait à quelque chose qu'il avait compris longtemps auparavant...

Des oiseaux noirs volaient sans but dans le crépuscule à une telle allure que je crus qu'ils se regroupaient pour foncer vers nous, casser les vitres et pénétrer dans la pièce. Prise d'un petit vertige, je crus que j'allais défaillir. La mère de Sam s'approcha de moi. Sa main se tendit vers mon poignet tandis que ses doigts froids me prenaient le pouls puis me touchaient le front.

– Est-ce que ça va ? Je peux vous trouver un lit le temps que nous décidions quoi faire.

Elle s'assit en face de moi.

– À mon avis, il serait plus prudent que vous partiez d'ici. La situation est très précaire. Des rumeurs circulent à propos d'un attentat terroriste, vous serez plus en sécurité ailleurs.

Consternée, je la fixai et me couvris le visage de mes mains :

– Je suis enceinte, annonçai-je, éclatant en sanglots.

23

Quittant immédiatement Rawalpindi, je pris un train pour Simla. Au regard des épreuves de Sam, ma peur de Neville semblait grotesque. Mon inquiétude au sujet de Ginny s'estompait. Il était temps de me débarrasser du voile. Il me fallait lire les journaux, me mêler aux gens de ma race, prendre la température du moment. Je voulais comprendre la signification des attentats et des émeutes, me rendre compte si la fin de la domination britannique aux Indes se profilait vraiment. J'avais conscience d'être sur le point d'aborder une nouvelle phase de mon existence : si les Indes étaient en mouvement, je voulais en être. Je n'étais plus amoureuse des Indes, du continent écarlate en forme de cœur qui m'avait éblouie et envoûtée. Il s'agissait désormais d'un véritable amour pour ce pays, qui me semblait y répondre. Je souhaitais que les Indes m'apprennent à vivre, à aimer, à élever mes enfants – quelle que soit leur couleur – dans un lieu de paix. Par-dessus tout, je voulais rendre service aux Indes, y accomplir un travail utile étant donné que les Anglais n'avaient apparemment plus le droit d'y rester, sinon pour s'y livrer à des activités de ce genre.

J'avais fixé mon choix sur l'hôtel Albert de Simla. Il était risqué de séjourner dans un petit établissement, hors de question d'aller dans une auberge. Mon anonymat était garanti à l'Albert, le plus grand hôtel des Indes, le Ritz des stations de montagne. Après une entrée dans le monde digne de celle d'une débutante avec des feux d'artifice, des banquets et des bals somptueux, le voilà qui dominait avec arrogance les demeures le long du Mall – un lieu de fastes grouillant d'activités, dont les portes s'ouvraient et se fermaient sur des douairières, des millionnaires et des princes – le *Chotat Vilayat*, la petite Angleterre des Indes.

À peine entrée, j'en ressortis choquée par sa splendeur. Son luxe et son raffinement avaient quelque chose d'irrévérencieux, voire d'obscène. Qu'est-ce qui m'avait pris ? Debout, les yeux baissés sur les carreaux astiqués de la véranda, je ne savais trop que faire ni où aller. En réalité, je n'avais pas le choix : j'avais prévenu la mère de Sam que je resterais à l'Albert, aussi devais-je m'y résoudre. J'y entrai à nouveau pour me réserver la chambre la plus petite et la plus simple disponible. Le directeur, plein de morgue et impoli, s'employa à m'humilier. Dans ma chambre qui se trouvait au rez-de-chaussée, près du sous-sol, il y avait à peine assez de place pour un petit lit en fer et une commode. Une fenêtre donnait sur le jardin situé à l'arrière ; d'un côté il y avait un poulailler, de l'autre un immense potager entouré de hauts murs. Au fil des jours, je me mis à aimer ma chambre si semblable à une cellule de religieuse, blanche, avec des rideaux en mousseline. Comme elle n'avait aucun rapport avec le reste de l'hôtel, on aurait dit un îlot coupé du continent. Mes jours s'écoulaient dans l'isolement, rythmés par un emploi du temps qui m'aidait à maîtriser mon angoisse. Une fois levée en même temps que le soleil, je traversais le parc jusqu'au lac d'un bleu d'émail et retournais prendre mon petit déjeuner sur la terrasse avant que quiconque ne descende.

Je n'adressais la parole à personne. Dans la solitude et la vacuité de mon esprit, franchissant l'absence et les ténèbres, j'essayais de rejoindre Sam. Allongée par terre, dans un rayon de soleil, je fermais les yeux et la conscience de ses souffrances et de son endurance grandissait en moi. La nuit, je me le représentais dans l'obscurité de sa cellule, attendant d'être ébloui par la lumière, réveillé par un hurlement de sirène, une implacable hausse ou baisse de température. Je m'efforçais de rester éveillée pour partager ce qu'il éprouvait. Sans succès au début. Au bout de quelques jours cependant, je passais le plus clair de mes nuits à lui parler en imagination, une partie de moi considérant notre avenir avec davantage de sagesse. Parfois, saisie d'une sorte de transe, j'avais vraiment l'impression d'être transportée dans une cellule de prison : il me suffisait de penser qu'il était battu ou torturé pour souffrir. Et je me réveillais trempée de sueur ou grelottant de froid. Il me semblait que cela provenait plutôt d'une communication télépathique que d'un dérèglement hormonal. J'avais beau essayer de les écarter, ces expériences singulières se répétaient, me rappelant la remarque de la mère de Sam sur l'impact de la privation susceptible de créer soit l'enfer soit le nirvana. À une ou deux reprises, j'éprouvai une faim dévorante, et, me précipitant dans la salle à manger, j'enfournai de la nourriture comme si je n'avais rien avalé depuis des lustres. Mon comportement était si bizarre que je compris que je tentais, d'une bien étrange façon, de sauver Sam de l'inanition en me gavant. Malgré tout ce que j'avalais, malgré ma grossesse, je ne prenais pourtant pas un gramme. Comme lors de son séjour en Angleterre, le chagrin suscité par son absence me rendait mince et forte : je me préparais.

Je passais tellement de temps seule, plongée dans mes pensées que j'avais le sentiment de prier. Je me remémorais les propos de la mère de Sam sur les tortures qu'il subissait, me demandant comment il les supportait. Heureusement, il était robuste, discipliné et agile. Une nuit, rêvant à moitié, je visitai le village où les musulmans avaient massacré les hindous. D'abord il me parut être à la lisière d'une forêt, ainsi que la mère de Sam me l'avait décrit, puis, je me retrouvai dans une clairière où je voyais les débris carbonisés d'un village. Il n'y avait pas de corps. Il restait à peine quelques traces de vie : une marmite cassée, une main, un métier à tisser démantelé, une carcasse calcinée de mouton, une porte où figurait le signe hindou aryen peint avec du sang. Les pages noircies d'un coran voletaient au vent qui projetait des cendres sur les troncs d'arbre. Au lieu d'entendre lamentations et gémissements de désespoir, je voyais les morts vaquer à leurs occupations rituelles tandis que la terre tournait. Avec l'arrivée des pluies qui inonderaient le sol, les restes des morts féconderaient d'autres plantations, et la vie renaîtrait. Sam me regardait et murmurait en souriant : « Ce n'est qu'une illusion. Tout l'est, même la souffrance, même la beauté. »

Je rentrai en moi, me concentrant sur notre enfant. Je me représentais un visage, un sourire, une voix, une couleur aussi chaude que le caramel. La vie éclatait en moi, prenait des formes, créait des doigts, des orteils, des cils, des ongles, un système nerveux, des organes et des artères – des voies vers le cœur et le cerveau. Je savais que mon cœur, tout gonflé d'amour qu'il fût, se déplacerait pour faire de la place au bébé. Sam sentait-il d'une manière ou d'une autre qu'il allait à nouveau être père. Est-ce qu'il trouverait insoutenable d'y penser ou de penser à moi ? Dans le désarroi d'un isolement cellulaire, serait-il capable de se laisser envahir par des souvenirs tendres ou heureux ou ceux-ci le détruiraient-ils ? M'oublierait-il comme il avait dû oublier sa mère à Eton ?

Un soir, au sortir d'un rêve, je fis soudain l'abominable expérience d'une descente dans l'abîme. Aspirée par un vortex, je tournoyais dans des ténèbres aussi vertigineuses que l'enfer avant d'être projetée dans la chambre de Queen's Mansion, où je regardais le couteau s'approcher de mon œil ; cette fois, au lieu d'être pétrifiée, j'étais happée par une fureur meurtrière. La peau brûlante, mon cœur battait à un tel paroxysme de colère et de haine que je croyais qu'il allait bondir de ma cage thoracique. Je me voyais en train d'attacher Neville au lit et d'énucléer un œil après l'autre. Quels que soient mes efforts pour la chasser, cette image demeurait en moi. Elle m'horrifiait tant que je sombrais plus profondément dans l'obscurité où j'atteignais un tel degré de dégoût de moi-même et de désespoir que j'en étais anéantie. J'essayais de sortir du lit. En vain. Mes jambes se dérobaient. Aucune pesanteur ne me retenait au sol. J'avais la sensation de flotter au point que si je touchais mon corps, il ne semblait pas être là. Ceci continua jusqu'à l'aube. Malgré les exhortations que je m'adressais, je ne réussissais pas à sortir de la nuit noire. Aucune de mes admonestations à propos de la sécurité de l'enfant que je portais ne parvenait à me délivrer de la mer démontée. Lorsque l'accès de folie finit par retomber, ma rage et mon chagrin me firent aussitôt prendre conscience de mon impuissance. Comment avais-je pu rester dans cette chambre sans bouger alors que Sam souffrait? Comment pouvais-je laisser ces brutes de Britanniques le brutaliser sans intervenir? Ne devrais-je pas saccager cet hôtel au lieu de prendre mon petit déjeuner et mon déjeuner dans sa véranda? Que se passait-il en moi qui m'empêchait de me battre pour lui ou de rejoindre son père et de m'associer aux représailles de ce dernier? La violence persista jusqu'à ce que je me rende compte que je ne valais guère mieux que Neville. Cela m'éclaircit les idées. Je commençai à me calmer, tandis que des conclusions surprenantes me venaient à l'esprit. D'abord, j'avais été ignoble avec Neville : même en tenant compte du côté contre nature de notre union, la manipulation de l'autre débouchant sur une exploitation de l'autre, je n'étais absolument pas innocente. Et ma liaison avec Sam, le simple fait d'être entrée dans sa vie, l'avait mis en danger de la même manière que l'irresponsabilité de Neville avait conduit la jeune musulmane à sa mort. Confrontée à l'horreur de cette évidence, je compris qu'il me faudrait trouver une sorte de foi sinon la violence de mes émotions me ferait exploser.

Le remords, qui m'obligea à capituler, me sauva. Comme l'aube cédait la place au jour, j'exhumai les innombrables transgressions de mon existence, mes trahisons, mes cruautés, mes actes ou paroles violents et égoïstes, mes mensonges, mes aveuglements jusqu'à être submergée par mon ignominie. Qui étais-je pour juger Neville? Pourquoi n'avais-je perçu en lui que le soldat ou la brute? Pourquoi n'avais-je pas eu la compassion de le considérer comme un homme qui avait été opprimé par le système autant qu'il opprimait autrui? Ou comme un homme privé de sa mère, livré à la cruauté de domestiques qui le négligeaient alors que son père faisait si peu cas de lui? Je ne l'avais vu que pour le mépriser, aussi ne l'avais-je pas vu du tout. Et je m'étais employée à l'humi-

lier d'une façon qui ne pouvait mener qu'au meurtre ou
à la mutilation, la sienne ou la mienne.

Parfois, lorsque je franchissais la porte en voûte du
jardin pour pénétrer dans la roseraie aux parfums eni-
vrants, la panique et les images violentes reprenaient possession de moi et je me sentais proche de la désagrégation.
Je me hâtais de rentrer dans le sanctuaire de ma chambre,
de me glisser dans mon lit et de tirer les draps sur moi jusqu'à ce que mes dents cessent de claquer. Une nuit, tard,
je me surpris en train de regarder le visage d'une femme –
celle de Sam, celle qu'il avait épousée alors qu'elle n'était
qu'une enfant. Pour la première fois, je compris le côté
répréhensible de mes actes. J'avais violé le caractère sacré
d'une union conjugale sans jamais sonder mes désirs ou
mes raisons, ni ressentir le moindre remords ou sentiment de culpabilité. Des jours s'écoulèrent avant que je ne
m'aventure dehors. Lorsque je le fis, j'avais retrouvé mon
calme ; quelque chose avait changé en moi, ce qui modifia
l'attitude des clients de l'hôtel à mon égard, dont aucun
ne m'avait abordée depuis que je m'y étais installée. Lors
de mes promenades dans le parc en fin d'après-midi, une
ou deux femmes cherchèrent à engager la conversation ou
m'invitèrent à les rejoindre pour un café. Plus attentive, je
commençai même à prendre mes repas en même temps
que les autres – non comme une sauvage –, à sourire et à
échanger quelques plaisanteries inoffensives. Je regardais
les officiers se réunir au bar, jouer au tennis ou déjeuner dans la véranda. Je prêtais l'oreille aux conversations
et lisais les journaux de la première à la dernière page.
J'avais beau ne pas m'attarder longtemps avec les gens
de mon milieu, je les observais. Eux aussi. Mais ils respectaient ma réserve. Je savais qu'ils s'imaginaient qu'un
malheur m'était arrivé – une histoire d'amour tragique,
la mort d'un mari à la frontière du Nord-Ouest ou dans
les récentes émeutes survenues dans les villes, quelque
chose dans ce goût-là. Je jouais la malade, dissimulant
mon visage sous des voiles diaphanes et des chapeaux à
bords immenses, marchant en lisière des pelouses tandis
que les autres évoluaient au milieu.

Malgré ma peur pour Sam, je continuais à croire en une conclusion heureuse, à son retour, à la reprise de la vie. Ma grossesse m'emplissait de joie : je me sentais débordante de vie. Je devais l'état de grâce que l'on m'accordait en dépit de mes transgressions à l'être en gestation qui remuait dans son espace, pelotonné dans mon ventre. Mon dos s'incurvait en berceau. Mes hanches se muaient en un mur défensif. Mon visage était un miroir où mon bébé sourirait. Sa future couleur m'intriguait profondément, et je me demandais s'il me serait possible de devenir indienne en partageant l'existence d'un Indien et en ayant un enfant qui le serait à moitié. On ne s'arrêterait sûrement pas pour nous dévisager quand nous marcherions dans les collines, non ? Je découvrais un sentiment de paix et d'appartenance, grâce auquel mon vieux rêve de disparaître dans l'immensité des Indes prenait une autre forme. Je passais des heures à la bibliothèque de Simla à chercher des renseignements afin d'élaborer des projets dans lesquels je croyais de toutes mes forces. Je décidai de trouver de quelle façon je pouvais divorcer tout en espérant que Sam reviendrait vivre avec nous.

Une semaine plus tard, on glissa un petit mot de la mère de Sam sous ma porte au cœur de la nuit. Je le pris et le lus sans respirer : *Soyez prête demain à cinq heures du matin s'il vous plaît. Allez attendre sur le banc devant les bijoutiers, on viendra vous chercher.* Les longs jours de parenthèse étaient terminés. L'angoisse et la terreur se dissipèrent en une fraction de seconde. Je m'effondrai, en larmes. J'écrivis deux lettres. L'une adressée à Joseph à la boîte postale de Delhi, l'autre à ma mère. Après avoir signé un chèque pour l'hôtel, j'emballai mes effets de première nécessité dans mon sac en velours bien abîmé et attendis l'aube. Dès son apparition, je quittai l'hôtel et allai m'asseoir sur le banc, regardant le ciel se teinter d'or. La nappe de brume enroulée au pied des collines se laissait accrocher par les pins. Les premières lueurs pourpres du jour diapraient l'Himalaya. Les tourterelles et les perroquets s'égosillaient. Les balayeurs surgirent et se mirent en un seul rang comme des trayeuses sur le Mall, leur balai sur l'épaule. Assise, j'observais et attendais, le cœur plein d'un amour qui me paraissait englober tout ce que je voyais, tout ce dont je me souvenais, tout ce que j'avais connu.

Au-dessus de moi, sur une crête où s'alignaient des vieux pins censés la protéger de la majesté ironique des montagnes, se profilait Christ Church. Par la fenêtre ouverte d'une maison, j'entendais le son cristallin d'un piano, accompagné par la voix exercée d'une femme chantant *Danny Boy*. Je parcourus le lieu du regard comme si c'était la dernière fois avec l'impression que je disais adieu à l'Angleterre. Il faisait froid, je m'emmitouflai dans mon châle noir. Une tonga finit par arriver et s'arrêter devant moi. À peine y fus-je montée que nous partîmes, montant puis descendant dans les quartiers de la ville délabrée, nous dirigeant vers l'endroit où la piste tombe sur la route principale. Une Mercedes noire attendait. Sam ne se trouvait pas à l'intérieur. Je ne le vis que des heures plus tard lorsque nous arrivâmes sur un chemin envahi d'herbes, à l'extérieur de Chandigarh. Là, le chauffeur qui ne m'avait pas adressé la parole me demanda de sortir. Au loin, de l'abri formé par les arbres, un camion surgit de l'ombre et roula lentement vers nous. Il s'arrêta à une certaine distance, et on aida un homme barbu à en descendre par l'arrière. L'espace d'une minute, celui-ci demeura immobile. Il regarda autour de lui, puis le ciel, avant de m'apercevoir et de s'avancer vers moi en traînant les pieds dans la poussière de la piste, un bras raide le long du corps, sa chemise blanche flottant au vent. Je me mis à courir. Mon Dieu! La façon dont on l'avait fait sortir de l'arrière du véhicule camouflé par les branches, soutenu quand il avait presque trébuché, m'avait clouée au milieu de la route, le cœur glacé, me mordant les doigts. Je me rappelai le jour où il avait traversé la place de Ferozepore vêtu de son complet en soie claire, les cheveux souples et bouclés, du pas d'un homme connaissant sa place dans le monde, persuadé que la vie se résumait à l'adage suivant : « Si vous voyez un être dans la souffrance et que vous avez la compétence requise pour le soulager, faites-le avec tous les moyens à votre disposition. »

24

On aurait dit que j'avais rêvé de ce lieu ou que je le connaissais depuis longtemps parce que, dès que nous parvînmes aux plantations de thé, j'eus le sentiment d'être chez moi. Même si le paysage ne ressemblait pas au Pays de Galles, l'air était vif et transparent comme dans les Black Mountains. Et je pouvais respirer. Nous étions arrivés ailleurs, dans une région au climat plus frais, située en altitude, baignée de lumière. Nous avions échappé aux trains, aux épouvantables plaines torrides, à leur poussière et à leur pestilence, et nous nous acheminions vers les hauts plateaux des jardins de thé de l'Assam. Là-haut, le fleuve Brahmapoutre et la haute de chaîne de l'Himalaya nous séparent de la Chine. Nous sommes sur une petite langue de terre entre deux morceaux de continent : à gauche le cœur rouge des Indes, à droite la Birmanie et le Siam, Calcutta au sud, sur la côte, où les nombreuses bouches du Gange s'ouvrent sur le golfe du Bengale. Sam était assis à côté de moi, la tête sur mon épaule. La tonga couverte, choisie pour ses sièges tendus d'un épais velours rouge, nous emmenait toujours plus haut dans les prés et pâturages à flanc de montagne, où les vaches se déplacent lentement, où les éléphants se baignent dans des lacs envahis de nénuphars.

Dans une chambre au milieu de nulle part, je suppliai Sam de m'autoriser à enlever sa chemise. Le médecin lui avait donné une réserve de morphine et mis une attelle à son bras. En revanche, il n'avait permis à personne de toucher à son dos. Je revins à la charge :

– Laisse-moi couper la chemise, ensuite je mouillerai le tissu pour le décoller. Il faut que tu te couches sur le ventre. Allez, nous devons le faire. C'est infecté.

Lorsque je fus près de lui, il écarta brutalement mon poignet :

– Non ! Pourquoi ne peux-tu pas te fourrer ça dans le crâne ?

Je me retrouvai sur mon postérieur. Depuis des jours, j'essayais de nettoyer les plaies de son dos, sans jamais parvenir à le séparer de sa chemise nauséabonde, tachée de sang, autrefois blanche. Pour lui changer les idées, je tentai de l'arracher à ses souvenirs en le ramenant à notre vie. Je mourais surtout d'envie de lui annoncer ma grossesse, mais il était si distant, si étrange, que le bon moment ne se présentait jamais. Je décidai de me jeter à l'eau :

– Tu te souviens du soir où tu m'accusais de ne rien savoir de la dengue, où je t'ai entraîné par terre, où nous avons ri et fait l'amour ?

Lorsqu'il leva les yeux, je réalisai qu'il était à mille lieues d'ici. M'approchant de lui, je lui pris les mains et le fixai :

– Sam, je suis enceinte.

Il leva brusquement la tête, puis son visage retomba dans ses mains tandis que ses épaules étaient secouées de sanglots. Blessée, ne comprenant pas, je l'observais. L'instant d'après je sortis et restai dans le couloir en fumant tout en contemplant par la fenêtre les arbres de haute futaie qui s'élançaient dans l'insondable ciel nocturne, la jungle pleine de bêtes sauvages mangeuses d'hommes et d'araignées capables de vous paralyser en une seconde.

Je croyais qu'il avait deviné. Comment ne l'aurait-il pas perçu alors qu'il lui suffisait d'un simple toucher pour ausculter un corps, de bouger les mains au-dessus d'un torse couvert pour détecter un poumon malade ou un cœur congestionné ou pour prédire une tumeur maligne sans l'aide du scalpel ? Je luttai contre l'envie de me replier sur moi et de m'éloigner davantage de lui. Je me secouai.

Je me rappelai les cicatrices de son dos, ses hurlements de la nuit, la façon dont il se redressait parfois dans son sommeil, cherchant son souffle. Je me rappelai qu'il n'avait pas fermé les yeux le premier soir de nos retrouvailles, parce qu'il avait appris à dormir en les gardant ouverts. En plein jour, un cauchemar le précipitait contre les murs, et il criait dans ses poings. Il lui arrivait de s'effondrer sur le sol et de se recroqueviller, les mains sur la tête, le visage enfoui dans les genoux. Autant d'épreuves qu'il traversa sans jamais ôter sa chemise en coton blanc, celle qu'il portait sous sa blouse le jour où on était venu l'arrêter.

Je me rappelai que je l'aimais. Ainsi que son aspect sous le soleil éblouissant lorsqu'il s'était dirigé vers moi en boitant sur la piste blanche. Je me rappelai qu'il avait braqué son regard sur mon œil droit avec sa cicatrice rouge et violacée. Il avait poussé un hurlement strident dont l'écho s'était répercuté dans les collines. Il avait baissé la tête, que j'avais relevée. J'avais tenu son visage émacié entre mes mains, l'avais couvert de baisers avant de l'étreindre, sentant son cœur battre à tout rompre contre le mien. L'espace d'un moment, nous avions à nouveau formé un seul être. Alors, j'avais compris que j'avais le choix : je pouvais m'accroupir dans la poussière avec lui, l'accompagner dans l'horreur de ce qu'il avait vécu, pleurer, laissant la douleur et l'amertume s'incruster. J'avais refusé. Je voulais être debout à ses côtés. Je voulais me rendre dans un endroit où les atrocités infligées au corps n'avaient ni pouvoir ni place, où la mémoire n'était pas un couteau, où nos blessures n'étaient que des cicatrices.

Sam ne m'avait toujours pas parlé de ce qui lui était arrivé, si ce n'est pour me dire qu'il avait joué aux échecs dans sa tête, écouté des morceaux d'orgue et récité tous les psaumes de Pâques. Et ce très calmement. Mais je me rappelais que le premier jour, celui où il était descendu du camion et s'était dirigé vers moi, sa souplesse élégante, son rayonnement, sa beauté hirsute avaient disparu. Il traînait les pieds et son bras gauche pendait bizarrement. Lorsque j'avais tendu les miens, il avait trébuché sur la piste tandis que je remarquais les rayures sombres qui maculaient sa chemise – le bleu d'anciennes zébrures et le rouge de nouvelles blessures se mêlaient au blanc du tissu pour former un Union Jack.

Je rentrai et fis une nouvelle tentative :

– Sam, je ne vais pas couper la chemise. Je desserrerai simplement l'étoffe pour arriver à l'enlever. S'il te plaît, allonge-toi sur le ventre. Laisse-moi t'aider.

Il acquiesça. Cela prit du temps, mais, somme toute, j'avais l'œil suffisamment exercé et assez de compétence pour éviter que le sang ne se remette à couler. Au moment où la chemise fut enfin par terre, il me prit la main dont il embrassa tendrement la paume et le dos, qu'il mouilla de ses larmes.

– Pardonne-moi, souffla-t-il. Tout m'accable apparemment.

Je ramassai la chemise. Il y avait une étiquette à l'intérieur du col : *Cousu main, Coles, Londres.* Au lieu de la balancer par la fenêtre comme l'envie m'en démangeait, je la lavai dans l'évier en inox, laissant l'eau couler jusqu'à ce qu'elle redevienne blanche. Je l'accrochai à la fenêtre pour qu'elle le soit davantage encore. L'après-midi, le soleil pénétra à nouveau dans notre chambre éclairant l'endroit où il était couché sur le ventre, un bras pendu ; les rayons tombèrent sur les zébrures profondes de son dos et commencèrent à les guérir. Je le laissai dormir jour et nuit, nuit et jour, lui fermant parfois les yeux.

Lorsqu'il parut avoir récupéré des forces, je lui demandai :

– Peux-tu me parler de ce qui t'est arrivé ? T'en sens-tu capable ?

Il passa un long moment à regarder par la fenêtre en silence avant de répondre :

– Je n'ai pas cherché à t'exclure, simplement je ne veux pas en faire une fixation. Cela m'a épuisé de résister à la peur, un état où je n'ai aucune envie de retomber. Je ne parviens à supporter que de petites choses. Je ne peux me concentrer que sur très peu de choses en même temps. La première fois qu'on m'a laissé sortir au soleil, le bruit était insoutenable. Un hennissement de cheval, un maçon appliquant du ciment sur un mur, le vent dans les arbres, le moindre bruit était intolérable. Je n'arrivais

à regarder que ce qui se trouvait devant moi : des petits
oiseaux marron, une libellule voletant au-dessus d'un seau
d'eau, des cailloux... Tout était saturé d'une émotion que
j'étais incapable de supporter parce que je croyais que ça
allait m'anéantir. Le premier jour où l'on m'a fait sortir
de ma cellule, je grelottais si une abeille m'effleurait le
bras, j'avais l'impression que mon cœur se briserait si un
homme grognait. Pour que l'image de ta main sur ma
colonne vertébrale me traverse ou le souvenir de ton corps
blotti contre le mien, je devais m'arrêter de penser. Il me
fallait tout oublier sauf le moment que je vivais.

Sam prit une cigarette dans le paquet, qu'il garda
dans sa main sans l'allumer.

– La seule chose que j'aurais pu faire là-bas, c'était
d'exercer la médecine. Ils s'y sont opposés. Les prisonniers
étaient affreusement malades. J'ai demandé pourquoi personne n'était soigné : mon obstination m'a valu d'être à
nouveau torturé, mais d'une autre façon.

L'allumette s'enflamma, il alluma le bout de sa cigarette qu'il ne fuma pas.

– Un Parsi, reprit-il. Un petit homme au ventre mou
et au visage bienveillant est venu me chercher pour m'emmener dans la cour. Un poteau se trouvait au milieu de
celle-ci, dans un cercle pavé, en face du soleil à son zénith.
Je me rappelle que le Parsi était très gentil et bavard : « On
m'a choisi pour ce travail, a-t-il précisé, parce que j'ai eu
la chance de faire un an d'études de médecine à Bombay.
Je sais comment attacher les membres d'un homme pour
qu'il souffre le plus possible sans mourir. C'est un talent,
non ? – Il s'est écarté d'une flaque de sang séché. – C'est
le lieu de nos exécutions. Hier, il y a eu la décapitation
d'un terroriste de haut rang : le visage vers le bas, la tête
tournée d'un côté, un coup à la gorge, la pelle plus efficace
que l'épée. – Il a secoué la tête d'un air dédaigneux. – Ce
n'est pas mon boulot. Moi, je ligote, je ne suis connu que
pour ça. »

Sam s'exprimait d'une voix neutre.

– On m'a pendu à ce poteau par les bras, poursuivit-
il. Il était midi. Au début, j'ai tenté de garder la tête levée :
c'était impossible. Quand elle est retombée, j'ai eu moins

d'air dans les poumons, ce qui intensifie la douleur. J'ai réussi à déplacer l'angle de mes bras pour laisser plus de place à ma poitrine, mais l'effort était trop grand. Au bout d'environ cinq heures, les bruits ont faibli puis disparu. Lorsque j'ai été sur le point de suffoquer, je me suis évanoui. Je suis revenu à moi au moment où on m'a lancé un seau d'eau. Il faisait nuit et froid. Des soldats assis autour d'un feu mangeaient, buvaient, allumaient des cigarillos qu'ils se faisaient passer à la ronde. À l'arrivée d'un sergent, les cipayes se sont aussitôt mis au garde-à-vous. Un peu plus tard, un des soldats britanniques s'est approché du feu pour demander pourquoi le prisonnier portait une cravate rayée. « On nous a dit que cet homme était un pukka sahib, alors nous lui rendons hommage », a répondu un cipaye. Et je me suis rendu compte qu'on m'avait pendu de la sorte non pour terroriser les autres prisonniers, mais pour amuser la troupe. J'étais un spectacle. Cela m'a mis dans un tel état de rage que mon esprit s'est éclairci et que la douleur s'est atténuée. L'officier qui avait donné cet ordre m'exhibait comme un spécimen : un colonisé peut-être ou un Nègre blanc. Allaient-ils me tuer ? Cette question a suffi à me redonner des forces. Mon cœur a pompé frénétiquement le sang, mes poumons se sont ouverts, ma tension a grimpé tandis qu'une décharge d'adrénaline chassait la souffrance plus vite que de la morphine. Les regardant de très haut, je flottais, sûr qu'ils ne pouvaient m'atteindre. J'ai entendu une voix anglaise et vu un officier au visage buriné et furibard, qui a aboyé un seul ordre : « Décrochez-le immédiatement. » Lorsque l'on m'a conduit dans la salle d'interrogatoire, l'officier m'attendait. Il ne s'est pas présenté. Je l'ai surnommé Latimer parce qu'il me faisait penser à un étudiant d'Oxford qui s'appelait ainsi. Dès mon arrivée dans cette pièce ma colère est devenue irrépressible. L'officier n'a proféré qu'une parole : « Asseyez-vous. »

» – Je veux qu'on m'enlève les chaînes, ai-je fulminé. Au son de ma voix, ses yeux se sont écarquillés. Il a fait signe au garde à la porte, qui est venu désentraver mes bras et mes jambes. Il m'a prié d'accepter ses excuses pour la manière plutôt rude, ce sont ces termes, dont on m'avait traité. Puis il a enchaîné sans aucune ironie sur les différents niveaux de persuasion comme si j'étais à même de saisir les nuances puisque j'étais manifestement un type cultivé, s'exprimant avec un accent distingué. Il a ordonné au garde de m'apporter de la nourriture, sortant de la pièce pendant que je la dévorais. J'ai refusé la cigarette qu'il m'a proposée, tout en me débrouillant pour inhaler le plus possible sa fumée. Une fois qu'il a eu lu mon dossier, il m'a prévenu qu'il me faudrait être disposé à parler davantage : « Vous ne nous avez donné aucune information sur les terroristes impliqués dans l'attentat à la bombe, or nous savons que vous connaissez personnellement au moins deux d'entre eux. »

» – Vos renseignements sont inexacts. Je suis médecin. Je n'ai aucun lien avec le terrorisme.

» Le sourcil levé, il a affirmé sèchement que mon père était un terroriste depuis presque vingt ans. Une période au cours de laquelle j'ai vécu la plupart du temps à l'étranger. « Je parle du présent. Certains changements... – Il s'est interrompu – se sont produits dans votre existence. »

» – Mon objectif est de sauver des vies, non de les dilapider.

» – La vôtre est déréglée sur plusieurs plans, ce qui fait de vous un danger pour le gouvernement. – Il a planté ses yeux dans les miens. – Vous n'ignorez sûrement pas qu'un membre du mouvement de votre père a réussi à mettre au point une bombe extrêmement meurtrière, qui est utilisée contre les forces de Sa Majesté dans plusieurs villes.

» Lorsqu'il m'a précisé qu'on me soupçonnait d'être impliqué dans les incidents de Lahore et de Rawalpindi, j'ai eu envie d'éclater de rire. « C'est ce dont on m'accuse ? Comment pourrais-je y avoir participé alors que, dans les deux cas, on m'a enrôlé pour soigner les blessés. » Il m'a interrogé sur ce que j'éprouvais envers les Britanniques. « Je crois que vous voulez savoir ce que je pense de vous », ai-je répondu, me sentant très calme. « Vous arrachez des renseignements aux hommes par des moyens inhumains. Ce camp est dirigé sans aucun respect de la personne humaine. Les prisonniers sont atteints de malaria chronique et de tuberculose. Ils meurent de faim. Ils sont épuisés. Et vos interrogatoires sont menés avec des méthodes aussi infâmes que celles de l'Inquisition ou des sultans. » L'officier a blêmi, mais il a gardé un ton uni pour constater avec raideur : « Nous vivons un moment déconcertant de l'Histoire. »

» – J'imagine que vous faites allusion au déclin de l'Empire ?

» – Je parle des guerres de religions dont nous tentons d'empêcher l'éruption aux Indes.

» – Oh ? Ne s'agit-il pas d'une croisade chrétienne que vous menez à la fois contre les hindous et les musulmans ?

» – Nous nous efforçons d'endiguer une marée d'anarchie, d'assassinats, de tortures et de terrorisme. Nous sommes responsables de ce pays. Sans notre administration, il volera en éclats.

» – Laissez-le s'effondrer. Votre gouvernement est devenu criminel et doit partir.

» – C'est diabolique, m'a-t-il brusquement reproché, de suggérer que les Britanniques devraient être au-dessus des autres nations. Tous les gouvernements ont recours aux mêmes méthodes pour arracher des informations à un homme.

» – Vous estimez qu'il est possible de justifier la torture ?

» – Oui, toujours. Sans elle beaucoup de gens mourront.

» – Vous me paraissez ne pas comprendre le mal inconcevable que vous nous avez fait. Je ne suis pas un militant, je ne l'ai jamais été, mais je crois que vous pourriez aisément imaginer que je quitte cet endroit en l'étant devenu. – J'ai tendu la main pour prendre une de ses cigarettes. – Je vous serais reconnaissant de bien vouloir me l'allumer...

» Il s'est exécuté. Et il a changé de ton : « Je viens d'arriver ici. »

» – Dans ce cas, me permettez-vous d'attirer votre attention sur un certain nombre de choses ? Les hommes ne peuvent pas dormir avec les bras entravés derrière leur dos, sinon ils seront handicapés à vie. La maladie est endémique. Vous avez besoin d'un dispensaire, de beaucoup de quinine, et les prisonniers malades doivent être séparés de ceux qui ne le sont pas. Il s'agit de mesures élémentaires.

» – C'est moi qui prends les décisions ici, a-t-il dit d'une voix dure. Et l'une d'elles est de décider quoi faire de vous.

» – Peut-être est-il simplement temps que le monde change, ai-je susurré.

» – Je ne crois pas que vous ayez des renseignements qui nous soient utiles. – Latimer a feuilleté les dernières pages du dossier. – En revanche, nous avons des informations classées ici dont nous pourrions nous servir contre vous. Nous savons où se trouve votre fils. – Il a baissé les yeux en rougissant. – Mais cette information ne figure nulle part ailleurs. – Il m'a regardé. – J'ai l'intention de la détruire. Nous sommes également au courant de votre liaison avec l'Anglaise, qui a disparu de Delhi, depuis la dernière fois que nous l'avons vue. J'imagine que cela doit vous soulager.

» Après quoi, il s'est levé, m'a tendu la main que j'ai serrée. Comme je m'apprêtais à partir, il a ajouté : « Cela peut vous intéresser d'apprendre que l'on projette d'arrêter Gandhi au motif de sédition dans un avenir proche. Une fois qu'il sera en prison, le pays se calmera et les choses reprendront un cours normal. » Ce fut cette nuit-là, lorsque, de retour dans ma cellule, j'attendais que le garde vienne m'entraver les bras derrière le dos, que la première bombe a éclaté, tuant tous les soldats dans leur cantonnement et creusant un énorme cratère dans la cour. Des bouts du fil de fer de la clôture qui s'est envolée dans le ciel se sont accrochés aux arbres. Une deuxième explosion a frappé un blockhaus servant de dépôt de munitions, d'où a jailli une gerbe de lumière blanche. Des fenêtres étaient désencastrées des murs, des projectiles planaient dans tous les sens, formant une boucle avant de retomber sur la terre en rugissant. Dans le chaos, à l'abri de l'épaisse fumée, l'un des gardes m'a fait sortir de ma cellule, puis du camp, et m'a conduit sur une route jonchée de débris, où la Mercedes noire de mon père est sortie de la pénombre et m'a emmené vers la sécurité. Vers toi.

25

Les grands buissons qui bordent les routes sont chamarrés de bleu. Chèvrefeuille et belles de jour s'enchevêtrent aux mûriers. Les montagnes sont tapissées de théiers. Les rizières des terrasses étincellent. Les femmes des collines, aux joues roses, écartent les arbustes avec leurs seins, avancent vite, coupent les pointes tendres et tendent le bras au-dessus de leur épaule pour les laisser tomber dans les hottes en forme de cône qu'elles portent en haut du dos. Des bœufs et des éléphants se traînent sur les voies de communication anglaises, ombragées par des haies de groseilliers, d'hibiscus et d'orchidées sauvages. Un temple hindou apparaît sur une éminence, puis disparaît avec la prochaine descente. L'étroite route serpente dans des forêts d'arbres tropicaux et ressort dans un soleil éblouissant. Des chemins à la périphérie des villages mènent à des carrés de légumes et à des vergers impeccables. C'est alors que se révèle un jardin botanique à la française, près duquel se dressent un petit sanatorium et quelques élégantes résidences perchées à flanc de coteau. Des enfants bondissent des fossés pour offrir des gerbes de cannas ou des petits bouquets de fleurs des champs. Assis bien droit près d'un sanctuaire situé sur l'accotement, un sadhu ne quitte pas Dieu des yeux.

Comme nous approchions de Jalpaiguri, je pensai que le moment était venu de confier deux ou trois choses à Sam.

– Je ne sais pas trop, commençai-je, comment je vais

trouver cette maison qui nous appartient. Est-ce que je
te l'ai dit?
- Non, mais je suis content de l'apprendre.
- Père n'en a parlé qu'une ou deux fois.
Il me lança un regard serein :
- Nous la trouverons, pour peu qu'elle existe.
- Maintenant je me demande, marmonnai-je, si je
ne suis pas complètement idiote de m'imaginer qu'elle
sera toujours là après tout ce temps. Maman a bien pris
langue, quand elle était ici, avec un directeur de banque :
non pas le premier qui a géré la propriété, mais quelqu'un
qui connaissait au moins son existence. Enfin, on nous a
sans doute raconté un tissu de mensonges.
- Les gens d'ici sont heureux, fit observer Sam, les
yeux fixés sur un virage en épingle à cheveux. Et ils n'ont
pas eu beaucoup de rapports avec les Britanniques. Il me
semble peu probable qu'on l'ait fait sauter.
- Peut-être que le directeur de banque a piqué le fric
ou que l'humidité des collines a pourri la maison ou que
les plantations de thé se sont propagées et qu'elle n'est
plus qu'une colline de thé.
- Peut-être, acquiesça-t-il avec douceur, tout en
contemplant des pins qui se profilaient à trois cents mètres
en dessous d'un bas-côté effondré. En fait, je m'intéresse
davantage aux plantes médicinales de la région. Des soldats se rétablissent dans ce genre d'endroits depuis des
siècles. L'air est fortifiant, ne serait-ce que ça. - Il fuma sa
cigarette jusqu'au bout, fronçant un peu les sourcils. - De
toute évidence, ils ont du quinquina, de quoi soigner le
paludisme.
Se tournant vers moi, il sourit :
- Le climat a quelque chose d'italien, tu ne trouves
pas?
La route s'élargit lentement. Les collines sont moins
verdoyantes. On se hâte de récolter le thé qui pousse
comme du chiendent ici. Les femmes remplissent leur
hotte, s'en déchargent, et la passent à des hommes qui
descendent en courant les étroits chemins jusqu'aux
dépôts et aux fabriques. Vus de haut, les jardins de thé
donnent l'impression d'être un dédale de sentiers clairs
entrant et sortant de rangées touffues de massifs taillés

et sinueux, où des femmes portant des voiles brillants se déplacent rapidement dans la chaleur. Et quelque part au milieu de cette grouillante activité se trouvait une maison baptisée le Cottage Sorrel, où Père était né et avait vécu ses premières années. J'avais découvert le nom du village sur une carte, mes connaissances se résumaient à ça. Il y avait des gens à interroger, polis et chaleureux malgré leur timidité; au bureau de poste, on nous indiqua une étrange loque humaine, qui dirigeait la plantation du village. Assis dans sa véranda, il fumait. Nous descendîmes de la tonga. Il ne se leva pas. Du coup, je me dirigeai vers lui, écartant mon voile. Lorsque je lui tendis la main, il se mit debout :

– Mademoiselle Herbert, je suppose? Je vous attendais.

Une fois que j'eus présenté Sam, il nous observa tandis que nous nous asseyions dans des fauteuils en osier délabrés. Il avait un regard d'une extraordinaire franchise.

– Vous ne correspondez pas vraiment à ce que j'imaginais, fit-il observer.

Moi, je me disais que sa plus proche parente devait être une mante religieuse, dont il avait la démarche chancelante bien qu'il ne soit absolument pas ivre. Il étendit ses jambes, aussi maigres que celles d'un mendiant.

– Peters, de la banque, reprit-il, m'a conseillé d'arranger la maison au cas où nous aurions de la visite. M'est avis que votre mère n'a pas mâché ses mots.

Je l'examinai. Son visage était constellé de taches de son et ses cheveux, à l'évidence une masse de boucles autrefois, étaient à présent hérissés. Il avait la peau tannée comme des genoux d'éléphant, des yeux couleur de fumée, et semblait ne pas avoir tenu une conservation digne de ce nom en vingt ans.

– Je n'étais pas certaine, lançai-je, que la maison soit toujours intacte.

– Vous croyiez que les autochtones l'auraient envahie? D'après mon expérience, ce sont les Anglo-Saxons qui ont tendance à s'approprier les biens d'autrui. Votre maison est en bon état. Cela dit, je trouve que quelqu'un aurait pu venir y jeter un coup d'œil de temps à autre.

– Est-ce qu'elle a été occupée ? demandai-je.

– Ma foi, elle ne fait pas partie de la plantation, ni de la propriété que j'exploite pour le compte des Ferguson. Eux, ils se pointent régulièrement afin de s'assurer qu'il y a suffisamment d'argent pour gérer correctement le domaine. J'ai pris la liberté d'y entreposer du thé lorsque nous n'avons plus de place ailleurs et parfois – il regarda autour de lui – quand cet endroit est inondé, ce qui arrive de temps à autre, je m'installe jusqu'à ce que la pluie cesse.

– Nous espérons bien que vous continuerez à le faire, intervint Sam.

L'exploitant, qui n'avait pas jugé utile de se présenter, eut l'air étonné. Et Sam de poursuivre, toujours aussi charmant :

– Nous n'avons pas l'intention de changer les choses, ni pour vous, ni pour qui que ce soit.

L'homme avait manifestement des questions à poser, il devint un peu plus loquace :

– J'ai commencé à Ceylan, essayant le café, sans succès parce que c'était trop au sud sur la côte. Je m'en suis mieux sorti dans les collines autour de Kandy, sauf que je n'ai jamais aimé le café. Le thé, c'est mon truc. Même si je n'en bois pas, j'adore le regarde pousser. C'est la vitesse de la croissance qui me plaît. La main-d'œuvre d'ici est paisible, aussi intelligente que les Tamouls, mais plus gentille. Nous n'avons pas d'attentats à la bombe dans cette région. Nous sommes coupés du reste du monde, voilà pourquoi je reste. Vous avez envie de jeter un œil ? Je vais chercher la carriole.

Celle-ci avait d'épais pneus en caoutchouc et un solide habitacle en bois avec banc de chaque côté.

– Vous ne nous avez pas indiqué votre nom, lui dis-je, en m'asseyant en face de lui dans la carriole.

– Stanley, répondit-il.

– Seulement Stanley ou Stanley quelque chose ?

– Rien que Stanley, ça suffit amplement.

Alors, je sus qu'on allait s'entendre :

– Appelez-moi Isabel. Lui, c'est Sam.

– Vous venez passer des vacances ? s'enquit Stanley.

– Non, répliqua Sam.

– Ah bon, fit Stanley tout en tendant le doigt. Ici, c'est l'un de nos entrepôts. Il n'est pas en très bon état, mais il sert toujours.

Long et plat, le bâtiment se trouvait sur une petite éminence entourée d'hectares de thé ; un chemin de terre sinueux conduisait à la plantation.

– Ces rangées de maisonnettes là-haut, ajouta Stanley, appartiennent aux familles des cueilleurs de thé. Chacune a un bon terrain pour cultiver des légumes, et elles possèdent en commun des vaches et des chèvres. Mais allons à l'Upper Lake, je vous ferai visiter les fabriques.

Après avoir roulé devant la poste et un petit magasin – où j'espérais pouvoir acheter autre chose que du thé et du riz – nous prîmes une piste grimpant dans la montagne. La manufacture de thé était perchée au sommet d'une colline. De là-haut, il y avait une vue jusqu'à la route principale. Cela me réconforta de savoir que nous apercevrions à tout moment ceux qui l'empruntaient. La fabrique ressemblait une grange, en plus grand, avec des lignes nettes et droites. Des rangées de fenêtres, espacées par des intervalles réguliers, attiraient la lumière et le vent de tous les côtés. De hautes herbes se dressaient devant la porte d'entrée. Quelques gros pommiers formaient un mur compact et gai. Stanley nous emmena dans un atrium central. Des ventilateurs brassaient l'air chaud pompé des séchoirs jusqu'aux greniers.

– La première opération, c'est le flétrissage du thé, cria Stanley au-dessus du vacarme. Ensuite, on le descend des mansardes pour le faire sécher sur ces râteliers. Puis on broie les feuilles, qu'on laisse fermenter environ une heure avant de les introduire dans ces grosses machines où elles sont torréfiées, tamisées, calibrées et empaquetées. C'est rapide. L'ensemble des opérations ne prend pas plus de dix-neuf heures. La nuit, on entendrait une mouche voler ici : un silence absolu, d'épaisses brumes, mais une chaleur infernale à l'intérieur.

Sam se tourna vers Stanley :

– Si vous transformiez les mansardes en petites pièces, il y en aurait combien ?

– Soixante ou peut-être soixante-dix.

– Parfait.

– Qu'est-ce que vous avez en tête ?

– Un hôpital, répondit Sam. Nous pensons en créer un.

Stanley eut un sourire amer :

– Des idées plus absurdes ont flotté dans ces parages. Les maladies, il y en a des tas : la malaria et toutes les autres endémiques, notamment les affections intestinales. Nous n'avons qu'un vieux dispensaire dont s'occupe un Écossais, un poivrot, et le sanatorium pour la tuberculose que vous avez sans doute aperçu en route.

– J'imagine que vous devez soigner dans le coin, non ? demanda Sam.

– Je m'en tire. Il n'est pas difficile de se procurer des médicaments et du matériel de Dacca et de Calcutta, le chemin de fer fonctionne bien et la route n'est pas mauvaise quand il ne pleut pas.

Nous regardâmes tous les trois la fabrique de thé, chacun perdu dans ses propres spéculations.

C'est ainsi que tout commença.

Située à l'écart d'une piste, notre maison s'adosse à une forêt, un lac s'étend à ses pieds. C'est un bijou du début de l'ère victorienne, ceinturé par une étroite véranda. Le jardin dévale en terrasses jusqu'à un mur de pierres rondes où grimpent du lierre et du chèvrefeuille. À l'intérieur, les murs sont d'un vert très pâle et l'acajou du parquet est éraflé. De puissants effluves fruités de thé se mêlent à l'arôme plus lourd de la fumée de bois. Lorsque je m'en approche la nuit, je la perçois comme un rectangle de lumière – sa forme à peine visible se profilant sous un ciel lunaire. À notre arrivée, elle était claquemurée depuis des mois; personne n'avait ouvert les fenêtres. Au rez-de-chaussée, il n'y avait aucun meuble à part un charpoy couvert d'un tissu orange sur lequel Stanley dormait sans doute quand la pluie inondait son bungalow. Les seules traces de vie consistaient en deux lampes à pétrole, un poêle à bois et deux soucoupes soigneusement lavées et séchées se battant en duel dans la cuisine.

– Bon, elle ne correspond pas tout à fait à nos critères, dis-je, mais quelqu'un s'est donné le mal de la nettoyer.

Les quatre pièces au premier étage étaient nues, hormis l'une où trônaient un beau lit en tek ainsi qu'une armoire. On avait dû les mettre là ensemble, étant donné qu'il était impossible de les déplacer. Les fenêtres une fois ouvertes, cet étage était spacieux et clair. La chambre principale avait un plafond haut orné d'une rosace au milieu et d'une frise de fleurs de lotus aux coins.

– Les fenêtres sont neuves, et nous devrions être contents que le lit soit fait, lança Sam, en s'y asseyant.

Son extrême fatigue me sauta alors aux yeux. Comme je scrutais son visage, pâle et épuisé, l'image d'un malade au dernier stade du paludisme s'imposa à moi. Il ôta ses sandales, poisseuses de sang, remarquai-je. Il me tourna le dos pour enlever sa tunique et son ample pantalon. Je brûlais d'envie de l'aider à cause de son bras, mais, sachant qu'il me repousserait, je le laissai se débrouiller.

Dans la salle de bains, les robinets du lavabo étaient secs. Mais on avait apporté des seaux d'eau. Il y avait une cuvette en émail blanc et une baignoire en métal, un tas de serviettes et une savonnette. Je m'aspergeai le visage : l'eau de la montagne, aussi pure que l'air, avait bon goût. À mon retour dans la chambre, Sam, couché sur le lit, le drap tiré, fermait les yeux. Lorsque je lui adressai la parole, je ne fus pas sûre qu'il m'entendit. Je m'assis près de lui. Le crépuscule entrait par la fenêtre, il frissonna quand je lui touchai la joue. Je me dirigeai vers la cheminée où des bûches étaient entassées, pris la boîte d'allumettes et attendis que le petit bois s'enflamme. Puis, je retournai dans la salle de bains et m'installai dans la baignoire, versant de l'eau sur ma tête pour la laver de sa poussière. Je sortis une nouvelle robe rose de mon sac en velours, que je défroissai. Pensant à la vieille en loques, les larmes me montèrent aux yeux pour un nombre incalculable de raisons. Les refoulant, j'enfilai la neuve et laissai l'eau couler de mes cheveux sur mes épaules, ruisseler entre mes seins, se répandre sur mon gros ventre. Ensuite, je remplis la cuvette en émail, y trempai une petite serviette et retournai dans la chambre. Comme je la portais sans renverser une goutte d'eau, Sam me regarda avec son sourire énigmatique empreint de tristesse. Je soulevai sa tête pour glisser une serviette dessous. Et je me mis à lui nettoyer le visage, repoussant les cheveux de son front si bien qu'il fut aussi bien coiffé qu'à la gare lorsqu'il était rentré de Londres, vêtu d'un costume trois pièces d'une élégance raffinée. De plonger le regard dans ses yeux couleur de mer me tordit le cœur. Je lui lavai le cou, les épaules, le bras dans son attelle, puis passai à l'autre bras. Je lui lavai les mains, laissant l'eau fraîche inonder ses poignets couverts d'égratignures et de bleus. Il ne broncha pas. Je passai doucement le tissu sur son torse jusqu'à son ventre, faisant attention aux hanches, toujours zébrées de traces de coups de fouet. Son corps décharné et contusionné me fit défaillir de chagrin. Fermant les yeux, je me rappelai la façon dont il m'avait lavée alors que j'étais délirante de fièvre et d'une saleté repoussante. Il s'était occupé de moi avec une tendresse qu'aucun homme ne m'avait jamais témoignée... La séparation de nos corps était profonde, nous renvoyant à nos solitudes ; les souvenirs étaient gravés dans nos chairs souffrantes. J'atteignis ses côtes, tellement saillantes que je me crus en face d'une des belles gravures sur bois de l'ouvrage *Anatomy, Descriptive and Surgical*, de Henry Gray. « La voûte d'os élastiques formant l'essentiel de la cage thoracique ; les côtes vraies et fausses ; les deux dernières, dont l'extrémité antérieure est libre, sont dénommées côtes flottantes. » Le vocabulaire précis de l'édition de 1870 resurgit en moi, et mes mains se mirent à trembler. Sam ouvrit les yeux. Je me penchai pour tremper la serviette dans l'eau, la rincer et la tordre. Puis j'approchai lentement vers lui, mais je me sentais prise au piège par son regard. J'avais peur sans comprendre pourquoi. Je tendis le bras vers le drap qui couvrait la partie inférieure de son corps, commençant à le soulever. La main de Sam emprisonna la mienne, et, scrutant ses doigts, j'entonnai comme une mélopée : semi-lunaire, scaphoïde, carpe, métacarpe, phalanges... À la vue des brûlures de cigarette, mon corps se contracta comme un poing. Je fondis en larmes. Sam m'effleura le

front, la joue, la gorge de sa main, dont je m'emparai et
que j'embrassai. Sam se pelotonna contre moi, me serrant
comme un garrot.

– Tout va bien, ça guérira, murmura-t-il.

Je me libérai pour le dévisager. Sa réserve s'était
dissipée.

Il défit les petits boutons de mon plastron – un, deux,
trois – et tira ma robe par-dessus ma tête.

– Laisse-moi te regarder, dit-il, en décrochant les
petites perles roses emmêlées à mes cheveux.

Il fit courir sa main, légèrement, sur mon ventre.
Je frissonnai. Lui aussi. L'instant d'après, il sortit du lit,
posa la tête sur mon ventre et écouta. Je lui caressai les
cheveux. Il me sourit. J'eus l'impression que nous étions
si proches qu'il s'était glissé sous ma peau. Il parla d'une
voix chaude et profonde :

– D'une façon ou d'une autre, nous sommes responsables de ce qui nous arrive. Toute ma vie, je me suis torturé – l'aspect physique contre le mental, l'Indien contre
l'Anglais –, une querelle sans fin à propos de mon identité.
J'ai ouvert la porte à la torture depuis des lustres; c'est
terminé maintenant.

– Si c'est vrai, chuchotai-je, cela signifie qu'un côté
de moi sera aveugle un jour, que mon œil se desséchera
à cause de l'absence de larmes.

Il me lança un sourire plein de tendresse :

– Tu as toujours été aveugle, c'est ce que j'aime en
toi. Tu ne vois pas les choses, ni la vie, comme elles sont.
Tu fonces à l'aveuglette, ainsi tu vois davantage que nous.
Avant toi, je ne voyais rien. Je n'étais que fureur et peur.
Tu m'as fait naître. Qu'est-ce que quelques tortures en
comparaison? Allez, ne pleure pas. Viens t'allonger à côté
de moi. Nous regarderons le soleil se coucher.

Il me couvrit de baisers et, m'attirant sous les draps,
demanda :

– Crois-tu que tu seras heureuse avec un docteur
indien couvert de cicatrices?

Le premier jour, trois personnes vinrent s'asseoir
sous le cèdre du jardin. Une femme qui portait un petit
enfant très rouge, un vieil homme squelettique avec des

ulcères à la jambe et un gamin arborant un pansement crasseux, imbibé de sang coagulé. Nous venions d'entrer dans la cuisine, et j'entendis Sam soupirer en regardant par la fenêtre. Dès qu'elle nous aperçut, la femme gravit l'escalier de service et, se tenant près de la porte ouverte, presque hors de notre champ de vision, elle tendit la main pour frapper. Sam s'éloigna de l'évier pour lui parler. Elle inclina la tête vers la joue du petit garçon, qui tressaillit à peine. Sam toucha son front et releva ses paupières. Il me lança un coup d'œil. Debout près de la porte, je les observais. Après avoir éteint sa cigarette, Sam se récura soigneusement les mains sous l'eau du robinet qu'il fit couler longtemps, puis emmena la femme et l'enfant dans le salon.

Je m'affolai parce qu'il n'avait plus sa sacoche de médecin bourrée de tout ce qu'il fallait pour soigner. Il ne nous restait que les quelques remèdes rangés dans mon sac – un peu de morphine, des pansements, des analgésiques. Je jetai un regard dehors. Le vieil homme, les genoux repliés, mastiquait sous le cèdre, où le gamin était adossé. Sam revint sans la femme, ni l'enfant.

– Je vais les garder ici, m'annonça-t-il. C'est la typhoïde. Il faut que les deux autres aillent au dispensaire jusqu'à ce que nous ayons des fournitures.

Je sortis. Sam, assis sous les arbres, fumait. Il leva les mains en un geste d'impuissance. Le vieil homme rit tout en se calant contre le tronc. J'entendis Sam parler longtemps, avec aisance, prenant son temps. Il expliqua que nous devions nous procurer des médicaments et qu'ils devaient revenir dans deux jours. Le vieil homme et le gamin le regardèrent sans bouger. Sam haussa les épaules, sourit puis rentra dans la maison. Une grimace ironique sur le visage, il m'enlaça :

– On ferait mieux de se mettre au boulot. Où Stanley a-t-il dit que se trouvait le dispensaire ?

Le lendemain matin, lorsque j'allai ouvrir la porte de service, plus de dix personnes étaient accroupies sous le cèdre. Je scrutai Sam qui procédait à une rapide évaluation de nos malades. De l'endroit où il se trouvait, il devinait les maux dont ils souffraient. Il alla les retrouver sous les arbres. Il leur annonça que pas plus de dix d'entre eux pouvaient revenir le lendemain parce que nos fournitures médicales étaient limitées. Lorsqu'il rentra, il me dit en souriant :

– D'ici la fin de la semaine, nous en aurons cinquante.

Je baissai la flamme sous les réchauds à gaz où seringues et scalpels bouillaient, puis disposai des rangées de plats en émail. Le reste du matériel se trouvait dans des cartons, dont nous essayions de ranger le contenu : pansements, onguents, instruments chirurgicaux, une grande armoire à pharmacie avec des tiroirs, une caisse pleine de livres sur la médecine ayurvédique que Sam avait dénichée Dieu sait où. Nous avions dressé une liste des fournitures que nous allions commander à Calcutta. Sam m'effleura le bras.

– Je m'occuperai des femmes et des enfants, déclarai-je.

Celles-ci s'étaient regroupées sous un arbre, à une certaine distance des hommes. Elles formèrent une queue. Lorsque je m'approchai, elles regardèrent mon ventre, levèrent les mains, un sourire patient aux lèvres. Je pris la première mère qui s'avança avec un bébé. Vu que les hommes ne s'étaient pas alignés, Sam se pencha sur un garçon ayant une blessure à la hanche qui saignait abondamment.

Le soir, comme nous nous promenions dans la fraîcheur de l'air en discutant du travail de la journée, je parcourus du regard l'immensité et m'étonnai :

– Comment peuvent-ils avoir connaissance de notre existence alors que nous vivons dans un coin si reculé ?

– Il suffit d'une personne, répondit Sam. Et tous les malades à des kilomètres à la ronde se mettent en route.

Le lendemain matin, je grimpai au sommet de la colline, où la vue sur notre vallée en pente s'offrit à mes regards. Des silhouettes se déplaçaient en file indienne dans un champ jaune et vert; les coteaux en terrasses se dressaient derrière elles, dominés par une chaîne de montagnes enneigées. Une femme emprisonnée dans un tchador cramoisi, accompagnée d'un enfant vêtu de gris, un bébé sur la hanche. Deux hommes en pantalon flottant, coiffés de turban couleur de poussière. Deux femmes avec un petit enfant. Deux vieilles avec des ballots sur la tête. Tous marchaient d'un pas régulier. Entourés de rizières, de l'eau bleutée des canaux d'irrigation, des carrés de légumes, un ciel sans nuages au-dessus d'eux, ils paraissaient minuscules. On les voyait incroyablement bien entrer et sortir de l'ombre, avancer dans la vallée. Ils ne seraient pas arrivés avant des heures. Ils étaient dix.

L'après-midi, j'étais en train d'accrocher des rideaux bleus lorsque j'aperçus un cercle rouge au loin sur la route sinueuse qui mène à notre village. Je fus certaine qu'il s'agissait d'une femme avec un paquet sur la tête. Il n'y avait personne d'autre sur la piste. Derrière elle s'étendaient des massifs de rhododendrons, au-delà desquels s'élevaient les arbres de haute futaie des collines. C'était un point infime encadré par les pics d'un blanc bleuté qui s'élançaient vers le ciel. On n'apercevait que fugacement les montagnes, les arbres qui bruissaient, la fumée s'échappant avec langueur, et la silhouette solitaire. Lorsque le rouge disparaissait, je le regrettais. Il me fascinait. J'attendais sa réapparition, m'affolant lorsque je ne vis plus la voyageuse sur la route. Peut-être était-ce à cause du virage ombragé par de grands peupliers, mais j'eus l'impression qu'elle avait basculé hors du monde. Je descendis du tabouret – où je n'aurais pas dû m'attarder de toute façon car j'étais devenue une péniche se déplaçant à une allure tranquille, claquemurée dans une sorte d'extase qui me poussait à murmurer toute la journée : « Je t'aime, je t'aime. » À vous, à eux, à tout le monde. Le cœur d'une femme enceinte est tellement élastique qu'il peut embrasser le monde entier avec sa beauté, sa cruauté, ses prodiges. La personne surgit au détour du lacet. Loin d'être une femme portant un paquet sur la tête, c'était un homme au visage noir comme du cirage, coiffé d'un turban écarlate. Le même que celui qu'arborait Joseph lors de notre équipée dans les collines de Kasauli, jusqu'à Simla. Quand il me vit agiter le bras, il leva les mains. En signe de reconnaissance.

Remerciements

Je tiens à remercier Leila Hamill, Jonathan Galassi et Betsy Lerner pour leur inestimable concours et le soutien qu'ils m'ont apporté tout au long de la rédaction de ce livre, je leur en suis très reconnaissante. Je remercie également Kemp Battle et Mariane Velmans pour leurs idées et suggestions, ainsi qu'Alexandra Martin pour son aide dans le domaine médical.

J'ai une dette envers un grand nombre d'écrivains, dont les œuvres sont une source inépuisable d'inspiration, et sans lesquels je n'aurais jamais songé à écrire sur l'Inde. Parmi eux : E.M Forster, George Orwell, Somerset Maughan, Paul Scott, R.K Narayan, Ruth Prayer Jhabvala, V.S Naipaul, Salman Rushdie, Arundhati Roy, Jhumpa Lahiri, Charles Allen, Peter Hopkins, Barbara Crossete, Gurcharan Das, Hari Kunrzu, Monica Ali, et Rudyard Kipling, évidemment.

Impression réalisée sur CAMERON par
BRODARD ET TAUPIN
La Flèche
en mars 2006

N° d'édition : 78045/01 – N° d'impression : 34887
Dépôt légal : avril 2006
ISBN. 2-709-62833-3

Imprimé en France